Rita Ottens / Joel Rubin

Klezmer-Musik

Bärenreiter-Verlag

Deutscher Taschenbuch Verlag

In memoriam Vladimir Velvl Terletsky (Moskau 1931–1998) und Ben Bazyler (»Boris Muzikant«; Warschau 1922–1990 Los Angeles): Hitler und Stalin ermordeten ihre Familien und ihre Kultur; die Liebe zur jiddischen Musik vermochte ihnen kein Diktator zu rauben.

Gemeinschaftliche Originalausgabe
November 1999
Deutscher Taschenbuch Verlag GmbH & Co. KG,
München
Bärenreiter-Verlag Karl Vötterle GmbH & Co. KG,
Kassel · Basel · London · New York · Prag
© 1999 Bärenreiter-Verlag Kassel
Umschlagkonzept: Balk & Brumshagen
Umschlagfoto: »Jüdische Klezmorim in Osteuropa zu Beginn
des 20. Jahrhunderts«, © Yivo Institute for Jewish Research, New York
Lektorat: Friederike Ramm und Jutta Schmoll-Barthel
Satz und Gestaltung: Hartmut Czauderna,
Gräfelfing
Gesetzt aus der 10,2/12˙ New Baskerville
auf Apple Macintosh QuarkXPress
Notensatz: Rainer Jung, Kassel
Druck und Bindung: C. H. Beck'sche Buchdruckerei,
Nördlingen
Gedruckt auf säurefreiem, chlorfrei gebleichtem Papier
ISBN 3-7618-1400-3 (Bärenreiter)
Printed in Germany · ISBN 3-423-30748-X (dtv)

Inhalt

Klezmer-Musik in Osteuropa

Blütezeit im 19. Jahrhundert: Die großen Virtuosen

Klezmer-Musik in Amerika

Die Klezmer-Musik seit 1975

Anhang

Vorwort

In den zwanziger Jahren wurde die als große musikalische Sensation gefeierte »Yiddish American Jazz Band« des Klezmers Joseph Cherniavsky von einer amerikanisch-jiddischen Zeitung als »möglicherweise der erste erfolgreiche Versuch, jiddische Musik wiederzubeleben« gewürdigt. Um dieselbe Zeit inszenierte am Jiddischen Theater in Moskau der Reinhardt-Adept Alexander Granowski das Stück »Nachts auf dem alten Markt« von Isaac Lejbusch Peretz als schrillen Bilderbogen über eine verschwindende Tradition und sterbende Kultur: Der Marktplatz erschien als Friedhof. Und während die großen Klezmer-Klarinettisten Naftule Brandwein und Dave Tarras das heimwehkranke osteuropäische Immigrantenpublikum der Lower East Side mit ihren Klängen beglückten, erhoben die jiddischen Dichter des New Yorker »Insichisten«-Kreises ihre Stimmen zu einem letzten großen Lamento: Mit einer nie gekannten Bitterkeit klagten die von Joyce und Kafka beeinflußten introspektivistischen Sprachvirtuosen, Zeitgenossen der Klezmer-Kultur und des jiddischen Operettentheaters der Second Avenue, über ihre Isolation und Ghettoisierung als jiddische Dichter-Avantgarde und Intellektuelle. Ihre Kunst wurde weder von den ungebildeten Immigrantenkreisen noch von den nichtjüdischen Intellektuellen- und Künstlerzirkeln wahrgenommen.

»Seit mindestens 150 Jahren ›verschwinden‹ Juden als folkloristische Objekte«, bemerkt lakonisch die amerikanische Folkloristin Barbara Kirshenblatt-Gimblett, und die in den letzten Jahrzehnten des vergangenen Jahrhunderts einsetzenden Aktivitäten jüdischer Forscher und Musiker zur Bewahrung jiddischer Musik lassen bereits ein ausgeprägtes Bewußtsein für die allmählich stattfindende Auflösung der traditionellen Lebensformen erkennen. Mit dem Fall des Eisernen Vorhangs und der Neuordnung Europas vollzieht sich die Historisierung der Shoah in einer gleichzeitigen Welle von Bewahrungs- und Weiterentwicklungsbestrebungen jiddischer Kultur und Musik gänzlich neuer Art: »Klezmer Chai«, Klezmer lebt, so nannte sich vor einigen Jahren eine Klezmer-Band aus Leverkusen, und eine ebenfalls nichtjüdische Krakauer Klezmer-Band wirbt gar mit kabbalistischer Symbolik auf dem Cover für ihren Anspruch, »etwas Neues und in der jüdischen Musik Einzigartiges zu schaffen.«

Während sich Barbara Kirshenblatt-Gimblett gegen die weitverbreitete Haltung ausspricht, jüdische Ethnographie ausschließlich im Lichte der Shoah zu sehen, ist Klezmer, der traditionellen Hochzeits- und Festmusik des osteuropäischen Judentums in Europa genau das beschieden: Dazu ausersehen, das jüdische Vakuum in Europa auszufüllen, das die Shoah hinterlassen hat, beginnt sie als Symbol für das Judentum eine Rolle in der populären Kultur zu spielen, wobei ihr ein verdächtiges Übermaß an Wohlwollen und Bewahrungsbekundungen seitens des Publikums und der Medien zuteil wird – was könnte einer Musik Schlimmeres passieren!

Die vorliegende Geschichte der Klezmer-Musik handelt jedoch nicht vom Klezmer-Revival in Amerika und seinen Ausläufern in Europa, sondern von der eigentlichen Klezmer-Musik und der Klezmer-Kultur, wie sie in Osteuropa als Lebensform innerhalb einer vom jüdischen Religionsgesetz bestimmten Gemeinschaft bestand. Entstanden ist so die kollektive Biographie der Klezmer-Musiker Osteuropas und ihrer unmittelbaren Nachfahren, geschrieben aus der Perspektive der traditionellen jiddischsprachigen Klezmorim selbst. Die jüngsten Interviewpartner waren siebzig Jahre alt, Angehörige einer spärlich dokumentierten funktional-rituellen Musikkultur, die – außer in den chassidischen Gemeinden Israels – heute nicht mehr existiert. So starb der Trompeter Willie Epstein im Juli 1999 im Alter von achtzig Jahren in Florida während der letzten Korrekturen am Manuskript unseres Buches; sein Bruder Max, heute der einzige lebende Klezmer-Musiker von Rang, dessen Spiel und Repertoire noch von osteuropäischen Einwanderermusikern geprägt war, erlitt vor drei Jahren einen Schlaganfall, kurz nach Beendigung des auf unseren Forschungen und Interviews basierenden Dokumentarfilms über ihn und seine Brüder »A Tickle in the Heart.«

Wie in der Geschichtsschreibung üblich, haben wir aus den Erinnerungsfragmenten, nicht selten einander widersprechend, und der Materialfülle die Beispiele ausgewählt, die uns besonders typisch oder bedeutsam erschienen. Bewußt wurden Begriffe aus der jiddischen und hebräischen Sprache, dem Umfeld der Klezmer-Musik, beibehalten, um die Musik mit der ihr eigenen Terminologie zu beschreiben und die sozialen und kulturellen Zusammenhänge der »Klezmeraj«, ihr Ausbildungssystem und ihre Aufführungspraxis sowie den musikalischen Formenreichtum der osteuropäisch-jüdischen Welt angemessen zu vermitteln (ein Glossar und Hinweise zur Aussprache dieser Bezeichnungen finden sich im Anhang).

Im vorliegenden Buch werden zum ersten Mal die Wurzeln der Klezmer-Musik im religiösen jüdischen Schrifttum freigelegt, ihre ursprünglich magischen Funktionen und ihre Verankerung im mittelalterlichen Volksglauben der rheinländischen Juden dargestellt. Überraschend mag auch die von den Klezmer-Virtuosen des 19. Jahrhunderts wie Gusikow und Pedotser bis hin zu Dave Tarras und Max Epstein vollzogene Hinwendung der jiddischen Instrumentalisten zur westeuropäischen Kunstmusik erscheinen, verbindet man doch zumeist Urwüchsigkeit, Leidenschaft und Sentimentalität mit der bunten, schrägen, anarchischen Musik aus jiddischen, Jazz- und Rock-Elementen, die der World Music-Markt heute als »Klezmer« für die sinnsuchende Gesellschaft bereitstellt.

Musikalisch kann Klezmer-Musik nicht als isoliertes Phänomen betrachtet werden: Eine Darstellung ohne die Einbeziehung der Wechselwirkung mit traditionellen südosteuropäischen Musikkulturen ist ebensowenig möglich wie die Ausklammerung ihrer Funktionen in der jüdischen Religionsausübung, die sie – zusammen mit chassidischer und syn

11

agogaler Musik – seit Jahrhunderten bewahrt. Das säkulare Yiddish- und Klezmer-Revival Amerikas, das gerade diesen Religionsbezug nicht zur Kenntnis nehmen will, basiert auf einer gänzlich anderen Entwicklung: Auf der Nahtstelle zwischen der Alten und Neuen Welt entstand eine Unterhaltungskultur der jiddischsprachigen Immigranten-Unterschichten der Lower East Side, deren Nachkommen in das amerikanische Mainstream-Entertainment, den Jazz und in die klassische Musik abwanderten. Die amerikanischen Revivalisten übernahmen die aus wenigen Elementen der osteuropäischen Spielweisen bestehende kommerzielle jiddische Popular- und Klezmermusik und nahmen eine künstliche Archaisierung vor, die mittlerweile zu einem primitiven Einheitsstil geführt hat, der das genaue Gegenteil zu dem an Paganini orientierten Ideal der Schtetl-Klezmorim darstellt. So schließt das Buch mit einem kritischen Überblick zum Klezmer- und Yiddish-Revival, das diese Musik seit über zwanzig Jahren popularisiert, aber eben nur scheinbar eine echte Fortsetzung der jahrhundertealten Tradition darstellt. Es fehlt die Basis der jiddischen und hebräischen Sprache, der chassidischen und liturgischen Musik, der jüdischen Religion und nicht selten bereits die Kenntnis der mittlerweile historischen Entwicklung des Yiddish-Revivals selbst. Aber gerade die gegenwärtige Situation in den streng orthodoxen Gemeinden Israels zeigt, daß sich die Klezmer-Tradition im religiösen Umfeld erhalten und weiterentwickeln konnte, wenn auch in Formen, die mit ästhetischen Maßstäben allein nicht zu fassen sind, weil sie auf religiösen Funktionen fußen.

Genau dies ist das Anliegen des Buches: die Klezmer-Musik in ihrer Eigenart zu definieren und ihren Weg von der funktionalen Einbettung in das jüdische Ritual bis zur ästhetisierten und kommerzialisierten Form zu beschreiben. Denn losgelöst von der jüdischen Religion erscheint Klezmer-Musik nur als ein Sammelsurium von willkürlichen Tönen und Rhythmen. Begriffsunschärfen und Unkenntnis haben zu Beliebigkeit, Austauschbarkeit und Verniedlichung dieser Musik wie »Klezmer-Tangos«, »Klezmer-Chansons«, »Klezmer-Tänzen« geführt – und das entspricht nicht der geschichtlichen Wahrheit der einst hochentwickelten urbanen jüdischen Festmusik Osteuropas, aus deren Reihen auch die Elite der klassischen Virtuosen des 20. Jahrhunderts von Mischa Elman bis Emanuel Feuermann hervorging.

Nur mit einem fachübergreifenden Ansatz, der Elemente aus Musikethnologie und historischer Musikologie, Judaistik, vergleichender Religions- und Literaturwissenschaft, Geschichte und Soziologie sowie Cultural Studies vereint, war es uns möglich, die komplexen Entwicklungen der traditionellen Klezmer-Musik zu erschließen und ihren Weg über Zeitalter und Kontinente darzustellen. Seit 1989 führen wir Interviews und Forschungen in den USA, Ost- und Westeuropa (u. a. Litauen, Rußland und Birobidschhan) sowie Israel durch, dazu kommt eine Sammeltätigkeit seit den 60er Jahren. Die musikalische Zusammenarbeit von Joel Rubin – selbst einer der ersten Protagonisten des Revivals in den USA – insbesondere mit den Epstein Brothers und den chassidischen Musikern in Israel öffnete uns die Türen zu einer Welt, deren Denken und Fühlen nicht nur unsere Forschung bereichert und dieses Buch möglich gemacht hat, sondern auch unser Leben insgesamt veränderte. Die parallel produzierte CD »Oytsres (Treasures): Klezmer Music 1908–1996« (Wergo) entspricht in der Auswahl unserer derzeitigen Auffassung und der Intention des Buches. Möge dieses Buch dazu beitragen, was die »Insichisten« für ihre Literatur vergeblich einforderten: Daß die jiddische Kultur und die Klezmer-Musik nicht mehr unbekannt bleibe und ihre Künstler nicht mehr als »Hottentotten« betrachtet werden – nicht nur im Hinblick auf die phänomenologischen, sondern durchaus auch im Hinblick auf die gesellschaftlichen Implikationen.

Rita Ottens und Joel Rubin

Berlin und Los Angeles,
im Juli 1999 / Ab 5759

PROLOG

Ein Klezmer-Orchester für Väterchen Stalin

M ai 1937. Im prächtigen Konservatorium von Kiew hat sich eine eigentümliche Gesellschaft eingefunden: Ein Dutzend betagter jüdischer Hochzeitsmusikanten ist mit seinen Instrumenten aus einer der kleineren Städte südlich der ukrainischen Hauptstadt – Belaja Tserkow oder Uman – angereist. Auf Anordnung des ukrainischen Kulturkommissariats soll – man höre und staune! – ein jüdisches Orchester gegründet werden. Die Neugründung wird den Namen »Staatliches Ensemble für Jüdische Volksmusik und -lieder der Ukrainischen SSR« tragen. Der ehrwürdige Geiger Rabinowitsch hat deshalb eilig seine langjährigen Kumpanen zusammenrufen lassen. Ob es sich hier um einen Befehl des schnauzbärtigen Führers Stalin persönlich handelt? Juden schien es in diesen wirren Zeitläuften doch wohl eher angeraten, zu schweigen und sich von allen jüdischen Angelegenheiten fernzuhalten, sonst krepierte man in den sibirischen Arbeitslagern oder in einem der Massengräber der Politischen Polizei, die sich bereits bis in die Stadt hineingefressen hatten. Dabei hatte es doch jetzt sogar die »Jewsektsija« selbst erwischt, die gefürchteten jüdischen Sektionen der Kommunistischen Partei, deren Mitglieder in den zwanziger Jahren Synagogen niedergebrannt und die Rabbis und ihre Familien als »Volksfeinde« und »Agenten der Bourgeoisie« aus den »Schtetlech*«, den Kleinstädten, verjagt hatten. Diese Fanatiker, die jetzt in den Gefängniskellern von ihren eigenen Parteigenossen hingerichtet wurden, hatten einst selbst Schauprozesse gegen die jüdische Religion veranstaltet, wie jenen, der 1921 in Kiew demonstrativ mit dem symbolischen To-

---

* Zur Schreibweise und Aussprache der jiddischen Wörter vgl. die Hinweise auf S. 313.

desurteil für die Angeklagte endete. Die antireligiöse Kampagne der Regierung hat schließlich auch die »Genossen« Klezmorim um ihr Brot gebracht und sie gezwungen, wieder als Schuster und Schneider zu arbeiten. Ihre Geigen und Flöten haben sie seit jener Zeit nur noch in ihren Behausungen hervorgeholt – wenn sie ihre Instrumente während der Hungersnöte nicht ohnehin schon für Brot eingetauscht oder während der Umsiedlungsaktionen verloren hatten.

Und nun sollen Berl Bass und Schmuel Barabantschik so tun, als seien die guten alten Zeiten von Zar Alexander II. wieder angebrochen? Als habe es seitdem keine Kriege, Pogrome und Auswanderung, keine Kollektivierung der Landwirtschaft gegeben – jene Folge von Heimsuchungen, die das russische Judentum ausgeblutet und mit verwirrten Seelen zurückgelassen hatte? Und, als sei nichts gewesen, soll ihr einst stolzes Klezmer-Land wieder erklingen, doch jetzt vor den bewachten Mikrophonen der einzigen staatlichen Schallplattengesellschaft »Aprelewskij Savod Gramplastinok«, und nicht wie einst neben dem goldumsäumten blauen Traubaldachin unter freiem Himmel – zur Freude der Braut und des Bräutigams? Sind sie etwa Fjodor Iwanowitsch Schaljapin, der große Opernbaß, oder der von den kommunistischen Funktionären hofierte Geiger David Oistrach? Statt des Heiratsvermittlers, der Braute Itern, des Rabbi, des Hochzeitsbarden und des Kantors sind es diesmal die grauen Männer der Geheimpolizei, die diese feine jüdische Hochzeit ausgerichtet haben! Andererseits waren es doch gerade diese Bolschewiken gewesen, die die einstmals bis zu vier Wochen dauernden »Chassenes«, jene Hochzeiten mit ihren prunkvollen Festzügen, Banketten und »Klezmeraj«, als »rabbinisches Teufelswerk« abgeschafft und, wie sich ihre Chefideologen in ihrem Partei-Chinesisch ausdrücken, als »verdammenswerten Rückfall in das parasitäre Schtetl-Dasein« angeprangert hatten.

Aber hat nun der neue Glaube an den Kommunismus, die russische Kultur und die freie Liebe die Söhne und Töchter der Klezmorim und ihrer Nachkommen glücklicher gemacht? An Stelle der heiligen »Rebbes« erbitten heute die

Komsomolotschiki (Mitglieder der kommunistischen Jugendorganisation) den Segen – allerdings von Stalin und Kalinin – zu ihren Hochzeiten, und wenn's hochkommt, spielt ein alter Goj, ein Nichtjude, ein paar Komsomoltsen-Lieder auf seiner Harmonika nach der Trauung. Diese gottlose Generation spottet über das Spiel der Klezmorim, obwohl es unsereinem dabei das Herz durchbohrt. Und so wie unsere jüdischen Familien auseinanderfallen, ist unsere alte Welt in Stücke zersprungen wie ein altes Tempelgefäß unter dem Kanonendonner einer neuen Zeit. Wer löst denn heute zu den schluchzenden Klängen der jüdischen Geige einer »kosheren« jüdischen Braut die Zöpfe auf und breitet sie ihr wie einen Teppich über den Nacken aus, wie es einst die Mädchen von Odessa bis Witebsk bei der Zeremonie des »Basetsn di Kale«, dem »Setzen der Braut«, taten? Überhaupt, das Kale-Basetsn! Es gibt doch wohl keinen, dessen Seele nicht im Innersten erbebt wäre angesichts dieser herzergreifenden Szenen, so heilig wie am Versöhnungstage, während derer sich die Braut von einem Mädchen in eine zukünftige Mutter Israels verwandelte! »Gej mit dem Chossn tsu der Chupe in a masldiker Scho. Masltow, masltow«, so pflegte dann der »Badchn«, der Zeremonienmeister und Hochzeitsprediger, die weinende Braut in ihr neues Dasein hinüberzugeleiten: »Geh mit dem Bräutigam zum Traubaldachin in einer glücklichen Stunde. Viel Glück, viel Glück!« Ja, sogar einen Schauspieler des Staatlichen Jiddischen Theaters von Kiew hat Rabinowitsch engagieren müssen, weil man keinen Badchn mehr in der gesamten Ukraine hat finden können. Aber wie dieser Bühnenkünstler »kwetscht« und predigt! Und Rabinowitsch selbst, dieser Teufelskerl von Geiger, er wird sein Instrument sprechen lassen wie ein wahrer Pedotser, das Herz wird es uns allen zerreißen, sogar den Geheimpolizisten vor der Saaltür wird sich vielleicht ein Seufzer, eine menschliche Regung, entringen!

Obwohl man nun großen Aufwand und Propaganda mit den Scherben unserer Kultur treibt, gilt ein jüdisches Leben heute noch weniger als unter dem Zarenpack. Statt für eine rosige jüdische Braut spielen die letzten Klezmorim für ein Publikum, das weder lacht noch weint oder gar tanzt, sondern abkommandiert wird in die Kulturhäuser und Arbeiterklubs zum Besichtigen jüdischer Kultur. Wenn wir zeigen, daß es den Juden gutgeht, geht es allen Völkern bei uns gut, verkünden die Apparatschiks. Dennoch, eine solche Musik wird lange nicht mehr in der Ukraine zu hören gewesen sein! Mögen diese Klezmorim auch am Ende aller Zeiten mit ihren Geigen, Flöten, Klarinetten und Trompeten dem Messias entgegengehen und ihm einen Marsch aufspielen! Ein echter Klezmer verlernt schließlich seine Kunst nie! Schpil, Klezmer, schpil! Also: »Fsjo Charascho«, alles in Ordnung im schönen Sowjetstaat!

Jiddische Kultur im Stalinismus

»Wie ein Raubtier auf Samtpfoten«:
Bolschewismus auf der jiddischen Gasse

Das Jahr 1937 kroch über uns wie ein Raubtier auf Samtpfoten«, ähnlich wie das »Jahr der Sintflut, der Pest, der Sonnenfinsternis«, schreibt Esther Markish in ihren Memoiren über die Zeit der Großen Säuberungen, die seit 1936 erbarmungslos durch die Sowjetunion fegen. Kiew ächzt unter dem eisernen Besen Stalins: Ein achtlos hingeworfener Witz, eine Postkarte aus dem Ausland bedeuten eine Reise in die sibirischen Arbeitslager, und schickt ein Jude seine Kinder auf eine jüdische Schule, kann ihm das eine gefährliche Anklage wegen »kleinbürgerlichen Nationalismus« einbringen. Werden die letzten Synagogen nicht durch die viermal so hohen Stromraten zum Schließen genötigt, zwingt die gegen jüdische Religion und Zionismus kriegführende Jewsektsija die Gemeindeältesten zur Spende der kostbaren Torakronen und Silberleuchtern für den ersten mörderischen Fünf-Jahresplan, oder die mit prächtigem Schnitzwerk versehenen hölzernen Gotteshäuser lodern im Feuer. Wie Wunden schmerzen auch die Ruinen der christlichen Kirchen und Klöster in der ukrainischen Hauptstadt, mit deren Zerstörung man in den vergangenen Jahren die Unabhängigkeitsbestrebungen der Ukrainer vom Sowjetstaat zu ersticken suchte, Aktionen, bei denen der Georgier Stalin und seine ukrainischen Spießgesellen bewußt linientreue Juden einsetzten, um den Zorn der Ukrainer vom bolschewistischen Regime auf die zunehmend unbequemeren Revolutionsgenossen zu lenken. Mit grausamem Eifer gehen diese treuen Gefährten Lenins und Stalins – von Kind an vertraut mit dem

Singsang der hebräischen Toraverse, der klaren Logik des Talmud in den religiösen Schulen und den Klängen der Schtetl-Klezmorim – nicht nur gegen alle »bourgeoisen Abweichler« vor, sondern insbesondere gegen die jüdischen Werte und Traditionen, »überkommene Relikte von Knechtschaft und Ignoranz«, die der angestrebten Sowjetisierung der Juden im Weg stehen.

Lenin selbst war es gewesen, der die »Idee eines separaten jüdischen Volkes für wissenschaftlich unhaltbar, aus einer politischen Sichtweise heraus reaktionär« ansah und mit den Interessen des jüdischen Proletariats für nicht vereinbar hielt – ohne Kenntnis der dreitausend Jahre alten jüdischen Geschichte und ihrer religiösen Traditionen. Im Revolutionsjahr 1917 hingen die meisten Juden in Rußland noch traditionellen Strukturen und Wertvorstellungen an, aber in der Folge wird Hebräisch als Sprache der mittelalterlichen Rabbis, der kapitalistischen Bourgeoisie und der Zionisten gebrandmarkt und die Religion, die jüdische Lebensweise und ihre Repräsentanten werden insgesamt in den Untergrund gedrängt, deportiert oder liquidiert. Mit dem Bedeutungsverlust des »halachischen« Gesetzes, auf dem das gesamte religiöse und gesellschaftliche Weltbild ruht, lösen sich die »Kehiles« (Gemeinden) mit ihren weitverzweigten Strukturen und Diensten auf: die chassidischen Höfe, die religiösen Schulen und Synagogen, welche Gebets- und Lehrhaus und zugleich gesellschaftlicher Treffpunkt waren, die »Chewres«, die Gesellschaften für die Unterstützung von Witwen, Waisen, Bedürftigen und Alten, und die Institution des koscheren Schlachtens. Mit der Vernichtung von Berufen und Ämtern wie Rabbi, »Mojel« (Beschneider), »Sojfer« (Toraschreiber) und »Schojchet« (ritueller Schlächter) verschwanden auch viele der mit dem traditionellen jüdischen Leben untrennbar verbundenen musikalischen Ausdrucksweisen, z. B. die »Chasones«, »Badchones« und die »Klezmeraj«, also die Künste der Kantoren, Hochzeitsprediger und Instrumentalisten. Was die Massenflucht in die Neue Welt – ausgelöst durch die restriktiven Gesetze und Pogrome nach der Ermordung Zar Alexanders II. (1881) wie auch infolge des Ersten Weltkriegs und der Revolutionswirren – von den jüdischen Bräuchen noch übriggelassen hatte, sollte nun der Vision einer neuen Sowjetgesellschaft zum Opfer fallen. Aber weder diese noch die ideologischen Kampagnen der zwanziger Jahre oder die durch Kriege hervorgerufenen sozialen Probleme vermochten die traditionelle jüdische Lebensweise so nachhaltig zu verändern wie die seit der Märzrevolution im Jahre 1917 erfolgte Abwanderung in die Städte. Diese und das gigantische Industrialisierungsprogramm in den dreißiger Jahren lockten die jungen Arbeitskräfte in Massen als Industriearbeiter in die Fabriken der expandierenden Großstädte und ließen die Alten und Kinder in den verelendeten Schtetlech zurück. Bis zur Revolution durch Aufenthaltsbeschränkungen und rigide Quoten vom Gang des russischen Lebens und der russischen Kultur ausgeschlossen, erstürmten die bildungshungrigen jüdischen Neubürger die russischen Schulen, Universitäten, Konservatorien und den politischen Apparat. In dieser Zeit des Umbruchs, auf der Schwelle zwischen den Traditionen der vergehenden Welt und einem modernen Zeitalter begriffen sich Künstlerpersönlichkeiten wie Isaak Babel, El Lissitski und Marc Chagall, deren Schöpferkraft aus dem Humus der religiös-traditionellen jiddischsprachigen Welt erwuchs, als Teil der russischen Kultur und stellten ihr Schaffen in den Dienst der sozialistischen Lehre. Im Verlauf der zwanziger und dreißiger Jahre sollten dann nicht nur die letzten Überreste der jahrhundertealten religiösen Strukturen, sondern das gesamte Spektrum der jüdischen politischen Parteien, Vereine und Institutionen, von den sozialistischen bis zu den zionistischen, zerschlagen werden. Obwohl über sie zu sprechen seit Ende der zwanziger Jahre als »nationalistisch« und »pessimistisch« verurteilt wird, – vielleicht weil »der Pockennarbige«, wie Stalin im Volk genannt wird, sich bei seinen eigenen Mordplänen ertappt fühlt –, sind sie nicht vergessen, die Pogrome von 1918–1921, die auf die fehlgeschlagene Unabhängigkeitserklärung der Ukraine nach der Revolution folgten, die blutigsten seit den

Massakern des Aufrührers Chmielnicki im 17. Jahrhundert. Damals wurden Hunderttausende Juden unter sadistischen, gezielt gegen sie gerichteten Blutbädern abgeschlachtet, verkrüppelt und ausgeplündert, unter Beteiligung sowjetischer, ukrainischer, antibolschewistischer Armeen und Kosakenbanden.

Während dieser Jahre der massiven antizionistischen und antireligiösen Agitation und bewußten Auslöschung ihrer kollektiven Erinnerung erlebten die sowjetischen Juden gleichzeitig eine kurzlebige Ära der offiziellen Förderung der jiddischen Sprache und Kultur. Diese ab Mitte der zwanziger Jahre bis 1932 dauernde Phase führte zu zahlreichen Neugründungen von jiddischen Schulen und Theatern sowie zu einer Fülle von Publikationen auf Jiddisch, in dessen warmer, farbiger Ausdrucksweise die jüdischen Agenten des Klassenkampfes ein wirksames Instrument für die Sowjetisierung des jüdischen Proletariats erkannten. In Weißrußland, der Sowjetrepublik mit dem zweitgrößten Anteil jüdischer Einwohner nach der Ukraine, gaben noch 1926 über 90 % der dort ansässigen Juden Jiddisch als ihre Muttersprache an. Sowjetische Schriftsteller wie Perets Markisch, Lejb Kwitko, Dowid Bergelson, Dowid Hofschtejn, Mojsche Kulbak, »Der Nister« (Pinchas Kahanowitsch) oder Itsik Feffer – auch hier der überwiegende Teil von ihnen verwurzelt in den jüdischen Traditionen der vorrevolutionären Zeit – bedienten sich ihrer Muttersprache, um Kommunismus, Säkularismus und Internationalismus zu propagieren und überkommene jüdische Lebensweisen zu kritisieren, mitunter nicht immer freiwillig. Gleichzeitig wurden Schriften von klassischen jiddischen Erzählern wie Isaac Lejbusch Peretz (1852–1915) oder die biblisch-nationalistischen Melodramen des Jiddischen Operettentheaters von Awrom Goldfadn (1840–1908) vom Staatlichen Jiddischen Theater in Moskau – unter Mitarbeit von Marc Chagall und dem Mimen Schlojme Michoels – als Parodien auf die religiöse Rückständigkeit des Judentums inszeniert. Die jiddische Sprache unterzog man ab 1921 einer ganz eigenen »Säuberung«: Man suchte ihr hebräisch-religiöses Fundament auszuhöhlen und statt der traditionellen Konsonanten-Schreibweise ihres aus dem Hebräischen stammenden Anteils eine phonetische durchzusetzen, die keine Rückschlüsse auf ihre Herkunft mehr zuließ. Auch der im typischen Provinz-Schtetl Berditschew von dem Direktor des Moskauer Jiddischen Theaters Alexander Granowsky gedrehte jiddische Stummfilmklassiker »Jevrejskoje Schastje« (Jüdisches Glück) malt zwar die Schtetl-Kultur so positiv und ehrlich wie später kein sowjetischer Film nach ihm, schildert aber gleichzeitig – basierend auf den bereits als Parodien angelegten Erzählungen Scholem Alejchems (Scholem Rabinowitsch, 1859–1916) – ihre Träumer und jämmerlichen »Luftmentschn« als Opfer der rückständigen Schtetl-Strukturen. Damals, in den Wochen des Drehjahres 1924, als »der Judas der kommenden Völker«, wie der Dichter Ossip Mandelstam in späteren Jahren schrieb, sein schreckliches Gesicht bereits über die »ausgestorbenen Ebenen« des Riesenreiches zu heben begann, war es im Provinz-Schtetl Berditschew noch möglich, für die Hochzeitsszenen echte Klezmorim und Tänzer für traditionelle, anscheinend nicht choreographierte Hochzeitstänze zu finden.

Der sowjetisch-jüdische Musikethnologe Beregowski

In diesem Zeitraum, als die komplexe jüdische Lebensweise bis auf einen sowjetisierten Gebrauch der jiddischen Sprache reduziert wurde, um für die nächsten Generationen eine »sowjetische revolutionäre proletarische jüdische Kultur zu schaffen«, hatte der Kiewer Musikethnologe Mojsche Beregowski (1892–1961; Abb. 1) mit der intensiven Erforschung der osteuropäisch-jüdischen Instrumentalmusik begonnen – »klezmerische Musik«, wie er sie in seinen Schriften ab Anfang der dreißiger Jahre bezeichnen sollte. Das jiddische Wort »Klezmer«, eine Umdeutung der aus dem rabbinischen Hebräisch

23

Abb. 1 Mojsche Beregowski, 1947. Archiv der Beregowski-Familie.

stammenden Verbindung »Klej«, Werkzeuge, und »Semer«, Lied, bedeutet wörtlich »Musikinstrumente« und wird seit dem 16. Jahrhundert in Osteuropa als Bezeichnung für Musiker verwendet. In Osteuropa und in den Immigrantengemeinden Nordamerikas, Israels und anderen Zentren aschkenasisch-jüdischen Lebens bezog sich der Begriff Klezmer dann vor allem auf den Berufsstand ritueller Musikanten, die – eingebunden in den Ablauf des religiösen Lebens – auf Hochzeiten und anderen Festlichkeiten aufspielten. Mit »Aschkenas« bezeichneten die Juden die ersten relativ konzentrierten jüdischen Gemeinden im Nordwesten Europas an den Ufern des Rheins vor einem Jahrtausend. Der Begriff bezog sich dann auf das gesamte damalige deutsche Sprach- und Kulturgebiet, also auf Deutschland, Österreich, Böhmen, Mähren und Westungarn – wo sich im Laufe der Zeit ebenfalls jüdische Gemeinden bilden sollten. Die aschkenasische Kultur wurde von dort aus nach Osteuropa und später in die ganze Welt getragen, so daß die Begriffe »aschkenasisch« sowie »Aschkenasim« heute auch die osteuropäischen Juden und ihre Nachkommen in anderen Ländern mit einbeziehen.

Von Anfang an war sich der engagierte Forscher Beregowski bewußt, daß er die musikalischen Relikte einer vergehenden Kultur dokumentierte, deren begabteste und durchsetzungsfähigste Söhne – vor allem die Nachkommen der Klezmer-Geiger, -Cellisten und -Bassisten – sich bereits Ende des letzten Jahrhunderts Plätze an den russischen Konservatorien erkämpft hatten. Auch Beregowski gehörte zu der Generation der Chagalls, Babels, Feffers, die ihre eigenen Bindungen zur Tradition lösten und in die russisch-sowjetische Kultur der Großstädte überwechselten. Aufgewachsen als Sohn eines »Melamed« (religiöser Kleinkinderlehrer), wurde Mojsche Jakowlewitsch Beregowski in Termachowka im Kreis Tschernobyl des Kiewer Gouvernements geboren. Sein Vater, möglicherweise den Lehren der »Haskala«, der jüdischen Aufklärung, nahestehend, ließ seinem Sohn neben der religiösen Bildung, den Synagogaltonarten und dem liturgischen Gesang auch Unterricht in russischer Sprache und allgemeinbildenden Fächern zuteil werden, damit er an russischen Universitäten studieren konnte. 1905, im schrecklichen Pogromjahr, schlägt sich der Dreizehnjährige allein nach Kiew durch, das Juden nur mit spezieller Aufenthaltserlaubnis betreten dürfen. In dieser Stadt, gleichzeitig ein geschäftiges jüdisches Handels- und Kulturzentrum, bringt er es nach dem Studium zum Leiter einer Musikschule.

Während der Schtetl-Sohn Beregowski 1928 die Leitung der Abteilung für Musikfolklore des Instituts für Jüdische Kultur an der Ukrainischen Akademie der Wissenschaften in Kiew übernahm, neben Minsk eine der beiden Einrichtungen, die das Sowjetregime für die Erforschung der jiddischen Sprache und Kultur bestimmt hatte, verdienten sich viele des Notenlesens kundige ehemalige Klezmorim bereits ihren Lebensunterhalt in Unterhaltungs-, Symphonie- oder Theaterorchestern. Durch die Zerschlagung der Kehiles (Gemeinden) und ihrer Einrichtungen fanden traditionelle jüdische Hochzeiten nur noch selten statt, und das in den religiösen Lebensablauf eingebettete Klezmer-Milieu hörte in den ersten Dekaden des neuen Staates praktisch auf zu existieren. Von den berühmten »Kapeljes« (Kapellen) und den großen Klezmer-Orchestern ragten nur noch vereinzelt Klezmer-Musiker wie Rabinowitsch gleichsam als altertümliche Denkmäler längst vergangener Zeiten in die neue Sowjet-Ära hinein.

Beregowski verfügte über die größte Sammlung traditioneller osteuropäisch-jüdischer Musik auf der ganzen Welt, darunter auch frühere russische Sammlungen, insbesondere die Materialien der An-ski-Expeditionen der Jahre 1911–1914. Das Ziel seiner eigenen Arbeit war das Anlegen einer umfassenden Sammlung von Volksliedern und insbesondere der Klezmer-Musik in Form von Tonaufnahmen und Noten, außerdem von Musikinstrumenten und anderen Objekten sowie von Daten über die Musik und die Musiker. Ob seine Haltung gegenüber der Zerstörung der jiddischen Kultur und damit seiner eigenen Wurzeln sich von der seiner kommunistischen Zeitgenossen unterschied oder ob er die Zerstörung ebenfalls als Notwendigkeit auf dem Wege zum neuen Sowjetmenschen jüdischer Herkunft ansah, läßt sich keiner seiner in stalinistische Dogmen eingekleideten Äußerungen entnehmen. Sein Institut wurde nach 1933 bezeichnenderweise in das »Institut für Proletarisch-Jüdische Kultur« umbenannt, so als habe man bereits sein Ziel erreicht, die »zersetzenden jüdischen Kosmopoliten und religiösen Fanatiker« im Millionenheer der neuen sowjetischen Werktätigen aufgehen zu lassen. Zu Beginn von Beregowskis Klezmer-Forschung war die Disziplin der jüdischen Folklore-Forschung mit einem Entstehungsdatum um 1897 durch den Hamburger Rabbiner Dr. Max Grünwald noch relativ jung. Erst ein gutes Jahrzehnt zurück lagen die Forschungsexpeditionen des Schriftstellers und Folkloristen Schlojme Sajnuil Rappaport (1863–1920), der sich Sch. An-ski nannte und als Verfasser des Dramas »Der Dibbuk« weltberühmt werden sollte. Und die Komponisten Béla Bartók und Zoltán Kodály, ebenfalls Vorgänger Beregowskis, sammelten bereits seit 1907 systematisch die Musik Ungarns und seiner nationalen Minderheiten.

Mit dem Beginn der »Großen Säuberungen« trat jedoch die politische Natur der staatlich geförderten jiddischen Kultur brutal zutage und offenbarte ihre in den Parteiorganen propagierte »Blüte« als begrenzte und kalkulierte Sowjetisierungskampagne der jüdischen Bevölkerung. Ab 1936 deportierte man deren Kulturaktivisten und Ideologen nach und nach in die Straflager oder ermordete sie – ein gigantisches

antijüdisches Liquidierungsprogramm, das den Weg berei-
ten sollte für den Hitler-Stalin-Pakt am Vorabend des Zweiten
Weltkrieges. Daß der Forscher Beregowski während seiner
Tätigkeit am »Kabinett für Jüdische Folklore« in Kiew 1937
seine Monographie mit dem Titel »Jüdische instrumentale
Volksmusik« in jiddischer Sprache veröffentlichen konnte,
1944 einen Doktortitel für eine weitere Arbeit aus dem Bereich der Klezmer-Musik erhielt und die stalinistischen Säuberungen unbeschadet überstand, gehört zu den ungelösten
Rätseln dieser an Widersprüchen so reichen Ära. Später wurde jedoch auch er Opfer des Verfolgungswahns des georgi-
schen Diktators: Die Jahre von 1951 bis 1955 verbrachte Beregowski in den Zwangsarbeitslagern des Gulag, weil seine Arbeit als »anti-sowjetisch« angesehen wurde.

»Das Schönste und das Beste der Klezmer-Musik«:
Das Staatliche Ensemble Rabinowitsch

Warum aber rief ausgerechnet das Stalin-Regime auf dem
Höhepunkt der Säuberungen ein jüdisches Musikensemble
ins Leben, das doch all die jahrhundertealten Werte verkörperte, derer man sich in den vergangenen beiden Jahrzehnten auf brutalste Art und Weise zu entledigen versucht hatte?
Deutete sich in der Bildung eines »Staatlichen Ensembles für
Jüdische Volksmusik« etwa eine Umkehr vom Antisemitismus, ja eine Renaissance traditionellen jüdischen Lebens
und damit jiddischer Musik und Kultur in der Ukraine an?
Dagegen spricht, daß während dieser Zeit gerade auch mehrere ukrainische Staatsensembles für Volksmusik zusammengestellt worden waren. So nahmen die Produzenten von
»Aprelewskij Savod Gramplastinok« damals nicht nur jüdische, sondern auch ukrainische Hochzeitsmusik auf, unter
anderem mit den bekannten ukrainischen Opernsängern
Ivan Patorzhynsky (1896–1960), Baß, und Oksana Petrusen-
ko (1900–1940), einer lyrischen und dramatischen Soprani-

stin, die auch für ihre Interpretationen ukrainischer und russischer Volkslieder bekannt war. Möglich ist eher, daß die ukrainischen Behörden daher mit der Schaffung eines jüdischen Orchesters zu erwartenden Anschuldigungen des Moskauer Regimes wegen »ukrainischen Nationalismus« entgegenzuwirken suchten. Juden bildeten immerhin eine große ethnische Minderheit in der Ukraine, vor allem in Städten wie der Hauptstadt Kiew, wo sie über 20 % der Bevölkerung ausmachten, oder Berditschew mit 80 %. Außerdem wollte das Regime wohl mit einer jüdischen Vorzeigetruppe dem Ausland beweisen, daß Gerüchte über Liquidierungen der kommunistischen Elite der Juden in der UdSSR nicht der Wahrheit entsprachen.

Als der augenscheinlich über gute Beziehungen zum Parteiapparat verfügende Beregowski den Auftrag vom ukrainischen Kulturministerium erhielt, ein offizielles Ensemble jüdischer Volksmusiker zusammenzustellen, kam dies seinen Plänen sehr entgegen: Die in seinem Kiewer Forschungszentrum für jiddische Musik gesammelte Klezmer-Musik hoffte er als Baustein für die Schaffung einer neuen sowjetischen Musik einzusetzen. Danach sollte »das Schönste und Beste der Klezmer-Musik« ausgewählt und adaptiert werden, um als Bestandteil der zukünftigen sowjetischen Volkskunst zu dienen. Zu diesem »Besten« zählte Beregowski offenbar auch die Musik von Rabinowitsch, den der Komponist und Musikforscher Joel Engel (1868–1927) bereits vor dem Ersten Weltkrieg wegen der Manuskripte des großen Geigers Pedotser (1828–1902) aufgesucht hatte. In einem solchermaßen ideologisch gut abgesicherten Vorhaben sah der Taktiker Beregowski sehr wahrscheinlich eine Chance, dieses waghalsige »Unternehmen Rabinowitsch« zu rechtfertigen – und selbst physisch zu überleben. Zeitgleich, während man sich in Palästina traditioneller jüdischer Musikfolklore vor allem aus dem Jemen bediente, um der neuen nationalen Musik des zukünftigen Staates der Juden aus der Feder klassisch geschulter Komponisten jüdische Klangfarben und Stimmung zu verleihen, hatten die Nazis bereits die »Arisierung« von

Beethoven und Bach eingeleitet und den jüdischen Künstlern die Interpretation dieser Komponisten verboten – die assimilierten deutschen Juden wurden in den Kulturbünden zum Spielen »ihrer eigenen Musik« – Mendelssohn und jiddische Lieder – zwangsverpflichtet.

Den damals um die sechzig Jahre alten Klezmer M. I. Rabinowitsch (seine Vornamen haben sich nicht ermitteln lassen) hatte es – nachdem die Grenzen des Ansiedlungsrayons für Juden mitten im zaristischen Rußland endlich aufgehoben worden waren – entweder beim Ausbruch des Ersten Weltkrieges oder nach dem Sturz der Zarenfamilie wie viele der entwurzelten und verarmten Schtetl-Bewohner nach Kiew verschlagen. Und wie diejenigen Klezmorim, die nicht als »Kanonenfutter« in der zaristischen Armee eingesetzt oder von betrunkenen Pogromtschiks erschlagen worden waren, mußte sich auch der betagte Rabinowitsch nach einem neuen Lebensunterhalt umsehen und wurde schließlich Leiter eines Unterhaltungsorchesters. Rabinowitsch besaß zweifelsohne »Jiches«, wie die Juden die Herkunft aus einer bedeutenden, oftmals gelehrten Familie bezeichnen, denn er war kein geringerer als der Enkel des berühmten Violinspielers Jisroel-Mojsche Rabinowitsch aus Fastow (ca. 1807–1900, Abb. 2). Dieser Jisroel-Mojsche, der Begründer der Klezmer-Familie Rabinowitsch, brachte sich mit sechs Jahren auf einer selbstgebauten Fiedel das Geigenspiel bei und erhielt später von einem zaristischen Beamten seinen ersten Unterricht. Seinen Ruhm erwarb er sich nicht nur durch sein brillantes und »umetiks« (kla-

Abb. 2 Der Geiger Jisroel-Mojsche Rabinowitsch, Fastow/Ukraine, vor 1900.

gendes) Spiel, einen Platz als einer der Ahnherren der Klezmer-Musik sicherte er sich auch als Lehrer des legendären Geigers Pedotser. Und ebenso wie diesem vermittelte er auch seinem Enkel das Klezmer-Handwerk schon als Kind. M. I. Rabinowitsch war der Hüter unveröffentlichter Pedotser-Manuskripte und der ukrainischen Klezmer-Tradition des vergangenen Jahrhunderts, deren verschlungene Wendungen und Schluchzer er in hunderten Melodien in immer wieder neuen Variationen zum Ausdruck zu bringen vermochte wie keiner der nachgeborenen Musiker mehr.

Wie mögen wohl Rabinowitsch und seine Musiker, die vermutlich vor der Formierung des »Staatlichen Ensembles« mindestens ein Jahrzehnt nicht mehr zusammengespielt hatten, ihren Auftrag empfunden haben? Waren sie von Stolz erfüllt über ihren privilegierten Status, als einzige jüdische Musiker in der Ukraine ausgewählt worden zu sein, um die von ihren Vätern und Großvätern überlieferte klezmerische Musik vor großem Publikum aufzuführen, oder durchschauten sie die per Dekret verordnete Auferstehung ihrer zerschlagenen, zerstörten Welt als eine perfide Instrumentalisierung zugunsten der stalinistischen Politik? Die Situation im Aufnahmestudio muß jedenfalls eine solch politische Brisanz besessen haben, daß noch heute, über sechzig Jahre danach, der einzige bekannte noch lebende Augenzeuge dieser Aufnahmen anonym bleiben will.

»A Briwele der Mamen«:
Klänge aus der Neuen Welt

Trotzdem war es unwahrscheinlich, daß das Rabinowitsch-Ensemble genauso spielen würde wie in den neunziger Jahren, wie noch der idealistische Beregowski es sich vorstellte, denn was war seitdem nicht alles geschehen? Kaum etwas war übriggeblieben vom alten Rußland und von den jüdischen Schtetlech mit seinen Märkten und den reich verzierten Synagogen, und im Nachhinein erscheinen die wandernden Truppen der »Kino-Deklamatsje«, die bereits in den Jahren vor dem Ersten Weltkrieg die jiddischen Heimatschlager von der New Yorker Lower East Side in den hintersten Winkel des Ansiedlungsrayons trugen, als Vorboten einer unruhigen Zukunft. Diese geschäftstüchtigen Wanderer und ihre laufenden Bilder, mit dramatischen Deklamationen und Musik unterlegt, lieferten der aus der festen Ordnung der alten Zeiten entwachsenden jungen Generation die ersten Rauschmittel, um die arm gewordene Wirklichkeit zu ertragen. Und während in diesen Jahren jüdische Folkloristen unter der Leitung von Sch. An-ski die ukrainischen und weißrussischen Dörfer nach Artefakten für ein nationales jüdisches Museum durchkämmten und russifizierte großstädtische Intellektuelle – wohl wissend um das nahe Ende der alten Schtetl-Welt – ihre bärtigen Großväter Einzelheiten über alte Sitten und Gebräuche ins Trichtermikrophon berichten ließen, gab es in den Schtetlech kaum eine Familie, deren Schwestern oder Onkel im goldenen Land Amerika nicht schon für die Schiffspassagen ihrer nächsten Angehörigen arbeiteten.

Durch die aus den Nähten platzende Lower East Side, seit Beginn der großen Welle der osteuropäisch-jüdischen Einwanderung 1881 Heimat mehrerer Hunderttausend jüdischer Einwanderer aus Osteuropa, war New York schnell zur jiddischen Metropole und zur größten jüdischen Stadt der Welt aufgestiegen. Hier, und nicht mehr in Warschau, Odessa und Kiew, befand sich nun der Mittelpunkt der jiddischen Theater- und Operettenproduktion, des Journalismus und der Literatur. Von hier aus gelangten seit Beginn der Noten- und Schallplattenproduktion um die Jahrhundertwende die vitalen Melodien von den jiddischen Bühnen und die neuesten amerikanischen Schlager und Tänze der New Yorker Tin Pan Alley-Komponisten zu der aufbruchbereiten und lebenslustigen Jugend von Wilna, Krementschug und Bukarest. So mancher Refrain wird im Gepäck der »Alrightniks« – der protzigen Neureichen, die auf Brautschau in ihr altes Schtetl fuhren – seinen Weg über den Ozean nach Osteuropa genommen haben oder gelangte mit Klezmer-Musikern wie den Geigern Alter Gojsman (Alter Tschudnower, 1846–1912) und Oscar Zehngut nach Europa. Beide gehörten zu denen, die der Neuen Welt für kurz oder lang wieder den Rücken kehrten, und Zehngut schloß sich zeitweilig erneut dem Orchester des Jiddischen Theaters von Lemberg an.

Die jüdischen Töchter, schon im letzten Viertel des vergangenen Jahrhunderts kaum noch »Heiratsobjekte«, sondern Fabrikarbeiterinnen, Studentinnen und Mitglieder zionistischer Gruppen, scharten sich vor der Revolution um das vielleicht einzige Grammophon oder Piano des Schtetls und sangen den jiddischen Weltschlager »A Briwele der Mamen« von Solomon Smulewitz. Zu Beginn der zwanziger Jahre schockierten sie, mit kurzgeschnittenen Haaren und Hosen wie die lausbübische Operetten-Garconne Molly Picon (1898–1992) aus dem fernen Philadelphia, ihre Eltern und Großeltern mit Charleston und Foxtrott. Picon, Tochter einer osteuropäischen Wäscherin, die das Jiddische erst wieder für die Bühne erlernen mußte, wurde das Idol der jüdischen Backfische, die fort aus der Enge ihrer Familien in die nächstgelegenen Fabrikzentren oder auf die Zwischendecks der überfüllten Einwandererschiffe in die Neue Welt drängten.

Klangwunder der Heterophonie:
Die Aufnahmen des Staatlichen Ensembles

Im Kiewer Konservatorium spielten M. I. Rabinowitsch und sein Ensemble nun einige Stücke aus dem jiddischen Hochzeitsrepertoire der Jahrhundertwende auf drei 78er Schellackplatten ein: die beiden beliebten Tänze »Frejlechs«, den typischsten osteuropäisch-jüdischen Kreistanz im Zweivierteltakt, in dessen jiddischer Bezeichnung sich unschwer das Deutsche »fröhlich« erkennen läßt, und »Scher« oder »Scherele«, eine Art eleganter jüdischer Square Dance, ebenfalls im Zweivierteltakt, für Anordnungen von jeweils vier Paaren. Auch an die feierlichen Prozessionsstücke, die Begleitmusik für den Hochzeitszug durch die Straßen, war gedacht: Mit der von den Klezmorim auf der »Gas« gespielten Melodie, dem »Gas-Nign«, waren Braut und Bräutigam, die Brauteltern und die Ehrengäste gewöhnlich nach dem Hochzeitsempfang zurück in ihre Häuser geleitet worden. Der schleppend-würdevolle Dreiachteltakt dieses Gas-Nign bildet einen überaus seltsamen und bewegenden Gegenpart zu seiner vielstimmig jubilierenden Melodie. Vor allem aber das »Kale-Basetsn«, das »Setzen« der Braut, stellt schließlich, obwohl im Aufnahmestudio entstanden, das unmittelbarste Zeugnis jiddischer Klezmer-Musik aus der Sowjetunion dar. Diese in den streng ritualisierten Ablauf einer traditionellen osteuropäisch-jüdischen Hochzeit eingebettete zentrale Zeremonie wurde ursprünglich als magische Handlung zur Abwehr der bösen Geister vollzogen, die durch das Weinen und Heulen der weiblichen Hochzeitsgäste in die Irre geführt werden sollten. Auch bei der Rabinowitsch-Aufnahme durchzieht stilisiertes Weinen einer weiblichen Stimme die wunderbar ausdrucksvollen Solo-Improvisationen von Rabinowitsch und die gebetsartig in Kantilenen vorgetragenen Verse des Schauspielers Lejser Kalmanowitsch. Eine »Braut«, auch sie eine Schauspielerin, schluchzt und weint wie eine jüdische Tochter in ihrer allergrößten Schicksalsstunde, bevor sie ihrem Bräutigam zum ersten Mal ins Angesicht sieht. Die Klezmorim untermalen das Ganze emphatisch und würdevoll mit ausgehaltenen Akkorden. Spätestens hier beginnt man zu verstehen, warum gerade die »umetike« Qualität – der niedergedrückte Zustand des Gemüts des mittelhochdeutschen »unmaere« – das wichtigste Kriterium für das Spiel eines Klezmers war und ist: Bei dieser existentiellen Begegnung von Mann und Frau, dem männlichen und dem weiblichen Prinzip, liefert der Klezmer mit seiner Musik die Begleitung zum menschlichen Urdrama von Trennung und Vereinigung, Tod und Wiedergeburt, in heidnischer Zeit Teil der heiligen Riten der Hochzeitsfeier und Paarung. Hier ist auch der

Abb. 3 Eine große Kapelje aus Ostrowiec/Polen, südwestlich von Lublin, die damals in ganz Polen berühmt gewesen sein soll; um 1900. Vierter von links mit der Geige könnte der junge Rubin Szpilman sein (vgl. Abb. 14). Man beachte den generationsbedingten Unterschied in Kleidung und Haartracht.

Schlüssel zum Verständnis des Wesens und der Funktion der Klezmer-Musik zu suchen. Aus der Musik des Rabinowitsch-Orchesters weht noch der Atem der einstigen Begleitzeremonien des Mysteriums mit seiner Klage und dem Jubelschrei. Wie immer nach einer lamentierenden Melodie, wird auch das Kale-Basetsn von einem lebhaften Tanz, in diesem Fall einem Vivat im Zweivierteltakt, abgelöst, einem feierlichen Marsch, mit dem die Braut zum wartenden Bräutigam unter den Traubaldachin geleitet wird.

Das Rabinowitsch-Ensemble setzte sich aus mehreren Geigen, Trompeten bzw. Kornetts, Klarinette, hölzerner Querflöte, kleiner Trommel und Tuba und vermutlich einem Cello oder Halbbaß sowie einem gestrichenen Baß zusammen.

Dieses war für eine größere Schtetl-Kapelle der Jahrhundertwende eine typische Besetzung (Abb. 3). Das Spiel des Ensembles besitzt alle Merkmale des vollen und komplexen
Klezmer-Klanges jener Tage: weinende Geigen, zackiges Trom-
petenspiel im Militärstil, schwermütige Klarinetten, trillern-
de Flöten und einen vorwärtstreibenden, stampfenden Rhythmus, der von der kräftigen Tuba umspielt wird. Alle Instrumente entfalten ein wahrhaftes Klangwunder der Hetero-
phonie: Wie bei den Figuren im traditionellen jiddischen
Tanz – charakterisiert durch zahllose individuelle Improvisationen, bei denen die einfachen Grundschritte mit unterschiedlichen Fuß- und Handbewegungen ausgeschmückt
werden – und der jüdischen Eigenart, das Beten nach dem
innersten Gefühl körperlich zu formulieren und expressiv-
rhythmisch zu unterstützen, spielte auch der Klezmer seine
eigene Melodieversion, fügte Verzierungen hinzu, Vorschlä-
ge, Triller und Pralltriller, Glissandi und eine ganze Palette
feiner und feinster Brechungen und Verschleifungen, je
nach seinem persönlichen Geschmack. Dies erzeugte unab-
lässig neue, interessante Kontraste und Zusammenstöße der
Stimmen untereinander (Beispiel S. 36 oben). Gelegentlich
pflegte das eine oder das andere Instrument der Klezmorim
die Melodie mit einem Auf- und Abgleiten der Tonleiter oder
einem langgezogenen Triller auf einem Ton auszufüllen,
oder sie folgten eine kurze Weile den Umrissen der Grund-
melodie in Terz- oder Sextparallelen, um dann zur Hauptmelodie zurückzukehren – all dies, ohne je einen einzigen
Takt zu versäumen. Zweite Fiedel, auch »Sekund« genannt,
Baßinstrumente und Trommel waren die einzigen Instrumente, die nicht die Melodie spielten. Die Melodiebeglei-
tung des »Sekundirer«, des zweiten Fiedlers, bestand aus
Doppelgriffen, die in wechselnden rhythmischen Figuren,
zumeist Achtel- und Sechzehntelnoten, gestrichen wurden
(Beispiel S. 36 unten). Nach dem Trommler und Unterhalter
Ben Bazyler (1922–1990), dem jüngsten Mitglied und einzigen Überlebenden der »Kaluschiner Klezmurim«, einer populären Kapelje aus Kaluszyn nahe Warschaus, pflegten die

Heterophonie

»Na Raswete« (Belfs Rumänisches Orchester, 1912), T. 13–16

Begleitmuster und Harmonisierung

»Na Raswete«, T. 5–16

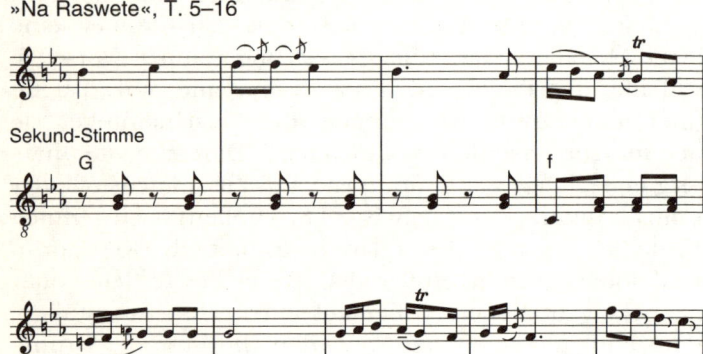

(Original eine Quinte höher)

beiden »Sekundirers« in der Kapelle seines Onkels den Rhythmus mit einem solchen Schwung vorwärts zu treiben, daß sie ihn während ihres Spiels häufig zu Besorgungen schickten, weil sie keine Trommel mehr nötig hatten.

Nicht nur der Stil dieser Rabinowitsch-Aufnahmen ist reinster Klezmer, neben dem Ausdruck der »Umetikeit« sind es die fast überirdische Heiterkeit und die Würde, die der Musik eine intensive emotionale, »jüdische« Qualität verleihen. Beregowski sollte sich später jedoch über das spärliche Erinnerungsvermögen dieser letzten Klezmorim beklagen: Sie seien nicht mehr imstande gewesen, sich an das Zusammenspiel mit Vater und Großvater zu erinnern, und die notierten Orchestrierungen seines Informanten Rabinowitsch könne er daher als nur bedingt zufriedenstellend für seine Forschung ansehen. Die Klage erweist sich anhand der stilistischen Analyse und des spirituellen Gehalts der Rabinowitsch-Aufnahmen von 1937 als nur schwer nachvollziehbar und wirft eher Fragen nach der Haltung Beregowskis auf, in der sich bereits eine gewisse Tendenz zur Romantisierung der althergebrachten jüdischen Lebensweise manifestiert. Nach 1939 reiste Beregowski nach Ostgalizien, in die von der So-

Schlüssel zu den Transkriptionen

	Ton wird schnell nach unten zu einer unbestimmten Tonhöhe (selten mehr als ein Halbton tiefer) gebogen
	Ton beginnt auf einer unbestimmten Tonhöhe (selten mehr als ein Halbton tiefer) und wird dann nach oben zur notierten Tonhöhe gebogen
	Ton wird nach unten zu einer unbestimmten Tonhöhe (nicht mehr als ein Halbton tiefer) und dann zurück zur ursprünglichen Tonhöhe gebogen
	Ton etwas höher als notiert, aber nicht hoch genug, um auf der nächst höheren Tonstufe notiert zu werden
	Nachschlagartige Verzierung, wird unbetont und manchmal »geschluckt« gespielt; ist rhythmisch mit dem vorherigen Ton verbunden (auch)
	Pralltriller (enthält nur 3 Töne)
	Portamento/Schleifer zwischen zwei Tönen

wjetunion besetzten Teile Polens, wo er diese ungebrochenen Traditionen noch vermutete, konnte aber dort ebenfalls nichts mehr von der Klezmer-Tradition des 19. Jahrhunderts vorfinden, wie er sie sich vorstellte.

Zwischen Tradition und Sentimentalität

Um die gleiche Zeit, als Rabinowitsch seine Aufnahmen machte, wurde Klezmer-Musik schon in üppigen symphonischen Arrangements auf Schallplatten angeboten. Das in Charkow beheimatete Ensemble unter der Leitung von Solomon Fajntuch (1899–1985) aus Berditschew spielte 1939 Bearbeitungen jiddischer Instrumentalmusik wie Scher, Frejlechs und das Begrüßungsstück »Dobrinotsch« (Gute Nacht) für »Aprelewskij Savod Gramplastinok« ein. Der von sparsamer Verzierung, aber verschwenderisch mit Akkorden unterlegte und von Mehrstimmigkeit und Kontrapunkt bestimmte Klang erzeugt jedoch eher konzertante Effekte als der einer Klezmer-Kapelje. Im Gegensatz zur Rabinowitsch-Kapelle fehlt bereits der lamentierende Untergrund, und nur bei der Scher zeigt sich noch die Tanzenergie der Musik.

Diese gefälligen Versionen jiddischer Musik sind die ersten Vorläufer des eindimensionalen, später häufig die Grenzen zum Kitsch überschreitenden Stils, der ab den fünfziger Jahren die jiddische Musik in der Sowjetunion dominieren sollte und mittlerweile überall die Auffassung von jiddischer Musik bestimmt. Die einzigen anderen Aufnahmen mit jiddischer Instrumentalmusik in der Sowjetunion spielte das Orchester des GOSET, des Staatlichen Jiddischen Theaters in Moskau, ebenfalls 1937 unter der Leitung des ehemaligen Klezmers und »Verdienten Sowjetkünstlers«, des Geigers und Dirigenten Lejb Pulver (1883–1970) ein, auch diese sind stilistisch den Fajntuch-Aufnahmen ähnlich. Anhand der melodischen Verzierungen für sein Orchester, von Fajntuch akribisch im klezmerischen Stil ausgeschrieben, läßt sich vermuten, daß er – wie Rabinowitsch und Pulver – und eine Anzahl seiner Orchestermusiker ebenfalls aus der Klezmer-Tradition stammten. Obwohl die ersten Geiger sich anscheinend bemühten, unisono zu spielen, haben jedoch einige von ihnen die Melodie nach Klezmer-Manier vorgetragen, indem sie jeder nach dem eigenen Geschmack verzierte. Ein ähnliches Klang-Phänomen schildert der Opernsänger Sergei Levik (1883–1967) in seinen Memoiren: Das von dem Dirigenten Emil Cooper geleitete Orchester der Oper in Kiew habe häufig mit einer bestimmten »Rauhheit und Übertreibung, sogar gelegentlich in ›Zigeuner-Orchester‹-Phrasierung – oder rumänischem – Stil, so wie man ihn damals kannte«, gespielt. Trotz der Etikettierung als »rumänisch« oder »Zigeunerart« handelt es sich hierbei vermutlich auch um jüdische Spielweisen.

Die Aufnahmen von Pulver und Fajntuch entsprachen dem ästhetischen Ideal dieser letzten Generation, die noch dem musikalischen Umfeld des Schtetl-Milieus entstammte. In gewisser Weise stellen sie die musikalischen Äquivalente der farbenprächtigen Darstellungen des Schtetl-Lebens dar, wie sie Chagall für die Bühne des GOSET entwarf: nostalgische Entwürfe einer unwiederbringlich verlorenen Tradition, noch ein allerletztes Mal beschworen von einer Generation, zu deren Lebzeiten das »einst strahlende Licht vom Turm nicht nur verlosch, sondern das Haus selbst in Ruinen fiel«, wie der Dichter Der Nister den Zerfall seiner jiddischen Welt später trauernd besingen sollte.

Spötter und Narren:
Die Letsonim von Aschkenas

»Singen, sagen und seitenspil«:
Der Begriff »Lejts«

Die heute als Klezmer bekannte Musik – wie sie sich in Europa ein letztes Mal in den Aufnahmen des Rabinowitsch-Ensembles ausdrückte – hatte sich hauptsächlich während des 18. und 19. Jahrhunderts im jiddischsprachigen Osteuropa entwickelt, einem Gebiet, das vor allem Teile des heutigen Polen, Weißrußland, Litauen, Rumänien, Moldawien und der Ukraine umfaßte. Jedoch bestand das Spielen auf Hochzeiten und Festen als Beruf unter Juden bereits seit Jahrhunderten in ganz Europa. Die Wurzeln dieser musikalischen Tradition liegen, wie die der jiddischen Sprache, im Hochmittelalter (ca. 1000–1250) in den jüdischen Siedlungen Mitteleuropas. Dort, in Aschkenas, bedienten sich die Juden einer eigenen Fusionssprache, dem Westjiddisch (das sogenannte »Judendeutsch«). Diese Vorläuferin des osteuropäischen Jiddischen, die in hebräischen Buchstaben geschrieben wurde, setzte sich zusammen aus dem Mittelhochdeutschen, aus altfranzösischen und altitalienischen Dialekten und auch einer großen Anzahl von Wörtern aus dem aus Hebräisch und Aramäisch bestehenden »Loschn-Kojdesch«, der heiligen Sprache. Es erscheint auf den ersten Blick unverständlich, daß die Bezeichnung »Klezmer« für einen jüdischen Musikanten bis ca. 1775 gerade in seinem Entstehungsgebiet unbekannt blieb. Hier erhielt sich das Wort aus der hebräischen Schriftsprache weiterhin in seiner eigentlichen Bedeutung »Musikinstrumente«, während die professionellen jüdischen Instrumentalisten als »Letsonim« oder »Lejtsim« bekannt waren, der Pluralform des Wortes »Lejts«.

Dieser Begriff, der in der hebräisch geschriebenen Tora, den Fünf Büchern Moses, für übermütig, zügellos, gewissenlos oder frech gestanden hatte, bezeichnet Hanswurste, Schelme und Spötter und wurde schon vor der Zeit des Oberrabbiners und geistlichen Führers der Juden von Aschkenas, Jacob ben Moses Moellin aus Mainz, genannt Maharil (1360 [1365?] – 1427), verwendet. Dieser Gelehrte des auf der Bibel aufbauenden, gesetzgeberisch-theologischen Talmuds unterschied in seinen Schriften eindeutig zwischen den Instrumenten, den Klezmorim, und ihren Spielern, den Letsonim. Unter »Spielmann« – ob jüdisch oder nicht – wurde damals jemand verstanden, dessen artistische und gauklerische Kunststücke musikalisch begleitet wurden, so daß eine Unterscheidung zwischen Gaukler und Spielmann oft nicht möglich ist. Mit der im Spätmittelalter eingeleiteten Herausbildung des Spielmannsbegriffes gewann auch die Bezeichnung »Sprecher« für die Meister gereimter Wortkunst an Bedeutung, und die enge Verbindung zwischen »Singen und Sagen« löste sich damit auf, eine Entwicklung, die schon im 13. Jahrhundert begonnen hatte. Interessanterweise weist sowohl die liturgische als auch die Klezmer-Musik noch sogenannte »Sogechts« auf, eine besondere Art des Sprechgesangs, und die Redewendung »sing es far mir« der heutigen Chassidim meint nichts anderes als »spiel es für mich«.

Lejts bezeichnete seit dem 13. Jahrhundert nicht nur die Musiker im allgemeinen, sondern ebenso die jüdischen Hochzeitsspaßmacher, Schnorrer, Witzeerzähler und sogar Tänzer, die im Mittelalter von Haus zu Haus und von Hof zu Hof zogen und unter deren Lästerreden sich wohl nicht selten eine unbequeme Wahrheit verbarg, der man mit Verleumdungen und Geldbußen entgegenzutreten suchte. Noch zu Beginn des 20. Jahrhunderts will der Folklorist Samuel Weissenberg (1867–1928) aus Elisawetgrad östlich von Uman in den Gesichtszügen der Klezmorim, als »Erben« der Letsonim, deren allzu bekannte Spottlust und Frechheit ausgedrückt gefunden haben. Viele dieser Letsonim-Spaßmacher spielten in der Tat Musikinstrumente, aber erst im

Verlauf des 16. Jahrhunderts beginnen sich allmählich die Letsonim-Musikanten als separate Berufsgruppe von den musikmachenden Letsonim-Narren zu unterscheiden. Die Letsonim stellten die zahlenmäßig größte und einflußreichste Gruppe von Musikausübenden innerhalb des jüdischen Siedlungsgebietes in Aschkenas und übertrafen damit sogar die der »Chasonim«, der professionellen Vorsänger in der Synagoge. Sie traten nicht nur auf Hochzeiten, sondern auch auf Marktplätzen und in Häusern wohlhabender Bürger auf, zusammen mit Stelzengehern, Seilriesen, Bettlern, Feuerschluckern, wasserköpfigen Zwergen und Wahrsagern, nicht selten mit einem Esel im Gefolge. Von Juden und Christen gleichermaßen als Außenseiter betrachtet, bewegten sich diese gewitzten und weltgewandten Berufsspaßmacher und Musikanten mühelos zwischen der jüdischen und christlichen Welt und trugen auf diese Weise nichtjüdische Melodien und Tanzmusik in die Alltags- und gottesdienstliche Welt der Aschkenasim. So konnte sich auch das »Kol Nidre« (Alle meine Gelübde) durch den Einfluß der Minnesänger im süddeutschen Raum vom 11. bis 16. Jahrhundert entwickeln – eine Melodie, die in allen aschkenasischen Synagogen zum Jom Kippur, dem Versöhnungstag gesungen wird, so jedenfalls der »Vater der jüdischen Musikologie« Abraham Zewi Idelsohn (1882–1938). Eine klare Abgrenzung zwischen den sakralen und säkularen Bereichen des jüdischen Lebens ließ sich jedoch vor der jüdischen Aufklärung ab Ende des 18. Jahrhunderts nicht vornehmen, und »so wie dem Juden Religion Leben und Leben Religion bedeutete, so ist ihm die heilige Melodie Volkslied gewesen und das Volkslied heiliges Lied« – schöner als Idelsohn kann man diese Einheit zwischen den beiden Sphären wohl nicht ausdrücken.

Obwohl ihnen von Anbeginn die Rolle des Fremden und aus christlicher Sicht Ungläubigen zugewiesen wurde, deren sozialer und legaler Status sich mit der Verfestigung des Christentums in eine unsichere, gegen hohe Geldzahlungen zu »beschützende« Existenz auswuchs, waren Juden keineswegs von den Strömungen ihrer Zeit ausgeschlossen, sondern bildeten einen integralen Bestandteil der Ideen und Bewegungen des damaligen Lebens. Schon im »Buch der Frommen«, dem »Sefer Chassidim«, das dem Judah he-Chassid (Judah ben Samuel von Regensburg, ca. 1150–1216 [1217?]) zugeschrieben wird, heißt es »Wie die Nichtjuden, so die Juden«. Die jüdischen Gemeinden im mittelalterlichen Europa standen, schon allein durch ihre bis nach Asien und Afrika reichenden geschäftlichen Verbindungen, in einem beständigen Austausch mit ihrer christlichen Umwelt und verfügten über weitreichende Kontakte besonders zur islamischen Welt. Vor allem vom christlichen Klerus hingegen ging der Anstoß zur Errichtung von Schranken zwischen Juden und Christen aus, so etwa die frühen Versuche Ende des 12. Jahrhunderts, den musikalischen Einfluß der Juden auf die Christen zu unterbinden – wohl hauptsächlich aufgrund der allgemeinen kulturellen Überlegenheit der Juden. Einschränkungen, wenngleich aus religionsgesetzlichen Gründen, erfuhren Musik und Musiker über die Jahrhunderte hinweg auch durch die Erlasse der Religionsgelehrten und Gemeinden aus den eigenen Reihen.

»Einen ›Zaun‹ gegen die Ausgelassenheit«: Jüdische Musikausübung und ihre religionsgesetzliche Auslegung

Angeblich sei den Juden die wahre Musik ihrer Vorfahren zur Zeit des Ersten und Zweiten Tempels nicht mehr verständlich, und alle spätere Musik verkomme so zum albernen Gespött dieser herrlichen Töne von einst, so hielt der Chronist Johann Jacob Schudt 1716 die Aussagen gelehrter Juden fest. In der Tat erfreuten sich die Juden bereits in biblischer Zeit eines reichen Musiklebens, sowohl innerhalb als auch außerhalb ihres Tempels, des zentralen Heiligtums in Jerusalem. Im religiösen Schrifttum findet sich demnach auch eine große Zahl von Referenzen zur Musik, zu Musik- und Perkussionsinstrumenten, zu Sängern und Musikern. Nach der Zerstörung des Zweiten Tempels in Jerusalem durch die Römer im Jahre 70 u. Z. wurde das Ritualleben der Juden, einschließlich der Musik, einer radikalen Neuorganisation unterworfen. Bestimmte bis dahin die instrumentale und vokale Kunstfertigkeit der professionellen Tempelmusiker, der »Leviten«, den Gottesdienst, wurde die Musikausübung nach der für das jüdische Volk traumatischen Katastrophe von den Schriftgelehrten (Rabbinen) als ein Zeichen der Trauer über den Verlust des Heiligtums und die Zerstreuung der Juden untersagt. Noch im 12. Jahrhundert schrieb der jüdische Gelehrte Maimonides (Mose ben Maimon, 1135–1204): »Nachdem der Tempel in Trümmer gesunken war, ordneten die Weisen … an, daß man nicht mit Musikinstrumenten spiele, und es ist verboten, sich an allen Arten des Singens und Spielens und allen Arten von Schallinstrumenten zu freuen, und es ist verboten wegen der Zerstörung.«

Bis heute unterliegen Musikausübung und Tanz nicht nur in der Synagoge wechselnden Einschränkungen seitens der jüdischen Gemeinden, abgeleitet aus der rabbinischen Einstellung, »einen ›Zaun‹ gegen Ausgelassenheit und Vergnügen zu errichten«, um das Andenken an die Zerstörung des Tempels beständig wachzuhalten. Doch bedurfte es gewiß nicht dieses Traumas, um Begründungen zu finden, der insbesondere dem Vergnügen beider Geschlechter dienenden Tanzmusik Schlechtes nachsagen zu können: So wurden die allzu sorglos stimmenden Klänge der Fiedeln und Schalmeien von manchen Gelehrten nicht gebilligt, weil diese die Menschen zur Unzucht verleiten könnten. In gleicher Weise sah auch die christliche Geistlichkeit in den enthemmten Tanzvergnügungen ihrer eigenen Jugend eine Gefahr für die guten Sitten und betrachtete Spielleute, Unterhaltungskünstler im allgemeinen als »Diener des Satans«, deren verwerfliches Tun mit »Unehrlichkeit« und Ausschluß vom Abendmahl zu belegen sei. Ohnedies nahm Instrumentalmusik gegenüber dem Gesang gemeinhin eine mindere Stellung ein. Dagegen billigte der Scholastiker Thomas von Aquin (1225/26–1274) das Tun des Spielmanns als Erleichterung von der Erdenqual, und der Heilige Franziskus von Assisi (1181/82–1226) prägte den Begriff von den »Spielleuten Gottes«. Aus diesen beiden Extremen läßt sich auch die noch heute ambivalente Haltung gegenüber Unterhaltungskünstlern im allgemeinen und Klezmorim im besonderen ableiten.

Die rabbinische Einstellung gegenüber säkularer Musik stand andererseits jedoch im Widerspruch zu dem religiösen Gebot, Braut und Bräutigam an ihrem Hochzeitstag zu erfreuen. Schon ab dem 12. Jahrhundert hatten aschkenasische Gemeinden wie Speyer, Köln, Augsburg und Nürnberg begonnen, sogenannte Tanzhäuser neben der Synagoge in den Judengassen zu errichten. Nach der Trauungszeremonie unter freiem Himmel im Hof der Synagoge fanden in diesen Allzweckgebäuden, die als Hochzeits-, Braut- oder Spielhäuser dienten, die Hochzeitsfeste mit ihren Gelagen und Tanzlustbarkeiten statt. Freude und Frohsinn ohne Musik – deren Erlernen und Ausübung selbst die gottgefälligsten Rabbis billigten – war einem einflußreichen Talmudisten wie dem Maharil nicht vorstellbar, und so förderte der führende Gelehrte seiner Zeit die Musik zu Hochzeiten als eine Notwendigkeit, wie eine Begebenheit aus dem rheinischen Eppstein im frühen 15. Jahrhundert illustriert: Nach dem Tode der Ehefrau des Kurfürsten wurde ein Trauerjahr von den örtlichen Behörden festgesetzt, während dessen auch bei jüdischen Hochzeiten in Eppstein keine Musik gespielt werden durfte. Eine zu dem Zeitpunkt in Vorbereitung befindliche jüdische Hochzeit wurde auf Anraten des Maharil von Eppstein deshalb in das nahegelegene Mainz verlegt, das außerhalb der Gerichtsbarkeit des Kurfürsten lag und somit das Musizieren erlaubte.

Manche aschkenasischen Gemeinden erließen »Luxusverordnungen«, die wie die christlichen Hochzeitsordnungen seit dem 13. und 14. Jahrhundert die Ausdehnung des Festes zu begrenzen und den mitunter beträchtlichen Aufwand einzuschränken suchten. In Fürth erlaubten die Verordnungen des Rabbinats aus dem Jahre 1728 nicht mehr als vier Musikanten einschließlich des Spaßmachers, und es drohte eine Strafe von vier Talern, wenn die Letsonim nach Mitternacht aufspielten. Desgleichen war den Musikanten untersagt, Braut und Bräutigam nach der Trauungszeremonie durch die Straßen bis vor ihr Heim zu geleiten, und jungen Leuten war die Begleitung der Spielleute verboten. Auch die Bezahlung der Musikanten war bis ins Detail geregelt: Die Mädchen und Jünglinge durften den Letsonim nicht mehr als einen halben Gulden zahlen, Braut und Bräutigam gestattete man etwas mehr. Bei Überschreitung des festgesetzten Betrages erhielten die Musikanten für ein Jahr Spielverbot. Und selbst im 20. Jahrhundert noch entscheiden manche der religiösen Autoritäten über den Umfang – und damit auch über den »Sound« – der Hochzeitsbands: In den achtziger Jahren verfügte der Satmarer Rebbe Teitelbaum in Williamsburg/ Brooklyn, daß alle Mitglieder seiner Gemeinde aus Gründen der Gleichheit zwischen Arm und Reich zu ihren Hochzeiten nur noch Ein-Mann-Bands mieten durften. Schon bald darauf dröhnten aus den riesigen Lautsprechern die Keyboardklänge mit eingebautem Trommelrhythmus so laut wie eine ganze Band, und dem Bedürfnis nach aufwendigeren Ensembles und dem gleichzeitigen Einhalten des rabbinischen Dekrets hat man inzwischen auch Rechnung getragen: So gibt es »Ein«-Mann-Bands »mit Blosers« (Bläsern), die aus zwei bis vier Spielern bestehen – ein beeindruckendes Beispiel rabbinischer Spitzfindigkeit.

Entwicklung des Instrumentalensembles

Erst im 17. und 18. Jahrhundert kann die Besetzung einer typischen Letsonim-Kapelle, zumeist Mitglieder von Musikantenfamilien, in denen das Handwerk vom Vater auf den Sohn vererbt wurde, nachgezeichnet werden. Jüdische Familiennamen wie Fiedler, Geiger oder Bass zeugen besonders von

der Vorliebe der Letsonim für alle Arten von Streichinstrumenten, einschließlich des Cellos, der Bratsche und des Kontrabasses, aber mehr als jedes andere Instrument ist die Geige zum bevorzugten Ausdrucksmittel der jüdischen Musikausübung in Aschkenas geworden. Aus Italien stammend,
hatte sie bis spätestens Mitte des 17. Jahrhunderts die bis dahin beliebte dreisaitige Fiedel ersetzt und sich als »jüdisches«
Instrument etabliert. Juden spielten auch eine bedeutende
Rolle bei der Verbreitung des Hackbretts oder Zimbals: Dieses wurde ab der zweiten Hälfte des 16. Jahrhunderts ebenfalls zu einem »jüdischen« Instrument, nachdem die kunst-
fertigen und temperamentvollen aschkenasischen Musikanten ihre Fingerfertigkeit und Musikalität bereits bei Laute
und Harfe unter Beweis gestellt hatten, Instrumente, die vor
Aufkommen von Geige und Hackbrett als Einzelinstrumente
oder in Duokombinationen verwendet wurden.

*Abb. 4 Letsonim-Ensemble (Hackbrett, zwei Geigen, Cello) mit der be-
deckten Braut unter der Chupe, Frankfurt am Main, Anfang
18. Jahrhundert.*

Letsonim-Ensembles unterschieden sich im übrigen kaum von einer typischen mitteleuropäischen Bauernkapelle, da die jüdischen Instrumentalisten meist die Besetzungen der christlichen Mehrheit übernahmen. Üblich waren im 17., 18. und frühen 19. Jahrhundert verschiedene Kombinationen von Saiteninstrumenten, z. B. zwei oder drei Geigen mit einem Baßinstrument (Cello, Baß oder Halbbaß) und Zimbal. Möglicherweise von jüdischen Musikern in Prag Mitte des 17. Jahrhunderts eingeführt, breitete sich diese Kombination nach Norden und Westen aus. Ein Kupferstich (Frankfurt am Main, 1716) zeigt Musiker mit Hackbrett, zwei Geigen und einem Cello, die einen Brautzug mit der verschleierten Braut unter der Chupe anführen (Abb. 4).

Die Klarinette – ihre Erfindung wird dem Nürnberger Instrumentenbauer Johann Christoph Denner zugeschrieben (um 1690) – hielt dagegen relativ spät in das Letsonim-Ensemble Einzug. Als Spieler des heute als der Inbegriff der Klezmer-Musik geltenden Instruments sind aus Märkisch-Friedland um 1800 fünf Juden, im Nebenberuf Handeltreibende, dokumentiert, die das Amt der Musiker versahen, einer davon als Klarinettist.

Acht Rabbis, zwei Musikanten: Die berufliche Einbindung der Letsonim in Gemeinde und Zunft

Die Existenz und Anzahl jüdischer Musikanten hing nicht zuletzt auch von der Größe und wirtschaftlichen Stärke einer Gemeinde ab. Wie sehr die Musikanten in diese Gemeindestruktur eingebunden waren, zeigen die Bücher der Jüdischen Gemeinde zu Frankfurt am Main aus dem Jahre 1694: Neben acht Rabbinern, zwei Assistenten der Rabbis, fünf Chasonim und Vorlesern, einem Synagogendiener, zwei rituellen Schlächtern, zehn religiösen Elementarschullehrern, zwei Tora-Schreibern, einem Notar, zwei Ärzten, einer Pflegerin und vier Nachtwächtern standen auch zwei Musikanten auf der Gehaltsliste. Üblicher scheinen jedoch die selbständigen Spielleute gewesen zu sein, wie zum Beispiel in Berlin, wo der Musikant Lewin Wolff um 1700 tätig war. In Dennenlohe/Franken soll es bereits 1796 um die zwanzig jüdische Musikantenfamilien gegeben haben, die als »Zinkenisten« bekannt waren und die Spielleute für die gesamte Region stellten.

Aus der prächtigen Stadt Prag, einem der wichtigsten Zentren des aschkenasischen Judentums in Mitteleuropa, ist das Leben und die Tätigkeit der Letsonim durch den reichhaltigen Schriftverkehr der »Prager Juden-Spielleutezunft« ausführlich dokumentiert. Übrigens tauchen die Begriffe wie Spielmann, Musikant und Musiker wohl ausschließlich im Schriftwechsel der jüdischen Musikanten – die Jiddisch sprachen – mit deutschen Behörden auf oder wurden von denjenigen verwendet, die der jiddischen Sprache nicht mächtig waren; ansonsten ist eine einheitliche Berufsbezeichnung der Letsonim untereinander nicht belegt. Die Prager Juden-Spielleutezunft wurde 1558 als Interessengemeinschaft gegen die christlichen Konkurrenten und die ungelernten »Pfuscher« gegründet und ihre Zunftordnung von der Obrigkeit bestätigt. Auf dem Höhepunkt ihrer Mitgliederzahl im Jahre 1651 gehörten ihr zweiundvierzig Geiger, Kontrabassisten, Lautenisten, Zitherspieler und Zimbalisten an. Vom Lehrburschen über den Gehilfen bis hinauf zum »Musicus« hatten sich alle jüdischen Spieler in Prag der Ausbildung und den hierarchischen Regeln der Zunft zu unterziehen. Sowohl die Klezmorim Osteuropas als auch die Musiker im Alten Israel, die »Leviten« (professionelle Tempelmusiker), und die säkularen, also außerhalb des Tempels tätigen Musiker und Musikerinnen von Rang und Ansehen, waren zur Sicherstellung ihrer professionellen Interessen in Zünften zusammengeschlossen.

Das musikalische Jahr der Letsonim:
Aufgabenbereiche und Einnahmequellen

Das Aufspielen zu Hochzeiten und anderen Festen gehört in den Bereich der sakralen Musik, da alles gesellschaftliche Geschehen im Zusammenleben der Juden in einem religiösen Gefüge stand. Neben den Hochzeiten bildeten insbesondere die fröhlichen Feste des jüdischen Jahres wie »Purim«, das Fest zur Erinnerung an die Errettung der persischen Juden vor ihrer Vernichtung, das achttägige Lichterfest »Chanukka«, das Laubhüttenfest »Sukkot« und das Fest der Torafreude »Simchat Tora« den Hintergrund für weitere musikalische Darbietungen der Letsonim, in manchen Fällen auch das Spielen während der Gottesdienste in der Synagoge.

Purim und Chanukka

Auch bei den ausgelassenen Maskenspäßen der Purim-Spiele, jüdische Volkstheaterstücke, spielte Musik eine zentrale Rolle. Die während des Purim-Festes im jüdischen Monat Adar, etwa Februar/März, stattfindenden Festmähler, Maskenumzüge, Maskentänze, Bälle und Schauspiele sind bis heute ohne die Instrumentalisten nicht denkbar. Die »Megile«, das Estherbuch, in dem diese Geschichte vom Bösewicht Haman und der guten Königin Esther erzählt wird, ist nicht Bestandteil der Tora, und so darf an Purim – anders als an den meisten anderen jüdischen Feiertagen und am Schabbat – gearbeitet und musiziert werden. An diesem heitersten aller jüdischen Feiertage, auch Nacht der »Schikurim«, der »Besoffenen«, »Angeschickerten«, wie man in manchen Teilen Deutschlands auch heute noch sagt, genannt, trinkt der Jude so viel Branntwein, bis sich sein Kopf dreht und er den Unterschied zwischen dem »Verflucht sei Haman« und »Gelobt sei Mordechai« nicht mehr erkennen kann. In früheren Zeiten geriet so mancher Gottesdienst während der Lesung der Megile am Purim-Abend zu einer Varietévorstellung: Der Vorleser würzte seinen Vortrag mit burlesken Späßen und talmudischer Dialektik, und jedesmal, wenn der Name des jüdischen Erzfeindes Haman fiel, bekräftigte das Volk mit »Haman-Klappern« und selbstgebauten Lärminstrumenten von Tischgröße seine Bereitschaft zur Auslöschung des Bösen. Diese Sitte soll so laut und chaotisch gewesen sein, daß sie in manchen Synagogen verboten wurde.

Bereits im 16. Jahrhundert entwickelten sich die jiddischen Purim-Spiele, die vorwiegend die Esther-Geschichte darstellen. Gruppen von aufgeputzten (männlichen) Purim-Spielern – zumeist Talmudschülern – paradierten mit den Spielleuten durch die Straßen und fielen unter Gelächter und viel Lärm in die Häuser ein. Das Publikum war vertraut mit den biblischen Heroen und ihren Schicksalen, gehörten sie doch als jedermanns Ahnen wie auch die Purim-Spieler zur großen Familie des jüdischen Volkes. Unter lebhafter Beteiligung im Familien- und Gemeindekontext aufgeführt, entlohnte man die Darsteller und Musikanten nach der Vorführung des Purim-Spiels mit Schnaps, süßem Kuchen und Groschen. Von der Musik zu diesen Theaterstücken aus Aschkenas ist nichts mehr erhalten. In Osteuropa fanden Purim-Spiele noch bis ins 19. Jahrhundert unter Begleitung der Klezmorim statt, und so konnte Mojsche Beregowski in den dreißiger Jahren Fragmente und sogar ganze Stücke einschließlich der Musik sammeln. Bis heute bilden zeitgenössische Purim-Spiele mit Titeln wie »Der Schidech in Brod« (Die Heiratspartie in Brody) einen alljährlichen Höhepunkt im religiös-kulturellen Leben der Anhänger der Bobower Chassidim in Brooklyn/ New York. Die reich verzierten, lyrischen chassidischen Gesänge werden dabei von einer kleinen Kapelle aus Geigen, Trompete und Keyboard-Synthesizer begleitet. Allerdings spielen die Geiger die einfachen Melodien ohne Verzierung, so daß eine Verwandtschaft zur alten Klezmer-Tradition beim ersten Hinhören kaum zu vermuten ist.

Wie Purim stammt auch die Geschichte von der rituellen Reinigung und Wiedereinweihung des Zweiten Tempels nach dem Sieg der Makkabäer 164 v. u. Z. nicht aus der Tora, und so wird während der Chanukka-Zeit ebenfalls die Musikausübung erlaubt. Bei dem am 25. Kislew – in der christlichen Vorweihnachtszeit – beginnenden achttägigen Fest wird jeden Abend ein Licht am Chanukkaleuchter angezündet. Aus osteuropäischen Synagogen des 19. Jahrhunderts ist das Spiel von Zimbalisten in der ersten Nacht beim Anzünden der Lichter überliefert; in Galizien gab vor der Jahrhundertwende die Klezmer-Kapelle der Brüder Wolfsthal Chanukka-Konzerte in Synagogen. In manchen aschkenasischen Gemeinden machten die niederen Gemeindebediensteten wie der Melamed (Kinderlehrer), der Schlächter, der »Schammes« (Synagogendiener), die Kantoren und nicht zuletzt auch die Instrumentalisten den wohlhabenden Gemeindemitgliedern während der Chanukka-Tage ihre Aufwartung und wünschten diesen ein »Gut Chanukka«. Dafür erhielten auch sie das sogenannte Chanukka-Geld, das für die Musikanten von Aschkenas einen willkommenen Bestandteil des Jahreseinkommens bildete.

Synagoge, Festzüge, Messen, Chewres

Obwohl die hauptsächliche Funktion der Berufsmusikanten in der Begleitung des jüdischen Hochzeitsrituals und der Feste des jüdischen Jahreszyklus bestand, ist es eher ihre Teilnahme an öffentlichen Ereignissen und ihre prekäre Existenz als Personen eingeschränkter Rechts- und Handlungsfähigkeit, die von den christlichen Chronisten und Staatsbediensteten insbesondere zwischen dem 16. und 18. Jahrhundert aufgezeichnet wurden. Die eigentliche Tätigkeit und die Musik der Lejtsim hat sich dagegen in den Annalen der (christlichen) Geschichtsschreibung nicht niedergeschlagen. Auch jüdische Chronisten belegen eher öffentliche Aufführungen der Letsonim als Hochzeiten, so das feierliche Hereingeleiten der »Schabbat-Königin« zu ihrem »Bräutigam«, dem Volk Israel, am Freitagabend vor Sonnenuntergang in Mainzer und Prager Synagogen zu Beginn des

Abb. 5 »Sijjum ha-Tojre«-Feier (Vollendung einer Tora-Rolle) in einer Synagoge mit reichverzierter »Bime« (Altar). Eine Gruppe Männer, Frauen und Kinder schauen zu, wie zwei ältere Männer zu Klarinetten- und Geigenmusik tanzen. Dubrowno/Witebsk, um 1900.

18. Jahrhunderts. Die nach der mystischen Tradition zu vollziehende Vereinigung wird zu Orgel, Zimbals, Cembali und Streichinstrumenten mit den Stimmen der Kantoren untermalt.

Die instrumentale Musik in der Synagoge bestand wahrscheinlich zum einen aus der Begleitung der gesungenen Psalmen und religiösen Hymnen, »Pijjutim«, zum anderen aus instrumentalen Einschüben zwischen den Gebeten. Im allgemeinen fanden aber Aufführungen von Instrumentalmusik durch die Spielleute, ob vor oder in der Synagoge, nur zu besonderen Anlässen und nicht als regelmäßiger Bestandteil des jüdischen Rituallebens statt. Dies konnte die Feier zum Abschluß einer neuen Tora-Rolle (Abb. 5), die Einweihung eines Synagogengebäudes, die Einführung oder die Begrüßung eines Rabbis oder die tränenreiche Rückkehr einer jüdischen Gemeinde aus dem Exil sein, aber auch die Besuche von Mitgliedern der Königshäuser und des Adels, die Geburt königlichen Nachwuchses, Krönungen oder der Militärsieg über Napoleon im Jahre 1814. So beschrieb beispielsweise die Erzherzogin Marie Louise, die spätere Ehefrau Napoleons I., wie die Juden während ihres Preßburger Synagogalbesuches (1802) nach jedem Psalm mit Trompeten und Trommeln einsetzten. Sie sollen so laut Vivat gerufen haben, »daß mir dies tic-tac in der Brust machte«.

Besonders aufwendig gestalteten sich die öffentlichen Festzüge der jüdischen Gemeinde zu Prag, wenn verschiedene Ereignisse des Könighauses gefeiert wurden. Ihr prunkvoller Festzug zur Feier der Geburt von Erzherzog Joseph durch die Prager Straßen (1741) enthielt neben Braut und Bräutigam und Hochzeitsnarren zu Pferden auch »die Juden Spiel-Leute mit der großen Zunfts-Kanne und einem Zettul, worauf das Wort Vivat geschrieben war, auf dem Hute. Einer von ihnen war ein achtzigjähriger und blies als eine Weibes-Person verkleidet den Fagot«.

Als lohnende Reiseziele für die jüdischen Musikanten, Clowns, Tanzmeister und Akrobaten galten neben den großen Messen und Jahrmärkten in Breslau, Dresden, Frankfurt und besonders Leipzig auch Herbergen und Wirtshäuser, jüdische wie nichtjüdische. In diesen Etablissements lockte ihre fröhliche Tischmusik zu Mählern und Trinkrunden die Gäste an. Aus Herbergen im Amsterdam des 17. Jahrhunderts sind jüdische Musikanten aus Aschkenas belegt, die Geige, Hackbrett und Baß spielend von Tisch zu Tisch schlenderten. Tischmusik erhielt sich bis in das 19. Jahrhundert auch bei den zweimal jährlich abgehaltenen Festmahlen der »Chewres«, der freiwilligen Vereine innerhalb der Gemeinde, die sich Wohltätigkeit (Hospital- oder Begräbnis-Chewre) und religiösem Studium widmeten.

Jüdische Bädermusikanten und Brunnenmusiken

Besonders für die Spielleute längs des Mittelrheins bildeten Engagements in Kurorten wie Bad Schwalbach, Wiesbaden, Bad Ems und Schlangenbad seit mindestens Anfang des 18. Jahrhunderts eine der Hauptverdienstquellen. Diese jüdischen Bädermusikanten spielten gewöhnlich auf einem Podest oder in einem Pavillion direkt neben der Wasserquelle, während der Brunnendiener den Gästen Gläser mit Heilwasser servierte. Auch bei Bällen und Tänzen in den Gasthöfen der Kurorte fielen die weltgewandten Musikanten vor allem durch ihre hervorragenden Geiger mit abwechslungsreichen Potpourris auf; Eigenschaften, die insbesondere die fremdländischen Gigolos der Kurorte zu schätzen wußten, konnten sie doch die Sehnsucht der deutschen Frauenherzen mit einem Tanz zu den neuesten Melodien und Tänzen ihrer fernen Heimat stillen.

Außer ihrer berufstypischen Gewandtheit und Kenntnis fremden Repertoires läßt sich kein spezifisch jüdischer Gehalt im Vortragsstil oder Repertoire der Bädermusikanten nachweisen; ebensowenig weiß man, ob es sich bei diesen immer um die rituellen Musiker der traditionellen jüdischen Hochzeiten handelte. Ein Pachtvertrag aus den Jahren 1797 bis 1802 erlaubte den jüdischen Bädermusikanten aus Runckel an der Lahn, gegen eine zusätzliche Mietsumme auch bei jüdischen Hochzeiten in Schwalbach zu spielen. Bekannt ist nichts über Tätigkeiten osteuropäischer Klezmorim in Kurorten, aber die Zusammensetzung des Publikums könnte Anhaltspunkte dafür bieten, daß Klezmorim zur gesundheitsfördernden Umgebung in beliebten Kurorten wie Marienbad oder Karlsbad dazugehörten und die Heilungsprozesse der wohlhabenden Händler aus der Nalewkistraße in Warschau, der orthodoxen Familien und der altersschwachen chassidischen »Wunder-Rebbes« mit ihren Anhängern durch ihre schönen Melodien beschleunigten.

»Gemeine Spielleute und kahle Bierfiedler«: Sozialer Status und Lebensweise der Musikanten

Obwohl die Klänge der Letsonim sehr gefragt waren, blieb ihr sozialer Status gering. Dies hatten sie mit allen Narren, Hanswursten und Jongleuren – ob jüdisch oder nicht – gemein. Darüber hinaus konnte ihre Bedeutung als gern gesehene Unterhalter nicht über ihren labilen gesellschaftlichen Status als Angehörige einer religiösen Minderheit hinwegtäuschen. Die Aussage von Schudt, die »Juden Lezim sind gemeine Spielleute und kahle Bierfiedler«, scheint die damals übliche Auffassung der christlichen Mehrheit gegenüber jüdischen Spielleuten wiederzugeben: armselige oder ungeschulte Musikanten, die eben nur gut genug für Hochzeiten und Kindtaufen waren. Die Verbindung von Nichtseßhaftigkeit und unsicherer ökonomischer Existenz machte sie in den Augen ihrer Umwelt zu sozialen Parias und färbte auch auf die Seßhafteren von ihnen ab, wie die in Zünften zusammengeschlossenen Spielleute und die Gemeindeangestellten. Das bei weitem die Mehrheit darstellende musikalische Proletariat aber, für die Belustigung des niederen Volkes zuständig und unter schlechten Arbeitsbedingungen und der Mißgunst ihrer christlichen Konkurrenten leidend, steht im Gegensatz zum hohen Status der jüdischen Musikanten in biblischen Zeiten, die wie die Barden der heroischen Zeitalter eine große Wertschätzung beim Volke genossen. Wenige Lejtsim brachten es zu einer Stellung bei Hofe; der weitaus größte Teil hing von Almosen und Trinkgeldern ab und konnte sich wenig Skrupel über die oft kruden Darbietungen und beutelschneiderischen Tricks leisten, zu denen ihre Armut sie zwang.

»Impertinente Judenspielleute«: Die Haltung der Christen gegenüber den jüdischen Musikanten

Die Geschichte der Letsonim wäre unvollständig ohne die Kenntnis der zahlreichen, von der christlichen Gesellschaft und ihren Behörden ausgehenden Beschwerden und Gesetze, die ihre Tätigkeit über die Jahrhunderte einzuschränken versuchten.

Häufig ergingen Klagen gegen Letsonim aus Mißgunst und Neid, wie im Falle eines Berichtes aus Mannheim im Jahre 1718, in dem die Prächtigkeit und die Dauer einer jüdischen Hochzeit mit der eines Fürstenhauses verglichen wird. Viele Beschwerden wegen angeblicher Beleidigung der christlichen Religion durch Juden rührten daher, daß Feste und Feiern wie Hochzeiten oder Purim-Bälle und Purim-Spiele während der Fastenzeit und besonders der Karwoche stattfanden. So 1694 im fränkischen Schnaittach, wo der katholische Priester über die Abhaltung einer jüdischen Hochzeit klagte, während der die Juden »sich sehr impertinent mit denen Spilleuthen und andern gewohnlich Freudenzeichen zwecks Beschimpffung der Catholischen Religion und zwar sogar in der Charwoch solle verhalten haben«.

Schon ab dem 13. Jahrhundert – wie 1267 in Wien – unterbanden christliche Synoden gemeinsame Teilnahme von

Christen und Juden auf Festen, besonders auf Hochzeiten. Noch bis zum 19. Jahrhundert war es Christen im allgemeinen verboten – oder es wurde zumindest von der christlichen Obrigkeit nicht gern gesehen –, jüdische Hochzeiten zu besuchen, und umgekehrt war Juden der Besuch christlicher Hochzeiten untersagt. Die »Judenordnung« von Erzherzog Ferdinand vom 24. Juli 1526 für Ensisheim (Elsaß) und Breisgau drohte Juden – damals schon durch diskriminierende Kleidung kenntlich gemacht – und Christen ein Bußgeld bei gemeinsamem Tanzen auf Hochzeiten an. (Ähnliche Verbote sucht man übrigens auf seiten der Juden vergebens.) Der weltmännische und des »barocken Judendeutschen« kundige Goethe ließ sich jedoch von einer solch feindlichen Haltung nicht beeinflussen: In seinen Lebenserinnerungen »Dichtung und Wahrheit« berichtet er, daß er eine Beschneidung, eine Hochzeit und ein Laubhüttenfest besuchte, wobei er bei den beiden letzten Ereignissen wohl auch Musik von Letsonim gehört haben mag.

Solcherart beeinflußt von ihrer geistlichen und weltlichen Führung, verwundert es nicht, daß sich die christlichen Spielleute von den wendigen Judenmusikanten bedroht fühlten. Dieser Machtkampf, die eingeschränkten Arbeitsmöglichkeiten und Behinderungen, dazu zahllose Steuern und Schutzgebühren brachten so manchen ehrbaren und angesehenen jüdischen Musikanten an den Bettelstab. Komplizierte Vorschriften bestimmten, wann Hochzeiten gefeiert werden, wo jüdische Musikanten spielen, wie lange und an welchen Tagen sie auftreten durften, wie groß die Ensembles zu sein hatten, ja sogar die Aufenthaltsorte der Musikanten waren festgeschrieben. So entstand beispielsweise ein fortlaufender Streit mit den drei christlichen konkurrierenden Spielleutezünften in Prag, nachdem der jüdischen Spielleutezunft das Recht zum Spielen bei christlichen Hochzeiten und Taufen vom Erzbischof von Prag 1641 zugestanden wurde. Dennoch fuhren die christlichen Zünfte fort, die Juden des armseligen Musikantentums zu bezichtigen, mit dem Resultat, daß den jüdischen Spielleuten ihre Rechte erneut aberkannt wurden.

In der Folge wurde über einen Zeitraum von einem Jahrzehnt immer wieder ihr Recht, auf christlichen Hochzeiten zu spielen, durch antijüdische Bittschriften in Frage gestellt. Wie existenzbedrohend diese Einschränkungen für die Juden waren, zeigt ihre Rechtfertigung gegen die Anschuldigungen der christlichen Gilden: Sie gaben an, daß das Spielen eines Instrumentes die einzige Profession sei, die sie beherrschten, und daß sie bei einem Verbot verhungern würden – und nicht etwa, daß die Anschuldigungen gegen ihr angeblich schlechtes Spielen ungerechtfertigt seien.

Der den Juden auferlegte Zwang zur Einholung einer Erlaubnis zum Spielen von Musik nach dem 16. Jahrhundert in jeder einzelnen deutschen Stadt war nicht nur ein Weg, die jüdischen Musikanten zu besteuern, sondern auch ihre Popularität zu begrenzen, denn jüdische Musikanten wurden oft den ortsansässigen christlichen vorgezogen. Ebenso wie die extrem hohe Besteuerung ausländischer Musiker insbesondere für die kleinen und mittleren Künstler Gastspiele im heutigen Deutschland zu einem Zuschußgeschäft gemacht hat, von dem die inländischen Künstler profitieren, waren die Lejtsim verpflichtet, ihre ohnehin mageren Einkünfte mit dem Schutzherrn oder mit den zugelassenen christlichen Musikanten zu teilen, wie 1708 in Worms, wo die christlichen Stadtmusikanten von der Hälfte des Einkommens ihrer jüdischen Kollegen profitieren konnten.

Nicht weniger kompliziert war das Reisen für die Letsonim, deren Lebensunterhalt in besonderem Maße von ihrer Mobilität abhängig war. Neben den Musiklizenzen wurden ihnen zusätzlich Geleitbriefe abverlangt, für die sie oft hohe Gebühren zahlen mußten. Jüdische Spielleute durften häufig nicht an Sonn- und Feiertagen reisen, auch Übernachtungen an bestimmten Orten waren nicht erlaubt oder – bei Zahlung einer entsprechenden Geldsumme – auf vierundzwanzig Stunden begrenzt. In Herbergen und Wirtshäusern, oft gezwungenermaßen ihre religiösen Verpflichtungen verletzend, fanden sich die fahrenden Letsonim zusammen mit Talmudschülern, Wanderpredigern, entlassenen Kantoren und christlichen Dieben, Bettlern und fahrenden Frauen wieder – wobei allerdings auch so mancher jüdische Kantor und Lustigmacher polizeilich bekannt war. In einzelnen Fällen bewirtschafteten die Juden auch selbst solche Herbergen, so Itzig Lez und Itzig »der Musikant« in Fürth.

»Etwas wild, aber doch sehr artig«: Musikalische Aspekte der Letsonim-Tradition

Die Musik der Letsonim ist im Dunkel der vergangenen Jahrhunderte verlorengegangen. Da die jüdischen Musikanten nie das Notenlesen erlernten und ihr Wissen nur mündlich von Generation zu Generation weitergaben, sind die meisten ihrer Melodien und Spielweisen nicht überliefert. Außerdem mag die Konkurrenz der christlichen Musikanten oder sogar ihrer jüdischen Glaubensbrüder die Letsonim dazu verleitet haben, ihre Musik als ein gut gehütetes Berufsgeheimnis zu bewahren. Allerdings ist bereits um 1800 in Märkisch-Friedland eine Kapelle bezeugt, deren erster Geiger nach Noten spielte, während der Violoncellist und der Hackbrettspieler nach Gehör begleiteten, »nicht ungeschickt«, wie der Chronist anerkennend vermerkt. Auf einem etwa hundert Jahre früher entstandenen Stich von Bernard Picart aus Amsterdam sind Musiknoten auf dem Pult des Hackbretts eines deutsch-jüdischen Musikanten dargestellt (Abb. 6).

Wenn es auch keine erhaltenen Zeugnisse jüdischer Hochzeitsmusik aus früheren Jahrhunderten gibt, so enthält die Memoirenliteratur des 19. Jahrhunderts doch aufschlußreiche Beschreibungen über die seltsam durchdringende Spielweise der Letsonim und ihre Fähigkeit, die Hochzeitsgäste zu Tränen zu rühren. Hervorgehoben wird ihr hoher Grad an musikalischer Vollkommenheit und ihr enormes handwerkliches Geschick. So berichtet beispielsweise Daniel Stauben von einer jüdischen Hochzeit im Jahre 1857 in Winzenheim/Elsaß, wo die Klarinettisten »eine gewöhnlich elegi-

Abb. 6 Hochzeit deutscher Juden in Amsterdam, Kupferstich von Bernard Picart, 1721.

sche, durchdringende Weise« spielten, die ihn »vielleicht zum hundertsten Male zu Thränen rührte«.

Diesen und ähnlichen Aussagen zufolge scheinen es eher die besondere Aufführungspraxis und Ausdrucksintensität als die Melodien selbst gewesen zu sein, die das Spiel der Letsonim von dem ihrer christlichen Berufsgenossen unterschied. Man darf annehmen, daß die typische jüdische Verzierung und Phrasierung der Melodien das Besondere dieser Interpretationsweise ausmachte: der stetige Gebrauch chromatischer Durchgangstöne in Nachahmung des Synagogalgesanges, übermäßige Intervalle, ungewöhnliche rhythmische Muster und Rubati sowie besondere ornamentale Techniken einschließlich Melismen und Verschleifungen. Die Annahme (wie sie Idelsohn und seine Nachfolger vertrat), daß all diese Spieltechniken, die im Gegensatz zu den vorherrschenden Regeln der damaligen mitteleuropäischen Musik standen, für eine aus Alt-Israel stammende orientalisch-jüdische Musik insgesamt kennzeichnend sind, wird heute eher als nationalistisch gefärbte Konstruktion verworfen. Auch der vermutete Gebrauch »trauriger« Moll-Tonarten, die von christlichen Komponisten in Mitteleuropa selten verwendet wurden, aber in der osteuropäischen Volksmusik üblich sind, kann in der Musik der aschkenasischen Lejtsim nicht bewiesen werden.

Die besondere Interpretationsweise der jüdischen Spielleute mag die christlichen Musikanten von Prag 1651 dazu verleitet haben – sicherlich in Verbindung mit starkem Konkurrenzdruck, beruflicher Mißgunst und Judenhaß – , in einer Petition die jüdischen Musikanten vom Spielen bei christlichen Festen in Prag auszuschließen, »da doch die Juden nichts sonderliches produciren, als was sie den Christen abzuwaeten, confuse cerstümpflen, weder tempo noch tact führen, also der edlen anmuettigen Music mit Spoth ihre Aestimation benehmben, einen Schandtfleck anhencken, ja wohl solche, wo dieser Benachtheilung nicht beständig gesteueret wird, allgemach auch ganz und gar abbringen und zu nicht machen«. Ob sich aus dieser Negativschilderung eine besondere »jüdische« Interpretationsweise herausfiltern läßt oder diese Sichtweise typisch ist für einen nachreformatorisch, frühnationalistisch bestimmten Judenhaß, wird sich nicht mehr mit Bestimmtheit sagen lassen. Vermutlich stießen in Prag zwei unterschiedliche Denkweisen und Lebenswelten aufeinander: die von höfischen Opernwerken des Claudio Monteverdi (1567–1643) und den geistlichen Motetten und Chorwerken von Heinrich Schütz (1585–1672) geprägte Musikästhetik der christlichen Musikanten und die freieren, »exotisch« klingenden Spielweisen der jüdischen Letsonim.

Es gibt nur wenige Anhaltspunkte dafür, daß Letsonim bei Hochzeiten und anderen Festen zumindest einige spezifisch »jüdische« Stücke gespielt haben könnten. Beispielsweise erteilte Landgraf Ludwig IX. von Hessen-Darmstadt 1769 den Brüdern Samuel und Hähnle Hachenburger das Privileg, auf allen jüdischen Hochzeiten in der Oberen Grafschaft die Musik zu stellen, und begründete dies damit, daß die Juden bei ihren Hochzeiten lieber gänzlich auf Spielleute verzichteten, als daß sie mit christlichen Musikern vorliebnähmen, die ihre Melodien nicht kannten.

Obwohl die geschlechtliche Verbindung zwischen Juden und Christen und damit die Abkehr von der jeweiligen Religion durch Verbote des gemeinsamen Tanzens verhindert werden sollte, spielten jüdische Musikanten in den deutschsprachigen Ländern nicht nur für Christen und umgekehrt, gelegentlich spielten sie auch zusammen und lernten sogar voneinander. Wie Johann Adam Hiller in seinen »Lebensbeschreibungen berühmter Musikgelehrten und Tonkünstler neuerer Zeit« (1784) berichtet, machte der berühmte Violinvirtuose und Komponist Franz Benda (1709–1786) in seiner Jugend die Bekanntschaft des blinden Juden Lejbl, der mit einer Musikantenbande herumzog. Lejbl, ein außerordentlicher Spieler mit einem guten Ton auf seiner Geige, erdachte seine Stücke selbst, »die zwar immer etwas wild, aber doch sehr artig waren«. Benda verdoppelte daraufhin seinen Fleiß, um wie Lejbl seine Töne bis ins dreigestrichene a hinauf rein und sicher zu spielen. Es dürfte der wohl einzige dokumentierte Fall eines nichtjüdischen klassischen Violinisten sein, der einem jüdischen Lejts sein kunstvolles Adagio-Spiel und seinen außerordentlichen Ton verdankte.

Vom Kirmesgeschäft in die Hochkultur: Die Letsonim-Familien Ganz und Offenbach

In der Folge der Bemühungen um die Aufhebung aller sozialen und legalen Diskriminierungen der Juden und ihre »bürgerliche Verbesserung«, vorangebracht durch die Lehren des Philosophen Moses Mendelssohn in Berlin (1729–1786), hatten sich die jüdischen Hochzeitskapellen in den deutschsprachigen Gebieten schon mehrheitlich vor der Mitte des

19. Jahrhunderts aufgelöst. Seit der Abschaffung der einschränkenden Gesetze – wie die eigens für die jüdischen Musikanten erhobenen Steuern – stand dem Eintritt der jüdischen Instrumentalisten in die allgemeine deutsche Musikkultur nichts mehr im Wege, und die Nachkommen der Letsonim konnten jetzt Theater-, Hof-, Opern- und Symphonieorchestern beitreten und sich neue Wirkungsbereiche als Kammermusiker, Solisten, Dirigenten, Komponisten und Lehrer erschließen.

Zu den Letsonim, die später eine bedeutende Rolle in der Entwicklung der deutschen Kunstmusik des 19. Jahrhunderts spielten, gehörte die Familie Ganz aus Weisenau bei Mainz. Die von dem Musikanten David Ganz (ca. 1680 – ca. 1750) gegründete Bäderkapelle führten Ganz' Söhne und Enkel bis zur Gleichstellung der Juden fort. Salomon Ganz (1761–1842), der letzte aktive Spielmann der Familie, trat noch 1827 als Kurmusiker in Wiesbaden auf und wechselte dann als Bratschist in das Mainzer Theaterorchester. Die vierte Generation der Familie Ganz war bereits ausschließlich in der klassischen und der Theatermusik als Musiker, Dirigenten und Komponisten tätig. Mitte des 19. Jahrhunderts gehörten Salomons Söhne, der Cellist Moritz Ganz (1802–1868) und der Geiger Leopold Ganz (1806–1869), zu den führenden Persönlichkeiten des Berliner Musiklebens. Auch der Operettenkomponist Jacques (Jakob) Offenbach (1819–1880) stammte aus einer Letsonim-Familie: Sein Vater, Isaac Juda Eberst (1779–1850) aus Offenbach am Main, der während seiner Reisen als Kantor und Tavernenmusikant als der »Offenbacher« bekannt wurde, spielte Flöte, Violine, Baß und Hackbrett in den Tavernen in Deutz bei Köln, die sich schon seit mehreren Generationen in jüdischem Besitz befanden.

In der Folge der Aufklärung wichen »Unordnung und Geschmacklosigkeit« im Vortrag des nach polnischer Sitte von Singer und Baß begleiteten Chasns (in Berlin noch bis 1840 üblich) und die die Andacht des Gebetsvortrags störenden »wilden und willkürlichen Unterbrechungen« der Gemeinde nunmehr der Ordnung und Würde – so beschrieb Ismar Elbogen, der Verfasser eines Standardwerkes über die Geschichte des jüdischen Gottesdienstes, die Modernisierung der aschkenasischen Liturgie. Hierbei machten sich vor allem die Kantoren Salomon Sulzer in Wien und Louis Lewandowski in Berlin um die Einführung der westlichen Kunstmusik in den Synagogengottesdienst verdient, und Anhänger von Sulzer verbreiteten diese neue Musik sowohl nach Osteuropa als auch in die Vereinigten Staaten. Die Reformbewegung, die Veränderungen in der Ausübung der Andacht und des Gottesdienstes mit sich brachte, hatte jedoch noch weitere wichtige Auswirkungen: die Einführung der Orgel (1807 in Seesen) und später des gemischten Chores im Gottesdienst, der Gebrauch der deutschen Sprache für die bisher nur in Hebräisch gesungenen Hymnen – nicht selten schon im Stile der protestantischen Choräle – sowie eine vereinfachte Vortragsweise der Kantoren, in der nur noch spärlicher Gebrauch der über Jahrhunderte entwickelten Melismata und Coloratura-Passagen gemacht wurde.

Trauungszeremonien fanden nun in den Synagogen und nicht mehr unter freiem Himmel statt, und die öffentlichen Hochzeitszüge mit ihrer Begleitmusik wurden entweder untersagt oder kamen außer Gebrauch: Die Brautleute schritten nicht mehr zu Fuß zur Trauung, sondern ließen sich in einer Kutsche chauffieren, und dabei erwies sich die Musik als hoffnungslos unzeitgemäß. Die Juden, musikliebend wie eh und je, engagierten die modernen nichtjüdischen Blaskapellen mit europäischen Gesellschaftstänzen wie Walzern und Mazurkas, die nach und nach an die Stelle der jüdischen Letsonim-Kapellen mit ihren Geigen und Hackbrettern traten. Moses Mendelssohn selbst bevorzugte Kammermusik zu seiner Hochzeit im Jahre 1761.

Während des 19. Jahrhunderts entwickelten sich vereinzelte jüdische Unterhaltungsorchester in Deutschland – wie das der Familie Hachenburger aus Darmstadt – nach den Vorbildern der Wiener Orchester von Joseph Lanner (1801–1843) und Johann Strauß Vater (1804–1849), Musiker, die einst für ein warmes Essen als Bratlgeiger und Bierfiedler in der Vorstadt begonnen und die Kaiserstadt Wien mit ihrer Hofballmusik erobert hatten. Der 1787 geborene Herz Hachenburger erlernte den elegischen Lejtsim-Stil von seinem Vater auf der Geige und studierte später Komposition. Zusammen mit seinen Vettern und seinem Bruder gründete er das »Herzsche Quartett«, ein Streichquartett, das später zu einem Tanz- und Unterhaltungsorchester mit bis zu vierzig Mitgliedern erweitert wurde und auf Hofbällen, Konzerten und anderen Festlichkeiten in Deutschland und Holland spielte.

Während das durchdringende Klagen der jüdischen Musik in ihrer Besetzung mit Geigen, Baß und Hackbrett von den aufgeklärten Juden im Deutschland des 19. Jahrhunderts als altmodisch und überholt empfunden wurde – ebenso wie das »Judendeutsch«, das »Schluchzen« der Kantoren und das offen zur Schau getragene Judesein –, sollte die verwandte Tradition der Klezmorim in den kommenden Jahrzehnten in Osteuropa, in den jüdischen Marktflecken und Handelszentren, die sich von der Oder bis weit über den ukrainischen Fluß Dnepr erstreckten, zu einer ganz neuen Blüte gelangen. Dorthin, vornehmlich nach Polen-Litauen, war in den Jahrhunderten nach den Massakern an den aschkenasischen Juden während der Kreuzzüge Ende des 11. bis Anfang des 13. Jahrhunderts und insbesondere während der Pest 1348–1349 eine große Anzahl ausgewandert. Ihre deutsche Tracht, deutschen Lebensgewohnheiten, Gelehrsamkeit, Sagen und Lieder und das am oberen Rhein und an der Donau gesprochene mittelalterliche Jiddisch nahmen sie mit in ihre neue Heimat.

Klezmer-Musik in Osteuropa

Das Schtetl

Die aus Aschkenas vertriebenen Juden wurden von den polnischen Adligen und Grundherren ermutigt, in deren privaten Städtchen und Dörfern zu siedeln, um sich ihre Talente als Handwerker und Händler zunutze zu machen. Die ihnen von Prinz Boleslaw V. (1221–1279) und König Casimir III. (1310–1370) zugestandenen Rechte führten zu einem beständigen Zustrom von Juden aus Aschkenas nach Polen und zu einer blühenden wirtschaftlichen Infrastruktur und Kultur. Die mehrheitlich polnischen Großgrundbesitzer machten Juden zu ihren Verwaltern und Steuereintreibern, darüber hinaus handelten sie mit Gebrauchsgütern und fungierten als Handwerker, Gastwirte, Müller, Schnapsbrenner, Zwischenhändler, Vertreter und Geldverleiher. Die neuen Landesherren profitierten von den weitreichenden Handelsverbindungen der gewandten jüdischen Händler, deren Reisen in das Osmanische Reich und Besuche deutscher Messen wesentlich dazu beitrugen, das Land zu erschließen.

Seit Beginn ihrer Ansiedlung in Osteuropa lebten Juden in »Schtetlech«, Kleinstädten mit großem jüdischen Bevölkerungsanteil, die sich aus den ursprünglichen Siedlungsmustern der Juden in Polen um eine Marktplatz-Wirtschaft entwickelt hatten. Das Schtetl, aufgrund der wirtschaftlichen Mittlerrolle der Juden keinesfalls eine abgeschlossene jüdische Siedlung, entwickelte sich folglich als Bindeglied zwischen den nichtjüdischen bäuerlichen Dörfern und den größeren Städten. Oft nicht mehr als einige hundert Menschen beherbergend, hing seine urbane Qualität nicht von der Größe ab, sondern bezog sich auf seine Funktion als Marktflecken und Mittelpunkt von Kleinproduktion und Handel. Die Juden waren ihren nichtjüdischen Nachbarn gewöhnlich aufgrund ihrer Schreib- und Lesefähigkeit kulturell überlegen, und die ärmlichen Lebensbedingungen, die häufig mit der Trunksucht einhergehende körperliche und geistige Verrohung und das Analphabetentum der christlichen Bauern hielten die Juden von einer Annäherung oder gar Vermischung mit der jeweiligen nichtjüdischen Lebensweise und Kultur ab. Dadurch konnte sich in den dichtbesiedelten jüdischen Kleinstädten und jüdischen Vierteln der Großstädte die jiddische Sprache und die jüdische kulturelle Eigenständigkeit erhalten und weiter ausbilden. Die aus dem christlichen Dogma resultierende antijüdische Haltung verstärkte die kulturelle Kluft zwischen beiden Gruppen, wobei den Juden besonders die ihnen aufgezwungene traditionelle Rolle als Vermittler und Lieferanten negativ ausgelegt wurde, die dem Handel statt der Herstellung Vorzug gab. Da schon mit den ersten Wohnrechtsbegrenzungen zu Beginn des 19. Jahrhunderts den Juden Landbesitz und Wohnrecht in den Dörfern untersagt war – mit dem Vorwand, die russischen Bauern gegen jüdische Ausbeutung zu schützen –, konnte sich auch kein jüdisches Bauerntum entwickeln. Diese Situation führte in der Folgezeit maßgeblich zur Verelendung der jüdischen Massen Osteuropas und der Herausbildung ganzer unproduktiver Berufsstände wie Hausierer, Makler, Vermittler aller Art und nicht zuletzt der sogenannten »Luftmentschn«, einer besonderen Spezies der hoffnungslosen Schtetl-Existenzen, deren Geschäfte buchstäblich aus dem Handel mit der unsichtbaren Materie bestand.

Die jüdische Religion bot ideale Möglichkeiten, sich in eine erhöhte Spiritualität zu begeben, um der Erbärmlichkeit und Mühsal des Alltags zu entfliehen: Der Rhythmus des gemeinschaftlichen religiösen Lebens wurde vom täglichen Gebet und Studium in der Synagoge, dem Schabbat und den Feiertagen – an denen jegliche wirtschaftliche Aktivität eingestellt wurde – beherrscht. Trotz dieser von der Religion tief durchdrungenen Atmosphäre waren die Schtetlech keinesfalls hermetisch abgeschlossene, ausschließlich von Juden bewohnte Siedlungen, sondern der nichtjüdische Bevölkerungsanteil konnte von 20 bis zu 80 % betragen. Zudem brachte der allwöchentliche Markttag ständigen Kontakt mit nichtjüdischen Bauern und Austausch mit der größeren Welt.

Eine Minorität unter Minoritäten:
Jüdisches Leben in Osteuropa

Nach den Teilungen Polens während des Zeitraums von 1772 bis 1795 wurden die in den östlichen Gebieten Polens lebenden Juden – damals die Mehrheit des polnischen Judentums – Untertanen des Russischen Reiches. Zu diesen Gebieten gehörten damals große Teile der heutigen Ukraine sowie Weißrußland und Litauen. Habsburg und Preußen teilten sich den kleineren Teil des Polnischen Reiches, und so gerieten die Juden von Galizien und der Bukowina unter habsburgische und die Juden von Posen unter preußische Herrschaft.

Im Verlauf des 19. Jahrhunderts erfuhren die jiddischsprachigen Juden in Rußland, Polen, im Habsburger Reich und in Rumänien zwar unterschiedliche politische Bedingungen, aber sie teilten weiterhin über die Grenzen hinweg dieselben religiösen und gesellschaftlich-kulturellen Fundamente wie Sprache, Religion und Lebensweise, die sich von denen ihrer christlichen Nachbarn unterschied. Ihre Kleidung, Speisegesetze (»Kaschrut«), der religiöse Kalender und ihre Sprache hoben sie ab von den nichtjüdischen Nachbarn. Weder in Rußland noch Österreich, den Ländern im 19. Jahrhundert mit der größten jüdischen Bevölkerungsdichte, lebte die Mehrheit der Juden mit Sprechern der Staatssprache, sondern mit Minoritäten, die je nach Region Polnisch, Ukrainisch, Weißrussisch, Litauisch, Lettisch, Tschechisch, Slowakisch, Deutsch, Ungarisch und/oder Rumänisch sprachen.

Wie die jiddische Sprache und Literatur, entfaltete sich auch die Klezmer-Musik erst in einem von kultureller Vielfalt gesättigten Milieu ethnischer Minderheiten, deren Neben-

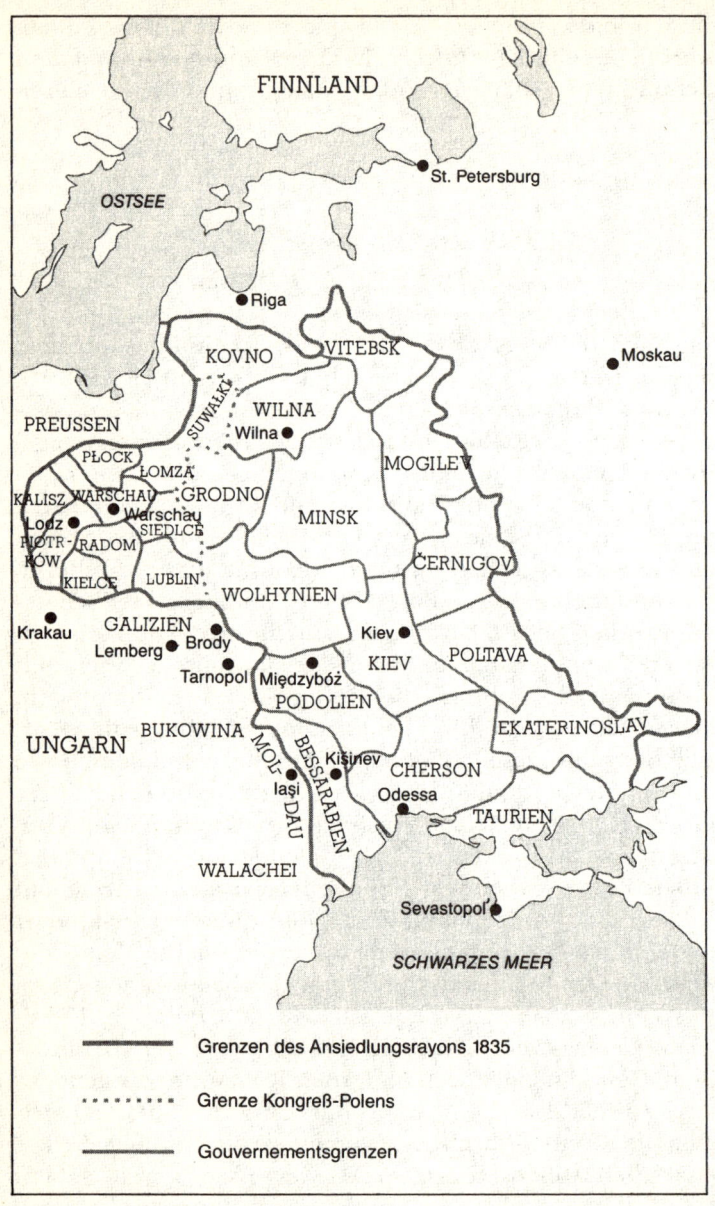

FINNLAND

OSTSEE

St. Petersburg

Riga

Moskau

KOVNO

VITEBSK

PREUSSEN

SUWALKI

WILNA

Wilna

MOGILEV

PŁOCK

ŁOMŻA

GRODNO

KALISZ WARSCHAU

Łodz

Warschau

SIEDLCE

MINSK

PIOTR-KÓW RADOM

KIELCE

LUBLIN

WOLHYNIEN

ČERNIGOV

Krakau

GALIZIEN

Lemberg Brody

Kiev

KIEV

POLTAVA

Tarnopol Międzybóż

PODOLIEN

EKATERINOSLAV

UNGARN

BUKOWINA

BESSARABIEN

Kišinev

MOLDAU

CHERSON

Iaşi

Odessa

TAURIEN

WALACHEI

Sevastopol

SCHWARZES MEER

——— Grenzen des Ansiedlungsrayons 1835

·········· Grenze Kongreß-Polens

——— Gouvernementsgrenzen

70

einander nicht von einer Mehrheitskultur aufgesaugt werden konnte. Aus der früheren deutsch-jüdischen Musiktradition der Letsonim in Wechselbeziehung mit Volksliedern und Tanzmelodien verschiedener slawischer und südosteuropäischer Kulturen entwickelten sich während mehrerer Jahrhunderte der ausgeprägte musikalische Stil und die eigenständige Lebensweise der Klezmorim, in der sich die vielfältigen kulturellen Schichten des jüdischen Lebens über einen Zeitraum von fast tausend Jahren bündelten.

Der sogenannte »jüdische Ansiedlungsrayon«, der zum größten Teil aus den ehemals polnischen Gebieten bestand, wurde in der Folge der Teilungen von den russischen Machthabern eingerichtet, um den »schädlichen« Einfluß der Juden auf die Einwohner des Zarenreiches zu begrenzen (Abb. 7). Insbesondere Nikolaus I. verschärfte die restriktiven Gesetze gegen die Juden, um sie mit der dadurch erhofften »Verbesserung« zur Aufgabe ihrer nationalen und religiösen Identität zu zwingen und sie in den russischen Staat zu integrieren. Der Ansiedlungsrayon kann in drei Hauptregionen eingeteilt werden: Litauen-Weißrußland, Ukraine und die südlichen Regionen, genannt »Neu Rußland«; im offiziell außerhalb des Ansiedlungsrayons liegenden Kongreß-Polen wurden die jüdischen Untertanen rechtlich von der russischen Regierung mit denen im zaristischen Ansiedlungsrayon gleichgestellt. Trotz der gemeinsamen Lebensweise und Religion und der gemeinsam erfahrenen Rechtlosigkeit und obrigkeitlichen Willkür bestanden unterschiedliche kulturelle Entwicklungen, so daß man nicht von einer homogenen geographischen oder kulturellen Einheit ausgehen kann. Sie gründeten sich vor allem auf regionale Unterschiede, wobei die Größe der jüdischen Bevölkerung ausschlaggebend war: je niedriger der jüdische Anteil, desto höher der Einfluß der russischen Kultur und damit der mögliche oder reale Verlust der eigenen weltanschaulichen Überlieferungen und Lebens-

◄ *Abb. 7 Der jüdische Ansiedlungsrayon im Russischen Reich.*

weisen. Auch das im südlichen Teil des Ansiedlungsrayons gelegene Bessarabien stand vor der Einwanderung der Juden mehrere Jahrhunderte unter osmanischer Herrschaft und prägte seine Bewohner entsprechend.

Die Begegnung von Ost und West

Im Schtetl trafen die geordneten Musikformen der deutschen westaschkenasischen Tradition und der improvisatorischen osteuropäischen Formen aufeinander, und es liegt nahe, daß aus den ausgeglichenen melodischen Konturen und regelmäßigen metrischen Strukturen des Westens und den eher rhapsodischen und freier strukturierten Musikformen des Ostens eine Symbiose entstand. Spätestens zur Zeit der Chmielnicki-Pogrome von 1648/49, während der auf die polnischen Großgrundbesitzer gerichtete Haß der ukrainischen Kosaken sich gegen deren jüdische Verwalter und die jüdische Bevölkerung insgesamt kehrte und diese zu Tausenden niedermetzelte, gab es bereits einen eindeutig ostaschkenasischen Stil, der sich seit der Gründung der ersten aschkenasisch-jüdischen Siedlungen in Osteuropa entwickelt hatte. Dieser Stil unterschied sich vor allem durch seine starke emotionale Kraft von dem westaschkenasischen Vortrag, wie folgende Episode aus dem Jahre 1648 zeigt, die die Kapitulation von vier jüdischen Gemeinden vor den Tataren, den Verbündeten des »bösen Kosakenführers Chmiel«, schildert: Als der Chasn Hirsch von Zywatow das hebräische Gedenkgebet für die Toten, »El Mole Rachmim« (Gott, voll des Erbarmens), anstimmte, brach die ganze Gemeinde in Tränen aus. Angesichts dieses Leids ließen die blutrünstigen Mörder von den Juden ab und entließen sie aus der Gefangenschaft, so berichtet es zumindest der Chronist Nathan Hanover ... Die Kunst der intensivierenden, steigernden und verzierenden Wiederholung in gebundener oder freier Form macht seit der Antike die Vorzüge guter Vortragssänger und Musikanten aus. Aber erst in den osteuropäischen Musikkulturen fand die Musikauffassung der Juden eine empfängliche, gleichgestimmte Atmosphäre und konnte sich mit der musikalischen Wärme und Emotionalität der slawischen Völker, insbesondere der Ukrainer, verbinden.

Tief geprägt vom Trauma der Chmielnicki-Massaker, nutzten viele polnische Juden das nach dem Dreißigjährigen Krieg günstige ökonomische Klima, um sich wieder im Westen anzusiedeln. Unter diesen Immigranten in Prag, Fürth, Metz und Amsterdam befand sich eine überdurchschnittlich hohe Anzahl Gelehrter, Lehrer, Rabbis und Kantoren aus den Hochburgen talmudischer Gelehrsamkeit Litauen und Polen – Länder, die die Städte im Rheinland seit den Vertreibungen infolge der Pest als Hauptzentrum aschkenasisch-jüdischer Kultur allmählich abgelöst hatten. Die Musik dieser Neuzuwanderer und wohl insbesondere der melismatische, emotionale Vortragsstil der Chasonim (Vorbeter) und der anderen nach Westen wandernden Berufsmusikanten und -sänger, der Klezmorim, Badchonim (Hochzeitsprediger und -zeremonienmeister) und Meschojrerim (Chorknaben) löste in vielen Gemeinden das bis dahin bekannte westaschkenasische, »deutsche« Repertoire ab. Fragen nach den Unterschieden zwischen den beiden Stilen lassen sich nur anhand theoretischer Überlegungen beantworten. Geht man von den Massakern und Vertreibungen Mitte des 14. Jahrhunderts als Wendepunkt auch in der musikalischen Entwicklung des aschkenasischen Judentums aus und sieht die inneren und äußeren Umwälzungen als Beginn eines eigenständigen jiddischen Geistes- und Kulturlebens in Osteuropa an, so könnte sich ab diesem Zeitpunkt die Musik der in Deutschland verbliebenen Juden der christlichen Mehrheitskultur angeglichen haben. Bestätigen könnte dies der Bericht über die Aufführung eines Totentanzes auf einer Hochzeit in Kleve im Jahre 1673, der schon damals »sehr rar gewesen ist« (Glückel von Hameln), während diese seit dem 14. Jahrhundert allgemein übliche Darstellung menschlicher Vergänglichkeit im osteuropäischen Judentum noch um die Jahrhundertwende bekannt war und in dem jiddischen Film »Der Dibbuk« (Polen, 1937) zu sehen ist.

Auf diese Weise könnten sich auch die älteren musikalischen Formen des rheinländischen Judentums in Osteuropa fortentwickelt und erhalten haben.

Sicher hat es seit den frühesten Tagen jüdischer Besiedlung in Osteuropa auch dort jüdische Musiker gegeben, aber erst die Erinnerungen des Rabbi Moses Minz aus dem 15. Jahrhundert enthalten die Erwähnung eines jüdischen Brautpaares in Posen, das unter Musikbegleitung zum Trauhimmel, der »Chupe«, geführt wird. Bis zur ersten Hälfte des 18. Jahrhunderts gab es in jedem Schtetl und in jeder Stadt in Polen mit einem nennenswerten jüdischen Bevölkerungsanteil jüdische Klezmer-Ensembles. Zeugnisse für die Existenz von Klezmorim und Klezmer-Kapellen stammen meist aus Dokumenten wie den Gemeindebüchern (»Pinkassim«) beziehungsweise den Steuerlisten der christlichen Behörden. Wenn hingegen Beregowski beispielsweise keine Belege für das Bestehen ukrainischer Klezmer-Kapellen vor dem 19. Jahrhundert fand, die es zweifellos gegeben hatte, kann das nur bedeuten, daß solche Zeugnisse während der Pogrome um die Jahrhundertwende, des Ersten Weltkrieges und der Verheerungen der russischen Bürgerkriege zerstört wurden.

Schon vor den Teilungen Polens Ende des 18. Jahrhunderts, während derer das vormals polnische und zur jiddischsprachigen Region des osteuropäischen Judentums gehörende Posen ein Teil Preußens wurde, fanden Begegnungen deutscher Letsonim aus Schlesien mit aus Posen stammenden Klezmorim statt. So versuchten beispielsweise die schlesischen Letsonim Jakob Krakowsky und sein Sohn Jochim 1750, ein Verbot für die polnischen Klezmorim zu erwirken, da die nach Breslau und in andere Teile Schlesiens einreisenden Musikanten offensichtlich ihre Erträge gefährdeten. Diese Konfrontationen deuten auf eine gewisse Ähnlichkeit in Repertoire und Stil zwischen den schlesischen Letsonim und den Posener Klezmorim hin, da sie sonst nicht in der Lage gewesen wären, sich für dieselben Engagements zu bewerben. Möglich ist jedoch auch, daß es zu jener Zeit – wie in der kantoralen Musik – sowohl ein westliches als auch ein östliches jüdisches Repertoire gab und daß die aus dem Osten kommenden Musikanten schon aus Wettbewerbsgründen gezwungen waren, das westliche Repertoire zu erlernen.

Auch die Klezmorim in Polen fochten einen ständigen Kampf mit den nichtjüdischen polnischen Musikern um die Rechte, bei christlichen Festen zu spielen und umgekehrt. Die zu Beginn des 16. Jahrhunderts gegründeten Zünfte polnischer Musiker ließen keine Juden zu, eine Politik, die später von höherer Ebene fortgesetzt wurde: In einem den Christen verliehenen königlichen Privileg wurde jüdischen Musikanten das Spielen auf christlichen Hochzeiten verboten und gleichzeitig den polnischen Zunftmitgliedern der Auftritt bei jüdischen Hochzeiten untersagt. Im Gegenzug zu den Einschränkungen und Verboten sahen sich nun auch die polnischen Klezmorim gezwungen, sich zu organisieren, wie zum Beispiel in Lwów (Lemberg) im Jahre 1629, wo die dreizehn Zunftmitglieder – allesamt Orchestermusikanten – Violine, Laute, »Tsimbl« (Zimbal), Baß und Tamburin oder kleine Trommel spielten.

Das musikalische Universum des jüdischen Osteuropas

Die Klezmorim spielten eine zweitrangige, aber spezifische und unentbehrliche Rolle im vornehmlich ritual-orientierten Musikleben der Juden Osteuropas. Denn während die instrumentale Klezmer-Musik auch in Verbindung mit den Festen des religiösen Jahres und der Hochzeit als Höhepunkt der die verschiedenen Lebensabschnitte markierenden Zeremonien gespielt wurde, stand doch – wie in allen andern traditionellen jüdischen Gemeinschaften auch – die Vokalmusik, insbesondere die liturgische Musik, im Mittelpunkt des musikalischen Ausdrucks, und zwar deswegen, weil der gesungene Text Teil der heiligen Schriften ist. Aber trotz der herausragenden Stellung des Chasn als Vermittler der heiligen Texte fanden die Juden auch in ihren Klezmer-Orchestern Trost für Diaspora und Pogrom und suchten Erlösung in ihrer Musik. Sie liebten die Musiker als Darsteller ihres eigenen nationalen Schicksals und verbanden sich zudem durch ihre klagenden und mahnenden Melodien immer wieder aufs Neue mit der Vergangenheit und der göttlichen Bestimmung ihres Volkes – um daraus für Gegenwart und Zukunft neuen Überlebenswillen zu schöpfen.

Der Chassidismus

Seit Jahrhunderten war das traditionelle rabbinische Judentum mit seiner Betonung des Studiums von Tora und Talmud die unangefochtene Basis des osteuropäisch-jüdischen Lebens gewesen. Diese Basis wurde nun in der zweiten Hälfte des 18. Jahrhunderts von zwei gegensätzlichen Bewegungen, dem »Chassidismus« und der »Haskala«, in ihren Grundfesten erschüttert. Der Chassidismus war eine Reaktion gegen das als elitär und zunehmend erstarrt empfundene rabbinische Judentum, eine orthodoxe Bewegung »von unten«, die von den ungebildeten und geknechteten Massen getragen wurde. Seine Anhänger zogen das unmittelbare Gebet der Schriftgelehrtheit vor, und die aus der mystischen lurianischen »Kabbala« (Safed/Palästina im 16. und 17. Jahrhundert) entstandene Lehre entsprach dem Fatalismus und der tiefen Frömmigkeit der Bevölkerung.

Besonders Musik und Gesang bildeten von Anbeginn an einen der Stützpfeiler der chassidischen Bewegung, wurden sie doch von einigen ihrer Führer für wichtiger bei der Herstellung einer Verbindung zwischen Mensch und Gott erachtet als das Gebet selbst. Auch das Tanzen mit seiner Vereinigung von Musik und Bewegung galt als heilige Handlung und wurde auch in der Synagoge ausgeführt. Der Körperbewegung, insbesondere dem Schaukeln des Torsos, den Handbewegungen und dem Händeklatschen während des Gebets wurde große Bedeutung beigemessen. Während die übrigen orthodoxen Gemeinden einen Unterschied machen zwischen der Musik der Synagoge und der Musik des Alltagslebens, ist in der chassidischen Gesellschaft das Haus des »Tsadeks«, des Oberhauptes, der geistige und religiöse Mittelpunkt. Die Synagoge, im »misnagdischen« Judentum Zentrum des religiösen Lebens, bleibt nur dem Gebet vorbehalten. So ging auch auf die Musik im Hause des Tsadeks die Aura der Heiligkeit über, und die Grenzen zwischen sakraler und säkularer Musik vermischten sich. Der Chassidismus, der auf seinem Höhepunkt mehr als die Hälfte des osteuropäischen Judentums zu seinen Anhängern zählte, erwirkte einen tiefgreifenden Einfluß auf die Entwicklung der Klezmer-Musik – bis heute. Die Nigunim jedes chassidischen Hofes besaßen ihren eigenen musikalischen Charakter, Melodien, die von den »Hofmusikern«, den Klezmorim oder Chasonim oder dem Rebben selbst geprägt waren. Die chassidische Bewegung, ursprünglich unter der Führung von Israel ben Elieser, genannt Ba'al Schem Tow (»Meister des guten Namens«, ca. 1700–1760), in Podolien entstanden, verbreitete sich wie ein Lauffeuer in den westlichen Provinzen der damals noch zu Polen gehörigen Ukraine, Weißrußland und Litauen sowie Galizien, Polen, Rumänien und Ungarn. Die gegnerischen »Misnagdim« unter der straffen Führung des zu der Zeit bedeutendsten Gelehrten Elijah ben Solomon Salman, des Wilnaer »Gaon« (1720–1797), – überzeugt, daß nur ein unverrückbares Festhalten an der talmudischen Auslegung des Gesetzes das wahre Judentum darstellt – bekämpften ihre Widersacher unerbittlich. Diesen religiös-ideologischen Auseinandersetzungen zwischen Misnagdim und Chassidim war eine Zeit der weltanschaulichen Umwälzungen und inneren Spannungen vorausgegangen, die seit den Chmielnicki- und Haidamak-Massakern (ca. 1720–1768) das osteuropäische Judentum heimgesucht hatten. Vermutlich waren die physischen Verluste und die geistige Leere nach diesen Katastrophen, denen hunderttausende Juden zum Opfer fielen, auch ein Grund für den Aufstieg der falschen messianischen und kabbalistischen Bewegungen des Sabbatai Zwi (1665–1666) und Jacob Frank (1750er).

»Jeden Ton in die Seele aufnehmen«: Musik im jüdischen Alltag

Sowohl das traditionelle religiöse Lernsystem im allgemeinen und das Gebet im besonderen waren durchzogen von Musik: Im »Chejder«, der religiösen Grundschule, lernten die Knaben bereits ab dem Alter von drei bis fünf Jahren die Tora mit Hilfe einer besonderen, über Jahrhunderte entstandenen melodischen Singweise auswendig, dem sogenannten »Stubentrop«. Gewöhnlich waren diese kleinen Erwachsenen schon lange bevor sie mit der Chejder-Ausbildung begannen, an den täglichen regelmäßigen Synagogenbesuch zum frühen Morgen-, zum Nachmittags- und zum Abendgebet gewöhnt. Das Beten nahm ganze Stunden im Tagesablauf der männlichen Juden ein, mit Gebetsversen, die seit der frühesten Kindheit in Fleisch und Blut übergegangen waren und die nach der Melodie eines »Nign« in einem nasalen Singsang vorgetragen wurden. »Nigunim« sind Melodien, die mit oder ohne Text von Chassidim und anderen orthodoxen Gruppen zu religiöser Inspiration gesungen und gespielt werden. Die Spiritualität und Schönheit dieser Nigunim, im Kreise der Familie und am Rebbens Tisch zu den Feiertagen, am Schabbat und bei anderen Zusammenkünften von dem Rabbi und seinen Anhängern gesungen, formten das Empfinden und die Vorstellungskraft bereits der Kleinsten. Die aus einer Familie von streng orthodoxen Misnagdim in Brest-Litowsk stammende Pauline Wengeroff (1833–1916) beschreibt in ihren »Memoiren einer Großmutter« (Berlin 1908–1910) den unauslöschlichen Eindruck, den ihr das Singen des Hoheliedes beim Pessach-Fest machte: »Es war Schir haschirim, … das Lied der Lieder Salomos, von dem ich jedes Wort, jeden Ton mit meiner ganzen Seele aufnahm. Die herrliche Verschmelzung von Tönen und Worten wirkte auf das Kindergemüt berauschend; ich lauschte entzückt. Das ganze Lied wurde im Rezitativ … gesungen, wobei sich mein älterer Schwager David Ginsburg besonders auszeichnete, und hat sich so lebhaft, so unvergeßlich meiner Seele eingeprägt, daß ich den Anfang noch heute, an meinem späten Lebensabend, auswendig kann. Was gäbe ich darum, noch einmal in meinem Leben das Lied so schön singen hören zu können!« Täglich und überall konnte man aus den Häusern die eigentümlichen Klänge des Gebetes vernehmen, einen wellenartigen Gesang, der um Mitternacht anschwoll zu einem lauten Schluchzen und Klagen. Diese »Chtsos«, die nächtlichen Trauergesänge über die Zerstörung des Tempels, sind vielleicht der Urgrund des musikalischen Lebens des Schtetls und ziehen sich wie ein Geäder durch die musikalischen Tonwelten der osteuropäischen Juden.

Insbesondere während des 19. Jahrhunderts, als mehr und mehr weltliches Gedankengut in die jüdischen Städtchen Einzug hielt, entwickelten sich auch – zusätzlich zu den religiös orientierten Traditionen – eine ganze Anzahl von säkularen Vokaltraditionen. Volkslieder waren hauptsächlich die Domäne der Frauen und bestimmten den weiblichen Alltag im Heim, im Garten und während der außerhäuslichen Lohnarbeit und bei Familienzusammenkünften: Die Frauen und Mädchen, die im Gegensatz zu den Knaben nicht zur Schule gingen und »Tora durch ihren Ehemann lernten«, schufen Lieder und Texte, die ohne Instrumentalbegleitung vorgetragen wurden. Nicht nur Jiddisch wurde gesungen, sondern es gab auch Lieder in Sprachen wie Hebräisch, Ukrainisch, Polnisch, Weißrussisch, Russisch und Deutsch sowie gemischtsprachige Lieder, beispielsweise mit Texten in Jiddisch-Ukrainisch oder Jiddisch-Polnisch. Besuche von Fremden oder Verwandten im Schtetl und gemeinschaftliche Arbeiten wie das Einlegen von Sauerkohl und Hühnerrupfen erfolgte immer mit Gesang und dem Austausch der neuesten Lieder, bei denen nicht selten bitter geweint und herzlich gelacht wurde.

Die Chasonim und Meschojrerim

Das Vortragen liturgischer Musik gehört zum Beruf der »Chasonim«, der Vorbeter oder auch Kantoren, neben den Klezmorim die zweite Hauptgruppe professioneller Musikausübender innerhalb der jüdischen Gemeinden Osteuropas. »Chasones«, die Kunst dieser stimmgewaltigen Kommentatoren, Exegeten und Vermittler, basierte auf ihrer Fähigkeit, die Gebete und Psalmen auf modalen Formeln (»Nussech«) abwechslungsreich und seelenvoll zu improvisieren, so daß sie ihre Gemeinden mit der heiligen Bedeutung der Texte immer wieder aufs Neue zu ergreifen vermochten. Schon in talmudischer Zeit begann sich auch eine ästhetische Dimension auszubilden, die Geschmack fand an der schönen Vortragsstimme, in der sich die emotionale Komponente der jüdischen Religion mit einer bewegenden Melodie verbindet. »Die Musik hat mehr Überzeugungskraft als eine Million Rabbiner«, so drückt es ein heutiger orthodoxer Musiker aus New York aus. Stellten die Klezmorim und die Badchonim, Purim-Spieler und die insbesondere weiblichen Volkssänger eine der liturgischen Musik untergeordnete Gruppe der Musikausübenden dar, so kann man die Meschojrerim dem Wirkungsbereich der Chasonim zuordnen. Diese Kantorenlehrlinge, Knaben, deren Stimmwechsel noch nicht eingesetzt hatte, bildeten mit ihren hohen (»Singer«, Diskant) und tiefen Stimmen (»Baß«) Chöre zur Begleitung der gewöhnlich mit einer Tenorstimme ausgestatteten Chasonim.

Die Kantoren erhielten selten ausreichende Entlohnung für ihre Kunst und den Unterhalt für ihre Chöre, obschon sie im Dienst der Gemeinden standen. (Die autonomen religiösen Gemeinden, »Kehiles«, deren Strukturen noch weitgehend aus dem mittelalterlichen Aschkenas stammten, regelten praktisch jeden Aspekt der jüdischen Existenz, von der Erhebung der Steuern bis zur Rechtsprechung.) Gezwungen, in den Provinzen aufzutreten, zogen die Ärmsten dieser Chasonim mit ihren Chören von Schtetl zu Schtetl und ließen ihre Stimmen in den Synagogen, auf Hochzeiten, Beschneidungen und Friedhöfen erklingen. Je inbrünstiger und einschneidender die schmalbrüstigen und häufig unterernährten Meschojrerim, nicht selten aus dem Elternhause entlaufene Knaben, die Gebete »Mi-Scheberach« (Er, der gesegnet hat) und »El Mole Rachmim« (Gott voll des Erbarmens) mit ihren hohen Stimmchen vortrugen, desto mehr Geld vermochten sie von den bewegten Gästen einzusammeln.

Die Badchonim

Ebenfalls mit Wurzeln im deutschen Mittelalter – entstanden aus den Traditionen der Spruchsprecher, Pritschenmeister, Narren und insbesondere dem Brauch des aufgeputzten Hochzeitsladers mit seinem rotgefärbten Hochzeitsspieß – bildete sich nach den Chmelnitski-Massakern die »moderne« Badchn-Tradition, die bis um die Jahrhundertwende bestand. Beeinflußt von der in dieser düsteren Zeit vorherrschenden Rückwendung in ein frommes Asketentum übernahm auch der Hochzeitsspaßmacher zunehmend die Funktion als Mahner und Prediger, dessen Vorträge von der rabbinischen Literatur bestimmt waren. Wegen ihrer militärischen Uniformen und ihres autoritären Auftretens auch »Marschelkes« genannt – vom Mittelhochdeutschen »Marschalc«, dem Höfling oder Zeremonienmeister an Adelshöfen –, führten die Badchonim das Erbe der aschkenasischen Letsonim-Spaßmacher fort und verkörperten eine Synthese von Spaßmacher, Zeremonienmeister und Moralprediger. Badchonim, die nicht selten mit Klezmorim durch Heirat verwandt waren, spielten oft auch Instrumente, wie der berühmte Barde aus Minsk, Alexander Sender Fiedelman, der ursprünglich als Klezmer ausgebildet wurde und Geige, Cello und Gitarre beherrschte. Mehr Sprecher als Sänger, rezitierte der Badchn seine kunstvoll verwobenen Zitate der heiligen Texte in gereimten Versen zu den Klängen der Musik. Obwohl durch ihren Beruf mit den Klezmorim verbunden, waren die Badchonim Alleinunternehmer, die getrennt engagiert wurden.

Im späten 19. Jahrhundert, als viele Kapellen es sich nicht mehr leisten konnten, einen Badchn zu bezahlen, übernahm meist eines der Kapelje-Mitglieder die Rolle, so auch der Vater von Dave Tarras, der Posaune spielte und gleichzeitig als Badchn fungierte. Zum Verständnis der Badchn-Funktion ist es wichtig, den hohen Bildungsstand dieser vermeintlichen Witzbolde und Lustigmacher zu berücksichtigen. Auch wenn viele von ihnen gestrandete Gelehrte waren, Gestrauchelte, die das Schicksal oder ihre Begabung nicht zum höchsten Talmudgelehrtentum bestimmt hatte, so waren sie doch alle durch eine Ausbildung gegangen, die bereits Neunjährige als erstklassige hebräische Grammatiker auswies und zum Verständnis der Talmud-Kommentare befähigte. Die begabtesten unter diesen Knaben kannten die Bibel von der ersten bis zur letzten Seite auswendig und wußten, nachdem irgendeine Seite des Buches aufgeschlagen, ein beliebiges Wort gewählt und von hier aus eine Nadel so tief wie möglich durch die Buchseiten gesteckt worden war, jedes einzelne der Wörter zu nennen, die von der Nadel auf den verschiedenen Seiten durchbohrt waren. So wird verständlich, daß sogar Rabbiner und andere gelehrte Hochzeitsgäste mit offenen Mündern beim Rezitieren der Badchones zuhörten, wie es von Dave Tarras' Vater berichtet wird. Im späten 19. Jahrhundert geriet so mancher Badchn unter den Einfluß der Haskala und suchte auf Hochzeiten das neue westliche Bildungsideal zu verbreiten, so auch Eliakum Zunser aus Wilna (1836–1913), der berühmteste aller Badchonim, dessen selbstkomponierte Gedichte und Lieder in der Alten und Neuen Welt weitverbreitet waren.

Nachfahren der Minnesänger:
Die Brodersänger

Erste Anfänge einer öffentlichen jüdischen Unterhaltungskultur gingen von den »Broder-Singers« aus, die um die Mitte des 19. Jahrhunderts in den Weingärten, Restaurants und

Wirtshäusern vor allem in der kosmopolitischen Atmosphäre von Städten wie Brody, Jassy und Odessa aufzutreten begannen. Es ist somit kein Zufall, daß diese nach der galizischen Handelsstadt Brody benannten Ein-Mann-Unterhalter Anhänger der Aufklärung waren, »Maskilim«, überzeugte Bildungsvermittler und Erzieher, die mit ihren parodistischen, nicht selten sozialkritisch-belehrenden Texten ihr Volk herauszureißen suchten aus dem materiellen Elend und dem Verharren in religiöser Rückständigkeit.

In den ersten Broder-Singers vereinten sich viele der mittelalterlichen Volkstraditionen, die sich im jüdischen Osteuropa erhalten hatten: Als später, aber dennoch unmittelbarer Erbe von Walther von der Vogelweide und Oswald von Wolkenstein, trug der erste Brodersänger, »der kleine Berl aus Brod«, Berl Broder (1817–1880) selbstkomponierte Gesänge und Monologe mit weltlichen Texten vor, die zudem von den Purim-Spielen und der Vortragskunst der Badchonim beeinflußt waren. Darüber hinaus erwiesen sich die Broder-Singers auch als musikalische Brüder der ersten jiddischen Literaten wie des Dichters und »Großvaters der klassischen jiddischen Literatur« Scholem-Jankew Abramowitsch (»Mendele Mojcher Sforim«, 1836–1917) und vor allem als Vorläufer der ersten professionellen jiddischen Schauspieler: Ihre emotionalen, dramatischen Gedichte in Ich-Form und direkter Anrede – unterstrichen mit entsprechenden Gesten und später auch mit Schminke und Kostüm – suchten mit Einleitungen wie »Ich bin ein armer Wasserträger« den Kontakt zum Publikum, wie es Abramowitsch mit seinem Alter ego Mendele tat.

Ein weltliches Bethaus:
Das Jiddische Theater

Auch Awrom Goldfadn, der Gründer des professionellen Jiddischen Theaters, ging aus den Kreisen der Broder-Sänger hervor und führte seine ersten Dramen und Operetten in Cafés und Weingärten auf. Die frühen Theaterstücke waren

Erweiterungen der dramatischen Skizzen und Lieder der Broder-Sänger mit einfachsten Erzählzusammenhängen, die die Monologe und Lieder der verschiedenen Darsteller verbanden. Sie stellten eine Übergangsphase zwischen den alten Volkstraditionen und dem hochstilisierten modernen jiddischen Kunsttheater dar, wie es das Staatliche Jiddische Theater von Granowski im Moskau der zwanziger Jahre verkörperte. Auch im Jiddischen Theater spielte Musik von Anbeginn eine wesentliche Rolle, mit Schauspielern, Sängern und Direktoren, deren Welt vom melodiösen tiefempfundenen Gebetsvortrag und von grandiosen Klezmer-Orchestern geprägt war. Die Begleitung jiddischer Theatervorstellungen reichte vom einzelnen Geiger einer abgerissenen und hungernden Reisetruppe bis zu einem ganzen Orchester mit eigenem musikalischem Leiter wie in Gimpels Theater in Lemberg mit dem Musikalischen Direktor Chone Wolfsthal (ca. 1851–1924). Der Beitrag der Klezmorim zum Jiddischen Theater bestand vorwiegend in ihrer Tätigkeit als Orchestermusiker – jedenfalls für diejenigen, deren Notenkenntnisse gut genug waren. Fast alle der frühen Theaterkomponisten entstammten dagegen den Kreisen der Chasonim und Meschojrerim, der Kantoren und der Chorknaben, und so überrascht es nicht, daß diese frühen Jahre des Jiddischen Theaters vor allem von der Musik der Synagoge geprägt wurden. Doch erst in der Neuen Welt sollte das Jiddische Theater die Synagoge in den Hintergrund drängen und selbst den Platz eines weltlichen »Bethauses« beanspruchen – mit Altären einer neuen Zeit, an denen Komponisten wie Arnold Perlmutter (geb. 1859), Joseph Rumshinsky (1879–1956) und der Schauspieler Zelig Mogulesco (geb. 1858) ihre sentimentalen Unterhaltungsoperetten für das entwurzelte Arbeiterproletariat aus Osteuropa zelebrierten.

Der besessene Theatermann Goldfadn bediente sich der Musik aller möglichen Quellen für seine Produktionen; neben jiddischen, ukrainischen und rumänischen Volksliedern setzte er auch französische, italienische und russische Couplets sowie die Musik der deutsch- und französischsprachigen

Operetten und Opern ein. So verwendete er beispielsweise für eine seiner Operetten den Triumphmarsch aus Verdis »Aida«. Als die Oper dann in der Stadt aufgeführt wurde, glaubte das Publikum, Verdi hätte die Melodie von Goldfadn gestohlen … Nur wenige Komponisten des Jiddischen Theaters hatten direkte Kenntnisse der Klezmer-Tradition, so die Galizianer Arnold Perlmutter und Chone Wolfsthal. Sowohl Perlmutter, dem die historischen Dramen Goldfadns ihre opulenten Märsche und Walzer verdanken, als auch Wolfsthal hatten als Chorknaben begonnen und anschließend Lehren in dortigen Klezmer-Kapellen absolviert. Diese Beispiele belegen die damals noch mögliche Flexibilität innerhalb der musikalischen Berufe und Lebenswege, die ein Überwechseln vom Meschojrer zum Klezmer und vom Klezmer zum Badchn ermöglichten. Der aus einer Familie von Chasonim stammende Wolfsthal begann ebenfalls als kleines »Singerl« und schrieb später Werke für das Lemberger Jiddische Theater mit symphonischen Ouvertüren und glänzend aufgebauten Finales in der Manier der klassischen Operetten von Johann Strauß Vater und Franz von Suppé (1819–1895), aus denen unverkennbar der jiddische Ton herauszuhören war. Wolfsthal, der mit seiner Truppe auch in den Berliner Thalia- und Alexanderplatz-Theatern gastierte, endete in ärmlichen Verhältnissen als einfacher Klezmer. Und während er auf Hochzeiten und in Cafés in Lemberg seinen knappen Lebensunterhalt verdiente, machte sein Neffe Joseph Wolfsthal (1899–1931) als Geigenvirtuose und Konzertmeister der Berliner Staatsoper Karriere. Dessen Aufnahme des Beethoven-Konzertes aus dem Jahre 1928 zählt bis heute zu den schönsten Einspielungen dieses Werks.

Musikalische Vielfalt in der Klezmer-Stadt Berditschew

Von jeher geprägt von Einflüssen vielfältigster Art, war die musikalische Welt der osteuropäischen Juden gegen Ende des 19. Jahrhunderts so bunt wie nie zuvor: Ein lebhaftes Bild des jüdischen Musiklebens in der Ukraine um die Jahrhundertwende zeichnen die Memoiren von Sergei Levik. Levik wurde 1883 oder 1884 in Belaja Tserkow südlich von Kiew geboren, einer kleinen Stadt ohne festes Theater und regelmäßiges Konzertleben. Seine erste Begegnung mit Musik vermittelten ihm sogenannte »Ungarn«, fahrende Sänger, die keine wirklichen Ungarn, sondern entweder Zigeuner, Rumänen, Armenier, Italiener oder auch Serben waren, die zu Fuß von Stadt zu Stadt und Land zu Land zogen und ihre Lieder mit großem Pathos vortrugen. Niemand verstand, so Levik, die Texte dieser Lieder, aber die Herzen der Zuhörer waren seltsam angerührt von diesen fremdartigen Klängen.

Levik zog im Alter von zehn Jahren mit seiner Familie nach Berditschew, der Stadt Stempenjus und Pedotsers. Die weltläufige Stadt wurde häufig von Künstlern auf dem Wege von Kiew nach Warschau aufgesucht. Im Sommer gaben dort Truppen aller Art Gastspiele, und Levik erlebte sowohl russische Theaterstücke als auch Opernkompanien und die führenden Konzertkünstler seiner Zeit. Ebenso lernte er die Musik der ukrainischen Volksoperetten kennen, deren Melodien aus dem Liederschatz der immerwährend singenden und lachenden Mädchen an Brunnen und Mühlbächen stammten. Ähnlich den ersten Goldfadn-Truppen zogen auch diese ukrainischen Sänger, Komödianten und Musiker über die Dörfer, im Gegensatz zu den jiddischen Truppen spielten die Orchester jedoch nach Gehör. Auf jüdischen Hochzeiten erlebte Levik die Klezmer-Kapeljes in Belaja Tserkow und Berditschew mit Tänzen wie Walzer, Polka und dem der Quadrille ähnlichen Lancier sowie traurigeren »wallachischen«, also rumänischen Stücken. In Berditschew wetteiferten katholische Kirchenchöre und hervorragende Organisten im alten Karmeliterkloster mit den Chören der russisch-orthodoxen Kathedrale und den Aufführungen von Bach und Palestrina in der neuen Kirche in der Belopolskaja Straße. In der »Staromestnaja«-Synagoge herrschte der Chasn Nissan Spivak (»Nissi Belzer«, 1824–1906), der berühmteste

Komponist unter den damaligen osteuropäischen Chasonim, über seinen Chor von achtzehn bis einundzwanzig Stimmen. Dagegen gelangte in der »Chor«-Synagoge, wo man, so Levik, »in der Art und Weise eines katholischen Chores« sang, die Musik des Wiener Reformers der jüdischen liturgischen Musik Salomon Sulzer (1804–1890) zur Aufführung.

Klezmer-Musiker in der Armee

Im zweiten Viertel des 19. Jahrhunderts begann Zar Nikolaus I., bei dessen Namen jeder Jude erzitterte, mit seinen als Assimilationsmittel gedachten Gesetzen allmählich die Autorität und Glaubwürdigkeit der Kehiles zu untergraben und diese als Kontrollinstrumente gegen die eigenen Glaubensgenossen einzusetzen. Insbesondere die ihr auferlegte Eintreibung der Steuern und die Zwangsrekrutierung der im Kindesalter befindlichen Knaben, der sogenannten »Kantonisten«, für die zaristische Armee führten zu einer tiefen Autoritätskrise im osteuropäischen Judentum und sollte sich als Wendepunkt im traditionellen jüdischen Leben erweisen. In Rußland wurden die Kehiles 1844 offiziell abgeschafft, fuhren aber in Polen fort, zu bestehen, wenngleich in abgeschwächter Form.

Wenig lohnt die Mühe nach der Frage, ob aus dem Militärdienst entlassene jüdische Musiker im Zivilleben noch als Klezmorim tätig waren bzw. bezeichnet werden konnten: Ein großer Teil der Rekruten war während des Wehrdienstes gestorben oder der Zwangstaufe unterzogen worden. Es ist aber bekannt, daß Klezmorim um die Jahrhundertwende in den Militärkapellen sowohl des Zaren- als auch des Habsburger Reiches spielten. Die Militärmusik, die Chone Wolfsthal während seiner Zeit als Kapellmeister in einem österreichisch-ungarischen Militärensemble schrieb, wurde im gesamten Habsburger Reich gespielt. Und während des Ersten Weltkrieges konnte Dave Tarras (geb. Dowid Tarraschuk, 1897 in Ternowka/Ukraine; gest. 1989 in New York) die ganze Spannbreite seiner Talente zur Geltung bringen: Der siebzehnjährige Rekrut spielte anderthalb Jahre lang bis zum Ausbruch der Russischen Revolution Märsche und leichte klassische Musik in zaristischen Militärensembles, daneben Klarinettensoli in einer Straßenkapelle, Tischmusik im Offizierskasino und Polkas auf der Geige für die Tänzchen der russischen Militäradministratoren mit den Mädchen. Tarras erinnert sich auch gern an seine Mandolinensoli in einem Mandolinenorchester und die russischen Romanzen eines Tenors, die er auf der Gitarre begleitete – allerdings spielte er während dieser Zeit wohl keinen einzigen Ton Klezmer-Musik.

Daß die Militärpflicht Klezmorim erstmalig in Kontakt mit Klarinetten und Blasinstrumenten gebracht haben soll, ist bislang Spekulation geblieben. Die Klarinette mit ihrem einzigartigen Klang, ihren langen Tönen und virtuosen Trillern eroberte sich jedenfalls unter osteuropäischen Klezmorim im Verlauf des 19. Jahrhunderts einen festen Platz im Ensemble, wenngleich in den meisten Fällen noch der Geige untergeordnet. Anfang des 20. Jahrhunderts jedoch wurde die Klarinette im Bereich der Tanzmusik schon der Violine vorgezogen, so beispielsweise im Tarraschuk-Familienorchester, wo der Klarinettist die Tänze anführte. Dies geschah laut Dave Tarras vorwiegend wegen der höheren Lautstärke des Instrumentes, mit dem selbst die besten Geiger nicht zu konkurrieren vermochten. In den Vereinigten Staaten übernahm die Klarinette, wenn auch erst in den ersten Jahrzehnten des Jahrhunderts, die uneingeschränkte Führungsrolle im Klezmer-Ensemble, insbesondere, weil sie sich dem in der amerikanischen Tanzmusik beliebten Saxophon ausgezeichnet anpaßte.

Zwangsassimilation und Verelendung

Die Beschneidung jüdischer Autonomie in Form von Zwangsassimilierung und -taufe äußerte sich auch in zahlreichen Bestimmungen, die die Juden zur Aufgabe ihrer traditionellen Kleidung zwingen sollten. Die entwürdigenden und brutalen

Prozeduren, mit denen die zaristische Polizei Männern öffentlich ihre »Pejes« (Schläfenlocken) abschnitt und Frauen ihre Hauben von den geschorenen Köpfen riß, sollten nur der erste Schritt sein auf dem Wege grundlegender Umwälzungen und ein Ausblick in eine zutiefst beunruhigende neue Zeit.

Bis zum Tode des Zaren Nikolaus im Jahre 1855 pflegten Klezmorim in straff organisierten Zünften ihren eigenen Lebensstil, den klezmerischen »Lebns-Schtejger«, und ihre Geheimsprache, das »Klezmer-Loschn«. Wie in der Familie von M. I. Rabinowitsch, wurde die Klezmeraj mit dem dazugehörigen musikalischen Repertoire und der eigenen Spielweise im Verlauf von Generationen vom Vater auf den Sohn vererbt. Allein in der Ukraine soll es, so später Beregowski, gegen Ende des 19. Jahrhunderts um die tausend Klezmorim gegeben haben und mehrere tausend im begrenzten jüdischen Siedlungsgebiet. Der zahlenmäßige Anstieg scheint vor allem in der schwindenden Autorität der Kehiles, der autonomen jüdischen Gemeinden, begründet zu sein, die die Anzahl der Musiker in den Kapellen und die Tätigkeiten der Klezmorim geregelt hatten.

Diese inneren Veränderungen und der stetig steigende äußere Druck förderten Ende des 19. Jahrhunderts den Aufstieg neuer politischer Bewegungen, von denen insbesondere der jiddischsprachige sozialistische »Allgemeine Jüdische Arbeiter Verband in Rußland, Litauen und Polen« (»Der Bund«) und der Zionismus die traditionellen sozialen und religiösen Strukturen der osteuropäisch-jüdischen Gemeinden herausforderten.

Während es den Klezmorim ohne die Reglementierung der Kehiles nun praktisch überall freigestellt war, Kapeljes, auch »Kompanjes« genannt, zu bilden, vergrößerte sich gleichzeitig durch die hohen Geburtenraten im Ansiedlungsrayon deutlich die Anzahl der in Rußland lebenden Juden: von 1 000 000 im Jahre 1800 bis auf 5 189 000 im Jahre 1897. Davon lebten 94 % innerhalb des den Juden zugestandenen Siedlungsbereichs, wo sie wiederum mehr als 11 % der Gesamtbevölkerung ausmachten. Gleichzeitig ersetzten die

Eisenbahn und Einheitspreise die jüdischen Händler, bis dahin als wichtige ökonomische Verbindungsglieder zwischen Dorf und Stadt unverzichtbar. Während des ganzen 19. Jahrhunderts verließen daher Juden ihre Schtetlech und suchten zuerst in den nahegelegenen Kleinstädten und von diesen in den Metropolen wie der aufblühenden Industriestadt Lodz und der polnischen Hauptstadt Warschau neue Perspektiven. Die Zunahme der jüdischen Bevölkerung in den osteuropäischen Großstädten gestaltete sich innerhalb dieses Zeitraumes noch weitaus dramatischer: So wuchs die jüdische Bevölkerung Warschaus von 3 532 im Jahre 1781 auf 219 141 bis 1897. Der durch soziale und wirtschaftliche Umbrüche in der zweiten Hälfte des 19. Jahrhunderts bedingte Zustrom der jüdischen Bevölkerung in die Großstädte und Industriezentren ließ ein ausgehöhltes jüdisches Wirtschaftssystem zurück, in dem die auf einen begrenzten lokalen Markt von Bauern und Schtetl-Bewohnern eingestellten jüdischen Handwerker nur noch schwer mit den neuen, industriell hergestellten Waren konkurrieren konnten. Besonders aus den verarmten nordwestlichen Provinzen in Litauen und Weißrußland zogen hungernde Juden auf der Suche nach Unterhalt für ihre Familien in den sich rasch industrialisierenden Süden, einschließlich der fruchtbareren ukrainischen Territorien Wolhynien, Kongreß-Polen und »Neu Rußland«.

Beschränkungen in der Ausübung bestimmter Berufe, die den Juden nur die Wahl zwischen Händler und Handwerker ließen und die durch diese übermäßige Konzentration entstehende Konkurrenz sowie die gleichzeitig fehlende Landwirtschaft führten zu einer Verelendung großen Ausmaßes innerhalb des Ansiedlungsrayons. Die Folge war, daß sich – nachdem die Zahl der Musiker nicht mehr von der Kehile reguliert wurde – nun auch eine große Anzahl musikalisch begabter Juden, die nicht in das Klezmer-Milieu hineingeboren worden waren, dem einträglicheren Broterwerb des Klezmers zuwandten oder Musik als einen Zweitberuf auszuüben begannen. So gründete Jisroel-Mojsche Rabinowitsch, Großvater von M. I. Rabinowitsch, mit seinen bereits erwachsenen

Söhnen seine Kapelje und begann, die Musik als Beruf auszuüben. Denn im Vergleich zu der elenden Existenz der über-
proportional hohen Anzahl von Handwerkern wie Schnei-
dern und Schustern erschien der Klezmer-Beruf geradezu lu-
krativ. Dennoch sagte Dave Tarras später aus, mit dem ganzen
Spielen habe seine Familie kaum etwas auf den Tisch bringen
können – ein Einkommen, das für Wasser, Brot, Zwiebeln
und Hering reichte, galt unter diesen Verhältnissen bereits
als Luxus!

Ein typischer Klezmer:
Der Fiedler Awrom-Jeschije Makonowetski

1937, das Jahr, in dem aus den letzten versprengten Klezmorim des Sowjetreiches das »Staatliche Ensemble für jüdische
Volksmusik und -lieder« wurde, publizierte Mojsche Beregowski seine Monographie »Jiddische instrumentale Volksmusik. Programm zur Erforschung der musikalischen Tätigkeiten der jiddischen Klezmorim«. In dieser bemängelte er den
niedrigen Wissensstand über Lebensform, Lehre und Musik
der osteuropäischen Klezmorim und wünschte sich eine um-
fangreichere Materialsammlung aus der UdSSR, Litauen, Polen, Galizien, Rumänien, Tschechoslowakei und den Vereinigten Staaten, um ein differenziertes und umfassendes Bild
der instrumentalen Klezmer-Musik im späten 19. und frühen
20. Jahrhundert zu erhalten. Mit Hilfe eines detaillierten Fra-
gebogens suchte Beregowski seine Kenntnisse über die jüdische Instrumentalmusik zu ergänzen, und mit einem Aufruf
an die Bevölkerung erhoffte er sich eine landesweite Bewegung zur Dokumentation und Erforschung der letzten Vertreter der Klezmer-Kultur.

Aus den vielen Antworten, die Beregowski von ehemaligen
Klezmorim erhielt, wählte er die fünfzigseitige handschriftli-
che Autobiographie von »Chawer« (Genosse, Kamerad)
Awrom-Jeschije Makonowetski aus, weil diese den Werdegang

eines typischen »Massen-Klezmer« – um bei Beregowskis eigener Ausdrucksweise zu bleiben – im letzten Viertel des 19. Jahrhunderts repräsentiere. Nach Sichtung des Materials war er nämlich zu dem Ergebnis gelangt, daß sich mindestens 70 % der Lebensgeschichten der Klezmorim bis aufs Haar ähnelten und somit die Notwendigkeit einer Auswertung der anderen Biographien nicht mehr gegeben war.

Wie hatte man sich nun solch einen »typischen« Kleinstadt-Klezmer und sein Leben vorzustellen?

Familienkontext

Wie fast alle Klezmorim, wurde auch Chawer Makonowetski in eine Klezmer-Familie hineingeboren und erhielt seine erste musikalische Unterweisung von seinem Vater, »Jisroel dem Fiedler«. Insbesondere die Geiger wie Makonowetski eigneten sich ihre oft erstaunlichen Finger- und Bogentechniken von Familienmitgliedern und durch das Lernen voneinander an, wie es auch der Klarinettist Dave Tarras bestätigt: Sein um die Jahrhundertwende geborener Bruder, Konzertmeister eines Symphonieorchesters in Dnepropetrowsk (ehem. Jekaterinoslaw), erwarb sich seine Ausbildung nicht durch den Besuch einer Musikschule oder eines Konservatoriums, sondern durch das Lernen bei Klezmorim. Erst in der Zeit von Makonowetskis Kindheit öffneten sich für die Juden die Tore der russischen Konservatorien, und sogar dann verlangte man von ihnen eine besondere Erlaubnis für den Aufenthalt in Moskau, St. Petersburg und Kiew. Noch 1916 konnte Nathan Milstein (1903–1992) nur mit Hilfe seines Lehrers Leopold Auer und dessen Beziehungen zu höchsten Regierungskreisen die notwendigen Papiere für das Studium am St. Petersburger Konservatorium erlangen.

Auch Makonowetskis Vater »Jisroel der Fiedler« war, wie viele Klezmorim auf der Suche nach Brot, aus dem verarmenden litauischen Städtchen Bragin im Minsker Gouvernement südwestwärts in das wirtschaftlich entwickeltere Wolhynien gezogen und hatte im Schtetl Chabne (Polesskoje) eine Familie gegründet. Dort kam auch sein Sohn Awrom-Jeschije 1872 zur Welt. Jisroel, der seine Notenkenntnisse einem christlichen Organisten verdankte, übte, auch dies typisch für Klezmorim im 19. Jahrhundert, einen oder sogar mehrere Nebenberufe aus: Neben seiner Laufbahn als Musikant betätigte er sich als Uhrmacher, Friseur, Glaser und – »Kaptsn«, als Armer. Auch diese durchaus ehrbare Statusbezeichnung durfte ihren Platz in der Schtetl-Hierarchie – in der Armenfürsorge Bestandteil der religiösen Lebensweise war – beanspruchen und wurde häufig nicht ohne Grund in einem Atemzug gleichwertig mit dem Beruf eines Klezmers genannt! Darüber hinaus zwangen die düsteren wirtschaftlichen Umstände Jisroel dazu, sich noch als Musiklehrer für Kinder armer Familien zu verdingen – eine erniedrigende Tätigkeit für einen ambitionierten Musikanten, deren Aufwand in keinem Verhältnis zu den mageren Einkünften stand. Im Gegensatz zu dieser eher typischen ärmlichen Klezmer-Existenz stand der selbstzufriedene und wohlhabende Klezmer Israel Benditski in Perejaslaw, der Heimatstadt Scholem Alejchems, der seine Einkünfte nicht nur aus dem Besitz eines Gasthauses, sondern auch aus seiner Kamera bezog – er war nämlich der einzige Fotograf in der Stadt.

Lehrzeit

Awrom-Jeschije war kein unerfahrener Anfänger, als er im Alter von sieben Jahren zum ersten Mal den Geigenbogen in die Hand nahm. Zuvor hatte er schon einige Jahre als »Pajkler« in der väterlichen Kapelje gedient und die kleine Trommel gespielt, mit der die Klezmer-Lehrbuben gewöhnlich die Ausbildung begannen. Durch diese meist unbezahlte Lehre erwarben sie sich musikalische Kenntnisse und Erfahrungen, die sie dann befähigten, ein anderes Instrument zu erlernen. Schon ein Jahr später verdiente Makonowetski die bescheidene Summe von dreißig bis vierzig Kopeken pro Hochzeit, und als zweiter Fiedler steigerte sich dann sein Lohn auf sechzig Kopeken. Zum Vergleich: 1863 war die Summe von 30 Kopeken im nahegelegenen Brest-Litowsk ausreichend, eine aus fünf Mitgliedern bestehende Familie einen Tag lang zu ernähren. Auf ähnliche Weise begann auch der Cellist Joseph Cherniavsky, geboren 1894 im Schtetl Lubni, seine Laufbahn in der Kapelje seines Vaters, und der Enkel des Berditschewer Geigers »Stempenju«, Jossele Druker (1822–1879), spielte schon vor seinem zehnten Lebensjahr Pajkl und Flöte auf Hochzeiten im gesamten Bezirk von Poltawa.

Wie die Meschojrerim von Stadt zu Stadt reisten, um in den Chören der berühmtesten Chasonim Erfahrungen zu sammeln, wurde auch für die jungen Klezmorim eine Lehre bei einem Klezmer in einer anderen Stadt als förderlich angesehen. Als Lehrherr für Awrom-Jeschije war der Fiedler Arn-Mojsche Sirotowitsch aus dem etwa fünfzig Kilometer südlich von Chabne gelegenen Schtetl Malin ausersehen worden, der im Ruf stand, ein noch besserer Fiedler als Makonowetskis Vater zu sein. Sirotowitsch, im Zweitberuf Glaser, bot seinem Schützling Unterkunft und Verpflegung als Teil des Lehrvertrages, dafür hatte dann Makonowetskis Vater laut Vertrag fünfzig Rubel an Sirotowitsch nach den zwei Jahren zu entrichten. Nach Awrom-Jeschijes Bericht nahm die Lehrzeit jedoch einen ganz anderen Verlauf: Als zweiter Fiedler in der Kapelje von Sirotowitsch wurde er gezwungen, Geld für seinen Lehrherren zu verdienen. Zwar unterwies ihn der Meister im Spielen des dazu erforderlichen Repertoires, aber Unterricht im Violinspiel und Notenlesen sowie Nahrung – wie im Lehrvertrag festgelegt – wurde dem ausgebeuteten Lehrbuben vorenthalten. Awrom-Jeschije war zudem das Üben im Hause des Lehrherrn verboten, und zum Erlernen der Notenschrift nahm er heimlich die Dienste eines Amateurmusikers aus einer wohlhabenden Familie in Anspruch. Nach siebzehn Monaten unterbrach er das Lehrverhältnis vorzeitig und verließ enttäuscht das ungastliche Haus.

Von Malin zog Makonowetski weiter in das dreißig Kilometer südlich gelegene Schtetl Radomischl, wo er in der Kompanje des Fiedlers Nune Wajnschtejn spielte. Auch dort übel ausgenutzt und pro Halbjahr mit vierzig Rubel einschließlich Kost und Logis abgefunden, mußte sich Awrom-Jeschije selbst das Spielen der Instrumente beibringen. Es war übrigens typisch für Klezmorim, besonders für die Kapellmeister, »alle« Instrumente zu spielen – das hieß Geige, Bratsche, Violoncello, Kontrabaß, Klarinette, Flöte, Trompete, Posaune, Baritonhorn, Trommel und andere, so daß sie ihre Musiker anleiten konnten. Nicht selten war deshalb der Kapellmeister ein Vollzeitberufsmusiker. Auch Makonowetskis Vater Jisroel der Fiedler hatte 1858 seine Kapelle, die »Chabner Kompanje«, zusammengestellt, indem er einige Männer zusammenrief und sie das Spiel der verschiedenen Instrumente lehrte. Zwar führte gewöhnlich der erste Geiger die Kapelle, aber es gab auch Klarinettisten und andere Instrumentalisten als »Onfirer«: Kalmen-Lejb Stutschewsky, der Vater des israelischen Cellisten, Pädagogen und Komponisten Joachim Stutschewsky (1891–1982), war Klarinettist und Leiter des Familienorchesters im Distrikt Poltawa in der Ukraine.

Auch der Geiger Lejb Pulver berichtet, daß er von seinem Lehrherrn ausgebeutet worden sei. Aufgewachsen in einer Klezmer-Familie im Schtetl Werchnedneprowsk im Jekaterinoslawer Distrikt, begann er um 1890 im Alter von sieben Jahren den Unterricht bei seinem Schwager, der seinerseits bei dem renommierten Violinpädagogen Prof. Otakar Ševčík (1852–1934) an der Kaiserlichen Musikschule in Kiew studiert hatte. Dem Zehnjährigen, der schon nach drei Jahren Unterricht Werke wie Mendelssohns Violinkonzert bühnenreif interpretierte, sagte man eine große Karriere voraus und bereitete ihn auf das Studium am St. Petersburger Konservatorium vor. Als jedoch Pulvers Vater erkrankte, schickte man Lejb und seinen Bruder Jossl in das nahegelegene Nowomoskowsk zum Fiedler Leschtschinski in die Lehre und zum Geldverdienen. Doch auch Leschtschinski konnte den wißbegierigen Talenten keine Musiktheorie und keine systematische Musikerziehung vermitteln. So wurden die ukrainischen und jiddischen Hochzeiten und Bälle Pulvers Universitäten und die Leschtschinski-Klezmorim seine Professoren – und im Alter von fünfzehn Jahren schloß er seine Lehrzeit ab.

Früh erwachsen und nicht selten schon mit der bittersten Realität des Lebens konfrontiert, kehrten die Klezmorim nach der Lehre für gewöhnlich in ihre Heimatstadt zurück und übernahmen die Führung der Familienkapelle, oder sie nahmen Wohnsitz in einem anderen Schtetl und traten als vollwertiges Mitglied in eine dortige Kapelje ein. Awrom-Je-schije Makonowetski kehrt mit einundzwanzig Jahren nach Chabne zurück und übernimmt als erster Fiedler die Füh-rung der »Chabner Kompanje«. Im Gegensatz zu den ande-ren Mitgliedern seiner Kapelje übt er keine zweite berufliche Beschäftigung aus, sondern bleibt sein ganzes Leben aus-schließlich mit der Klezmeraj beschäftigt.

Wie sein Vater war auch Awrom-Jeschije Makonowetski be-ständig auf der Jagd nach einem Happen Essen für seine Fa-milie: Mit Musikunterricht für alle Instrumente außer Klavier für Kinder aus wohlhabenden jüdischen Häusern, Kinder der »Pritsim« (der polnischen adligen Gutsbesitzer) und so-gar gelegentlich die Sprößlinge der Klezmorim selbst hielt er sich und seine Familie am Leben. Insbesondere in den Zei-ten, in denen keine jüdischen Hochzeiten stattfinden durf-ten – wie während der »Omer-Zeit«, dem siebenwöchigen Zeitraum zwischen den Feiertagen Pessach und Schawuot – mußte er ermüdende Reisen mit Pferd und Leiterwagen in Kauf nehmen, um zusätzlich noch auswärtige Schüler zu un-terrichten.

Was für ein Mensch war nun dieser »gewöhnliche« Klein-stadt-Klezmer, der Namen trug wie »Berl Bass«, »Naftultsi Besborodke« oder in diesem Falle Awrom-Jeschije? Der Pia-nist und Dirigent Leopold Kozłowski (Kleinman Brandwein; geb. 1923 in Przemyślany/Polen, ehem. Ostgalizien), Neffe des im New York der 1910er Jahre berühmt gewordenen Kla-rinettisten Naftule Brandwein (1884–1963) und der einzige Überlebende der Klezmer-Familie Brandwein in Europa, be-zeichnet die Mitglieder der väterlichen Kapelje, in der er als Heranwachsender mitspielte, als »echte tajere jiddische Klez-

Abb. 8 Von links: Hersch Kleinman, Geige, mit Poldek (Kleinman)
Kozłowski, Klavier und Dolko Kleinman, Geige, Przemyślany/Polen
(Ostgalizien), Anfang der dreißiger Jahre. Archiv Leopold Kozłowski.

murim«, echte, hochgeschätzte jiddische Klezmorim. Zu diesen gehörten neben seinem Vater, dem würdevollen Hersch
Kleinman, einem ausgebildeten Berufsmusiker und von 1932
bis 1939 Konzertmeister des Symphonieorchesters von Bue-
nos Aires: der Bassist und Friseur Dudje Brandwein; der Klarinettist und Schneider Antschl Schnajder, den ein nervöses
Zucken des rechten Auges plagte, so daß man dachte, er zwin-
kere ständig; der Badchn und Trommler Herschele Dudl-
sack; Leopolds Onkel Tsala Sekler, der zweite Geige spielte,
und der orthodoxe Schije Tsimbler, der Hackbrettspieler mit
einem Holzbein, der vor jedem neuen Stück einen Schluck
aus seinem Flachmann nahm und fragte: »Hersch, welche
Tonart?«

Scholem Alejchem, der erste Klezmer-Fan

Klezmorim und ihre Musik bilden einen essentiellen Teil der jiddischen Folklore und Literatur, und die Legenden, Lieder, Volkssprüche und Geschichten enthalten – obwohl oft mit einem bewußt volkstümlichen oder satirischen Anstrich versehen – die detailliertesten und farbigsten Beschreibungen des klezmerischen »Lebns-Schtejger«, der besonderen Lebensweise der Klezmorim, und seiner Musik, mehr als die kärglichen Erinnerungen von realen Klezmorim wie Makonowetski. Der klassische jiddische Schriftsteller Scholem Alejchem, schon früh dem Zauber der Geige verfallen, liebte die Musik der Klezmorim und ihre Lebensweise. Bereits als Kind in Perejaslaw/Ukraine war er ein ständiger Besucher im Hause des

Abb. 9   Klezmorim aus Perejaslaw/Ukraine, der Heimat Scholem Alejchems.

Klezmers Jeschije Heschel, und es waren Jeschije und seine Familie, die Scholem sein Wissen über die Musiker, ihre Frauen und Familien, die klezmerische Lebensweise – die ein bißchen dem zigeunerischen Leben ähnelt –, ihre Sitten und Gebräuche und nicht zuletzt ihren Geheimjargon lehrten. Sowohl der sanfte Jeschije »mit zwei dicken Schläfenlocken« als auch sein erster Lehrer Ben-Tsion der Klezmer lebten in der Nähe des Chejder, der Schule für die Knaben, die gewöhnlich nur aus einem winzigen Raum, oft dem einzigen, in der Hütte des Lehrers bestand. Auf dem Schulweg nahm Scholem Alejchem gern einen kleinen Umweg in Kauf, um zu lauschen, wie der flachnasige, näselnde Ben-Tsion den Kindern Geigenstunden gab.

Es mag sein, daß Scholem die Figur des Musikanten Naftoltsi Bezborodke (Naftali Ohnebart) in seiner Erzählung »Afn Fidl« (Auf der Fiedel) diesem ersten Lehrer Ben-Tsion nachempfunden hat: Naftoltsi ist ein frommer Jude und lebt in einer Erdhütte zusammen mit seiner Frau Chawe und mindestens achtzehn halbnackten und barfüßigen Kindern. Alle Kinder musizieren und bilden ein ganzes Orchester! Es gibt einen Geiger, einen Bratschisten, einen Bassisten, einen Trompeter, einen Flötisten, einen »Tsimbler« und einen Trommler. Sogar für die Klezmer-Musik ungewöhnliche Instrumente wie Fagott, Harfe und Balalaika beherrschen diese Kinder, und es gibt auch welche, die ganze Nigunim (Melodien) mit den Lippen, Zähnen, auf Gläsern, Töpfchen und Holzstückchen produzieren oder gar mit aufgeblasenen Backen pfeifen können. Vielleicht ist in Scholem Alejchems Figur Naftoltsi Besborodke jedoch auch etwas von seinem späteren Lehrer »Awrom der Klezmer« eingeflossen, auch dieser mit einem »ganzen Trupp« Kinder gesegnet, die alle außergewöhnliche Musiker waren und auf den verschiedensten Instrumenten spielen konnten? Ebenso wie von der geheimnisvollen Tonwelt und der bohemehaften Lebensweise der Klezmorim fühlte sich Scholem Alejchem von dem Gesang der Chasonim und Meschojrerim angezogen, die ständige Gäste im Hause der Familie waren, da Scholems Vater Nochem Rabinowitsch selbst ein »Bal-Tfile«, ein nicht-professioneller Vorbeter, war. Scholem und seine Geschwister kannten die Musik so gut, daß sie die einzelnen Kantoren nach ihren speziellen Gebeten zu unterscheiden wußten.

Gegen Ende der siebziger Jahre verbrachte Scholem Alejchem einen Sommer als Lehrer in Rzhischtschew, dieser »verfluchten kleinen Stadt« südlich von Kiew, wo er Geigenunterricht bei Awrom dem Klezmer nahm. Awrom war ein großer, breiter Mann mit einem runden Gesicht, dicken Augenbrauen und kleinen Augen, umrahmt von langen schwarzen Locken. In Awroms breiten, mit schwarzen Haaren überwachsenen Händen war die Fiedel keine Fiedel, sondern nur ein »Schpilchl«, ein Spielzeug. Er gehörte nicht zu der Sorte, die Geld für etwas so Heiliges wie Musikunterricht verlangen würde, verschmähte aber keineswegs kleine Spenden von den Schülern. Mit seiner ebenso schönen wie dicken Ehehälfte lebte er ein Klezmer-Leben, wie es typisch für viele Künstler und Bohemiens war und ist: »Wenn es ihre Mittel erlaubten, dann kauften sie von allem das beste und allerschönste. Hatten sie kein Geld, dann schoben sie Kohldampf und warteten, daß Gott ihnen etwas Einkommen schickte, und dann pflegten sie sich über einen Hering herzumachen und das Leben zu genießen, wie Gott es bestimmt hat.«

Der moderne, belesene Lehrer Scholem Alejchem empfand die »Schtub«, das Haus des Geigers Awrom, als den einzigen Ort in ganz Rzhischtschew, der ihm Geborgenheit vermittelte. Dort fühlte er sich wie »ein Fisch im Wasser«, denn es mag ihn wohl an das Perejaslaw seiner Kindheit erinnert haben, an die Klezmorim Jeschije und Ben-Tsion, mit denen er zusammengesessen und in einer Sprache hatte reden können, die nur sie untereinander verstanden. Ein anderer Typus des Schtetl-Klezmers aus Scholem Alejchems Welt war der Freund seines Vaters, Israel Benditski. Einst bekannt als »Israel der Klezmer«, war Benditski zu einem »Balebos«, einem vornehmen Bürger und Hausbesitzer aufgestiegen, der sich als Musikalischer Direktor und Orchesterleiter und nicht mehr als Klezmer verstand. Nachdem Benditski sein eigenes

Haus erworben und am Schabbat stolz seinen Platz an der Ostmauer in der »Schul«, der Synagoge einnahm, wagte wohl niemand mehr, ihn einen Klezmer zu nennen, obwohl er sich gelegentlich noch überreden ließ, bei Hochzeiten angesehener und wohlhabender Kreise aufzutreten.

Die Besetzung der Klezmer-Kapelle

Seit den siebziger Jahren hatte sich der Umfang der Klezmer-Kapellen zu vergrößern begonnen, besonders in bevölkerungsreicheren Städten wie Zhitomir oder Berditschew. So bestand Pedotsers Kapelje, für die er populäre Musiknummern zu bearbeiten pflegte, gewöhnlich aus zwölf Spielern, aber sie wurde für wichtige Hochzeiten bis auf fünfzehn und für große Bankette und kostspielige Bälle sogar bis auf achtzehn Spieler aufgestockt. Die Größe seines Orchesters ermöglichte es ihm vermutlich auch, mehrere Engagements gleichzeitig zu buchen und die verschiedenen Kapellen unter seinem berühmten Namen laufen zu lassen – ein ebenso nüchternes wie erfolgreiches Kalkül, das auch den Epstein Brothers in Brooklyn in den Nachkriegsjahrzehnten Wohlstand brachte und von vielen der (nicht nur) chassidischen und orthodoxen Hochzeitsorchester in New York bis heute praktiziert wird. Der zunehmende Umfang der durchschnittlichen Kapelle selbst sowie die steigende Nachfrage nach den damals in Mode kommenden beliebten Blasinstrumenten waren sicherlich weitere Faktoren, die dazu beitrugen, daß sich die Anzahl der Klezmorim im Rußland des 19. Jahrhunderts weiter vergrößerte.

Gewöhnlich bestanden die Klezmer-Kapeljes zu Makonowetskis Zeit aus sieben bis zwölf Musikern. Im Laufe des Jahrhunderts hatten sich zu den weichen Tönen der Holz- und Saiteninstrumente die metallischen Klänge der Trompeten, Posaunen und Althörner gesellt, Vorboten von Krieg und Revolution des kommenden 20. Jahrhunderts. Seine Kompanje

Abb. 10 Klezmer-Kapelje, Ukraine, 1911–1914, An-ski Sammlung, Staatliches Ethnographisches Museum, St. Petersburg.

wies insgesamt neun bis zehn Mannen auf, einschließlich zwei Geigern, zwei Klarinettisten, zwei Trompetern, einem Posaunisten, einem Cellisten, einem Flötisten und einem Trommler. Vor Makonowetskis Zeit, von der ersten Hälfte des 19. Jahrhunderts bis in die siebziger Jahre, bestanden die Kapellen zumeist nur aus drei bis fünf Musikern, die verschiedene Kombinationen von Streich-, Blas- und Perkussionsinstrumenten spielten; z. B. setzte sich die Kapelje in Staro-Konstantinow/Wolhynien, dem Heimatort des jiddischen Schriftstellers und Aufklärers Awrom-Ber Gotlober (1811–1899), aus Violine, Klarinette, Flöte und Baßtrommel mit Becken zusammen. Der Komponist Nikolai Rimskij-Korsakow (1844–1908), der die jüdischen Komponisten und Musikforscher in St. Petersburg zur Rückbesinnung auf ihre eigenen Volkstraditionen ermutigte und ihnen einen »jüdischen Glinka«

wünschte, einen jüdischen Nationalkomponisten von der Bedeutung Michail Iwanowitsch Glinkas (1803–1857), erinnert
sich an die Klezmorim aus seiner Heimatstadt: Dorthin, nach
Tichwin im Nowgoroder Distrikt (östlich von St. Petersburg
und so außerhalb des Ansiedlungsrayons), kamen Mitte des
19. Jahrhunderts jüdische Geiger, Tsimbler und Tamburin-
spieler und nahmen – wohl zur Freude der Bewohner – den
Platz der nichtjüdischen Musikanten Nikolai und Kusma ein.
Diese beiden Amateure hatten sich bis dahin eher schlecht
als recht auf den Bällen mit Polkas und Quadrillen auf Geige
und Tamburin durchgemogelt. Noch am Anfang des 20. Jahrhunderts gab es solche kleinen Schtetl-Kapellen: 1904 spielte
Joseph Cherniavsky Flöte in der Kapelje seines Vaters, die
außerdem aus Geige, Trompete und Posaune bestand (vgl.
Abb. 10). Die kultivierten Klezmorim aus dem Wilna der
zwanziger und dreißiger Jahre hatten für diese kleinen Trio-
Kapellen der Provinz nur Verachtung übrig und bezeichneten sie abfällig als »Fidl, Pejkl, Toches« (»Fiedel, Trommel,
Arsch«).

»Das jüdische Herz ist eine Fiedel«: Die wichtigsten Instrumente

Insbesondere drei Melodieinstrumente sind zum Inbegriff
für die osteuropäische Klezmer-Musik geworden: Tsimbl, Geige und die Klarinette. Solo- und Ensembleinstrument gleichermaßen, wurde das Tsimbl, ein trapezförmiges Hackbrett
mit Schlegeln, ab dem frühen 17. Jahrhundert unter osteuropäischen Juden verwendet (Abb. 11). Die Tsimbl-Tradition
starb im Verlauf des 19. Jahrhunderts aus, obwohl das Instrument in einigen Regionen noch bis zum Ausbruch des Zweiten Weltkrieges in Gebrauch stand (Abb. 12). So verwendete
Hersch Kleinman (Brandwein), der jüngste Bruder von Naftule Brandwein, noch in den zwanziger und dreißiger Jahren
ein Tsimbl in seiner Kapelje im galizischen Przemyślany nahe
Lemberg. Die jüdischen Tsimblers und Fidlers (Geiger) spiel-

ten jahrhundertelang eine unersetzliche Rolle in der polnischen Musikkultur, wie die Figur des Jankiel im polnischen Nationalepos »Pan Tadeusz« (1834) von Adam Mickiewicz (1798–1855) belegt. Diesem Tsimbler und Schankwirt, einem orthodoxen Juden, ist es zu verdanken, daß die Mazurkas und Kolomijkas in Polen Allgemeingut werden und die polnische Nationalhymne, den von Wybiski geschriebenen Marsch »Jeszcze Polska nie zgineła« (Noch ist Polen nicht verloren), weithin verbreitet wird – so Mickiewicz, dem mit diesem fiktiven Charakter eine exakte Wiedergabe der Bedeutung jüdischer Klezmorim in der polnischen Volksmusik gelang.

Über vier Jahrhunderte jedoch war die Geige, das der menschlichen Stimme am nächsten stehende Instrument, we-

Abb. 11 Mordche Pejorman (1810–1895), letzter Zimbalist Warschaus.

104

Abb. 12 Rares Gruppenporträt einer chassidischen Klezmer-Kapelye, Przemysl/Polen, ca. 1905. Unter den Musikern sind Jankew Tsimbler (1852–1938) und sein Sohn Leopold.

gen ihrer Wärme und Weichheit das unter den osteuropäischen Klezmorim bevorzugte Melodieinstrument. Zwar fanden sich im Repertoire der Geiger auch mancherlei Bravour-Stücke, doch zählten ihre lyrischen, gebetsähnlichen Melodien beim Volk zu den beliebtesten. Bei Hochzeiten glänzte der erste Geiger gewöhnlich als Solist, vor allem mit den Vortragsstücken wie »Thema und Variationen« nach traditionellen ukrainischen Volksmelodien, die für die Brautleute, Eltern des Brautpaares und Gäste »tsum Tisch«, an der Festtafel, gegeben wurden; wurde dagegen später zum Tanz aufgespielt, dirigierte er seine Musiker; zuweilen ließ er es sich auch nicht nehmen, zwischen den Hochzeitsgästen zu paradieren oder gar aus dem Festsaal zu verschwinden, um mit den Mädchen anzubandeln oder neue Hochzeitsgeschäfte abzuschließen. Insbesondere die Geiger, in deren gesuchtem Wechselspiel mit ihren Zuhörern sich noch die mittelalterlichen Spielmannseigenschaften erhielten, wußten die Seelen ihres Publikums so aufzuwühlen, bis sich ihre allgemeine Verstörung und Ergriffenheit in einem befreienden Schluchzen entlud. »Jedes Herz, besonders ein jüdisches Herz, ist eine Fiedel: Du bearbeitest die Saiten und holst alle möglichen Lieder heraus, meistens traurige und düstere Lieder ... Alles, was Du dazu brauchst, ist der rechte Musikant, einen meisterlichen Geiger ...«, schrieb Scholem Alejchem 1888 in seiner Novelle »Stempenju. A Judischer Roman«, einer der schönsten Beschreibungen von Klezmorim.

Bis in die Zeit der jüdischen Geigenvirtuosen Stempenju und Pedotser und ihrer Erben, des »Walzerkönigs« Johann Strauß und seines Zeitgenossen Paganini, des »Doktor Faustus mit der Fiedel«, erhielt sich diese geheimnisvolle Aura des Geigers, der im Pakt mit dem Teufel oder höheren Mächten sei. In den hohen Tönen des Klarinettenspiels von Dave Tarras und Naftule Brandwein setzte sich diese vermeintlich diabolische Klangqualität der Geige bis in die sechziger Jahre fort.

Bilder vom Geigenspiel, dem Geigenbogen und den geheimnisvoll »sprechenden« Saiten finden sich in vielen jiddischen Sprichwörtern. In Redewendungen wie »seine Geige spricht« drückt sich die Anerkennung für einen guten Interpreten aus oder auch das Gegenteil: So beispielsweise, wird man sagen »es fidlt nischt«, wenn es um den Lauf der Dinge nicht allzu gut bestellt ist. Auch das Tsimbl findet sich als Thema jiddischer Sprichwörter, so wie jemanden »afn Tsimbl nemen«, jemanden verhören. Die Geige war jedoch nicht nur das bevorzugte Instrument der Klezmorim, auch jüdische Amateurmusiker wie der junge Scholem Alejchem suchten ihren Musikidolen nachzueifern. Wie alle aufgeweckten Knaben und Jünglinge in den Schtetlech Osteuropas wollte auch er »alles wissen«, wobei sich ein Teil dieses jugendlichen Wissensdurstes auf das Erlernen des Geigenspiels bezogs, das in jenen Tagen einen hohen Stellenwert im Programm des allgemeinen Wissenserwerbs hatte. Niemand erwartete irgendeinen praktischen Nutzen davon, aber für einen Sprößling der besseren Kreise war es genau so wichtig wie das Erlernen von Deutsch oder Französisch. Fast alle Knaben aus den feinsten Häusern seiner Stadt lernten deswegen bei Ben-Tsion dem Klezmer die Fiedel spielen. Ob der kleine Scholem nun wirklich das Holz für seine erträumte Geige aus dem Zedernholz des Familiensofas heraussägte, während sein gestrenger Vater sein Mittagsschläfchen hielt, wie er es in seiner Erzählung »Afn Fidl« behauptet, läßt sich bezweifeln. Eine Generation früher erzählt der Schriftsteller Grigori J. Bogrow (1825–1885) in »Memoiren eines Juden« (St. Petersburg 1880), wie er in den dreißiger Jahren bei dem Klezmer Levik in einem Schtetl im Poltawer Gouvernement systematisch Geigenstunden genommen und viele Stunden hintereinander geübt hätte. Für den Maestro und seinen Assistenten waren Noten »Targem-Loschn«, Kauderwelsch, und so bediente sich der Meister seiner sogenannten »Anschauungsmethode« und ließ seinen Schüler gleich nach der ersten C-Dur-Tonleiter Lieder und einfache Stücke spielen. Alsdann wurde der rasch lernende Bogrow von Reb Levik stolz als lebender Beweis für die Genialität seiner Methode präsentiert.

Das Geheimnis der jüdischen Geige

»Ihr wollt wissen, wieviele Männer unter einem Dach wohnen? Schau an die Wände! Es wohnen so viele Männer dort, wie Geigen daran hängen!« schrieb Isaac Lejbusch Peretz in seiner klassischen Erzählung »A Gilgl fun a Nign« (Die Seelenwanderung einer Melodie, 1901).

Es ist nicht das erste Mal, daß nach den Ursachen des großen Anteils jüdischer Musiker, insbesondere unter den bedeutendsten Violinsolisten seit der Zeit um die Jahrhundertwende, gefragt wird. Der Publizist Joachim Hartnack spricht von den »gewissen Eigenarten ihres Spiels«, das insbesondere durch »eine besonders satte Färbung – und zwar ein dunkel-sonores Timbre« des Tons – charakterisiert ist. Hartnack bemerkt einen einerseits »eigenartigen sinnlichen Schimmer« bei Geigern wie Huberman, Elman und Heifetz und zeigt sich andererseits erstaunt über den »keuschen« Ton von Menuhin oder über Milsteins »beinahe kühle Noblesse, aus der jeder Hauch von Sinnlichkeit verbannt scheint – um dann bei anderer Gelegenheit um so deutlicher hervorzutreten«. Was ist nun das Geheimnis dieses besonderen Tons, an dem sich noch bis zur Jahrhundertmitte die jüdische Herkunft eines Geigers nachweisen ließ? Hartnack vergleicht bewundernd die »besondere Glätte der Tonemission und eine ganz eigene Art des Portamentospiels« jüdischer Geiger auf Schallplatten der dreißiger Jahre mit dem Portamentosingen des Kantoren Joseph Schmidt (1904–1942) aus Davideni/Bukowina und erkennt Ähnlichkeiten zwischen Gesangstechnik der Kantoren und den »Tonmodulationen und der Tonbewegung« von Jascha Heifetz – »und zwar nicht nur im Legato, sondern auch beim Détaché.« Hier jedoch fehlt Hartnack das letzte Stück im Puzzle, die Kenntnis über Klezmorim – von der Musikgeschichtsschreibung bis heute zumeist als Folklore abgetan und daher als nicht zur Hochkultur gehörig erachtet. Hätte er jemals die Aufnahmen der Geiger Rabinowitsch oder Zehngut oder gar den Klarinettisten Dave Tarras mit seiner Raffinesse hören können, hätte er leicht zu dem Schluß gelangen können, daß das Geheimnis der großen jüdischen Geiger in der eng mit dem Synagogalgesang verwobenen Tradition der Klezmorim liegt, von der auch Joseph Schmidts Vortrag geprägt war. Dabei enthält eine der frühen Joseph Schmidt-Biographien noch eine erstaunlich detaillierte Beschreibung der musikalischen Welt des Sängers, der »in seinen größten Momenten mit einer todberührten Inbrunst« sang, so der Kritiker Jürgen Kesting. Die Einflüsse der Volkslieder, »Doinas«, »Horas«, Gassenhauer und Musik der Zigeuner auf den angehenden Weltstar fehlen in späteren Lebensbeschreibungen gänzlich, übergangen werden auch die als Klezmorim nicht ausdrücklich gekennzeichneten »jüdischen Musikkapellen mit ihrer Originalität und ganz eigenem Stil«. Ebenso unbefriedigend wie aufschlußreich ist die musiklexikalische Behandlung der Klezmorim und ihrer Musik: Sie erscheinen allenfalls als wenig beachtenswerte Anhängsel der Liturgie und nicht als lebendige Bewahrer »eines bis in die Frühzeit zurückreichenden künstlerischen Erbes, das die Kunstmusiker zumeist verachtend abstreiften«, wie es der Musikwissenschaftler Walter Salmen für die Spielleute formulierte. Auch der Klezmer gab neben der »musica composita« seiner Zeit die Traditionen der nicht komponierten Musik aus der Frühzeit in schöpferischen und vielfältigen Umformungsprozessen an die nächste Generation weiter.

Grundsätzliches zu Mißverständnissen der Klezmer-Musik

Nur so ist auch zu verstehen, warum in den Biographien der großen Geigenvirtuosen deren Väter mißverständlicherweise als »Amateurgeiger« wie bei Joseph Achron oder unter der Berufsbezeichnung »Dorfschullehrer« – so Mischa Elmans Vater – erscheinen. Auch Heifetz' Vater Reuven stammte aus dem Klezmer-Milieu: Er sei »Theatermusiker« gewesen, wobei die Frage offenbleibt, ob allgemeines oder Jiddisches Theater, vermutlich spielte er außerdem auch auf Hochzeiten. Seine Stellung als Konzertmeister beim Symphonieorchester in Wilna verdankte er seiner Ausbildung als Klezmer und als Musiker in einem jiddischen Theaterorchester, was durchaus nicht – wie vielfach angenommen – immer dasselbe ist. Der Begriff eines »Amateurmusikers« besaß im jüdischen Osteuropa eine ganz andere Bedeutung als in Westeuropa, das seine Kriterien auf einen Beruf und eine Musik anwendet, für deren Spielweisen sich eigene Ausbildungsstrukturen heranbildeten und die deshalb auch eine systematische Konservatoriumsausbildung nicht erforderlich machten – ohnehin war Juden der Besuch der Konservatorien nicht vor dem letzten Viertel des 19. Jahrhunderts möglich.

Wie wichtig für das Verständnis der Klezmer-Musik und ihrer Weiterentwicklung gerade die Kenntnis der gesellschaftlich-religiösen Strukturen des jüdischen Osteuropas ist, verdeutlichen folgende Details: Die Bezeichnung »Dorfschullehrer« für Elmans Vater, dessen Vater wiederum ein bekannter Klezmer in Uman war, verkennt zum einen die Tatsache, daß Talnoje mit seinen 10 000 Einwohnern – davon mehr als die Hälfte Juden – keineswegs ein Dorf war, sondern immerhin Sitz des chassidischen Hofes von Reb Dowidl Twersky mit seinem berühmten Chasn Reb Jossele Tolner. Zum andern konnte Elmans Vater Saul neben seiner Stellung als »Melamed«, als Lehrer in einem Chejder, offensichtlich auch als ein nach dem Klezmer-System vollendet ausgebildeter Geiger und Pädagoge gelten. Denn bis zu seinem zwölften Lebensjahr erhielt Mischa Elman Violinunterricht von seinem Vater, erst nach seinem gefeierten Berliner Konzertdebüt im Jahre 1904 setzte der frühvollendete Künstler seine Studien bei Alexander Fiedelman an der Kaiserlichen Musikschule in Odessa fort.

Das Unterrichtssystem des »Chejder« vermittelte den jüdischen Knaben eine klassische Ausbildung. Das Lesen der hebräischen Schriften versetzte sie in die früheste Zeit ihres Volkes zurück und erzeugte auf diese Weise ein beständiges Nebeneinander von Gegenwart und Vergangenheit im Denken bereits der jüngsten Schüler. So unterrichtete ein Melamed neben dem biblischen Hebräisch noch ein halbes Dutzend hebräische und aramäische Dialekte, von der Sprache der »Mischna«, der um 200 u. Z. redigierten Grundlage des Talmud, bis zu der rabbinischen Sprache des Kommentators Raschi aus dem 11. Jahrhundert. Im Chejder wurde auf die hebräischen Fächer tatsächlich drei- bis viermal soviel Zeit verwandt wie in den besten Gymnasien Europas auf Latein und Griechisch zusammen. Wie fruchtbar sich gerade dieses kompromißlose Eintauchen in die geschichtliche Vergangenheit auf die jüdische Kultur auswirkte, beweist nicht nur die enge Verflechtung von Talmud und Tora mit der liturgischen und der klezmerischen Festmusik: Das in weit über tausend Jahren entwickelte Lehr- und Denksystem auf der

Grundlage dieses religiösen Schrifttums bildete auch den geistigen Nährboden für die Elite der klassischen Geigenvirtuosen des 20. Jahrhunderts und so unterschiedlicher Vertreter der künstlerischen Moderne wie die Maler Marc Chagall und Chaim Soutine (1893–1943) sowie die avantgardistische Bewegung der »Insichisten«, der Introspektivisten, einer Gruppe um die jiddischen Dichter Jacob Glatshteyn (1896–1971) und A. Leyeles (Aron Glanz; 1889–1966) im New York der zwanziger Jahre.

Spielen »mit Bicher«:
Das Notenspiel in der klezmerischen Welt

Gegen Ende des ausgehenden Jahrhunderts war es durchaus nicht mehr ungewöhnlich, daß Klezmorim ihre musikalischen Kenntnisse mit Hilfe klassischer Unterrichtsbücher erwarben. Obwohl Makonowetski insgesamt vierzehn Jahre als Lehrling sein Handwerk erlernt hatte, bediente auch er sich zu Beginn der neunziger Jahre noch gedruckter Lehrbücher, in denen das Spielen eines Instrumentes methodisch beschrieben wurde, um seine Ausbildung zu vervollkommnen. Er arbeitete sich durch verschiedene Schulen – zum Beispiel alle drei Teile der »Grossen Violinschule« (1858) von Charles Auguste de Bériot (1802–1870) oder die »Szkoła teoretyczno-praktyczna na skrzypce« (Theoretisches und praktisches Handbuch für die Geige, 1841) des polnischen Geigers Józef Niedzielski (1793–1853) – und studierte auch Notenausgaben von Etüden, Konzerten und Duetten, bis er schließlich alle Instrumente der Klezmer-Kapelje beherrschte.

Bis Ende des 19. Jahrhunderts spielten fast alle Klezmorim nach Noten – natürlich gab es immer Ausnahmen, sogar noch im 20. Jahrhundert, wie der ausschließlich nach Gehör spielende Klarinettist Naftule Brandwein beweist –, und die Kluft zwischen den notenunkundigen Klezmorim und denjenigen, die »mit Bicher«, das heißt nach Noten spielten, verstärkte sich. Für seine Kompanje kopierte Awrom-Jeschije Makonowetski eigenhändig Stücke von Musikern benachbarter Städte wie Radomischl, Makarow oder sogar aus der nächstgrößeren Stadt Belaja Tserkow, wobei er die Melodien für alle Instrumente zu notieren pflegte.

Die Erzählung »Farn Badekns« (Vor der Brautverschleierung, 1894) von Rachmil-Lejb Ossipowitsch Majlis zeigt, daß das Notenlesen in jener Zeit zum Ausdruck der modernen Zeit und damit zum Statussymbol wurde: Sobald die Bewohner des Schtetls Pirjatin (Distrikt Poltawa) herausfinden, daß die Klezmorim aus der Stadt Krementschug »mit Bicher« spielen, werden diese dem ortsansässigen Klezmer, Artsi dem Fiedler, vorgezogen, da jener weiterhin nach Gehör zu spielen fortfährt. Artsi verliert seine Kundschaft und sieht sich schließlich gezwungen, seine Kompanje aufzulösen. Bis auf ihn selbst und den Trommler wenden sich alle seine Kollegen anderen Broterwerben zu. Während des darauffolgenden Jahrzehnts holt man Artsi nur noch zu Armeleutehochzeiten, die kaum mehr als acht oder höchstens zehn Rubel einbringen. Am Ende sieht er keinen anderen Ausweg mehr, als seine Tochter mit einem notenkundigen Klezmer zu verheiraten, denn nur so glaubt er sich wieder ins Geschäft bringen zu können. Der »Schadchn«, der Heiratsvermittler, versucht, ihm diese Träumereien wieder auszureden, denn die Aussichten einer solchen Verbindung seien wegen der Auswahl an notenkundigen Klezmorim sehr gering! Artsi weiß sehr wohl, daß er besser spielt als die hergelaufenen Krementschuger Vagabunden, aber sein Gebet zu Gott, ihn von diesen zu befreien, wird nicht erhört: Am Ende der Geschichte bleibt ein verbitterter Artsi zurück, erstarrt vor Schmerz hält er seine Fiedel an sein Herz gedrückt, aus der sich seine ganze Verzweiflung über die »hajntike Tsajt« ergießt – eine literarische Vorwegnahme des realen Endes der Klezmer-Kultur.

Aber nicht nur Juden folgten der Mode der »Klezmorim mit Bicher« und engagierten die ihrer Meinung nach raffinierteren Notenleser zu ihren Hochzeiten: Im wolhynischen

Saslow um die Jahrhundertwende bestellte der Graf Potocki die Klezmorim zu einem Ball, diese aber konnten eine Bedingung des verlockenden Engagements nicht erfüllen: das Notenlesen. So erschienen die listigen Saslower Musikanten auf dem Ball mit Gebetsbüchern, die sie auf die Notenständer setzten. Die hebräischen Schriftzeichen »verwandelten« sich dann während des Spielens auf wundersame Weise in Noten ...

Aus diesen Darstellungen scheint hervorzugehen, daß die musikalische Lesefähigkeit von Klezmorim sich um die Jahrhundertwende sehr rasch auszubilden begann. Tatsächlich aber dienten Notendrucke und Handschriften in erster Linie als Mittel zum Erlernen eines Instrumentes sowie dazu, Schülern oder auch Klezmorim in anderen Städten Melodien zu vermitteln und sich längere Stücke ins Gedächtnis zu rufen. In einer mündlich überlieferten Tradition wie der Klezmer-Musik bleibt das Notenlesen eher zweitrangig, denn das Ausschmücken der Melodie ist nach wie vor von der Phantasie und persönlichen Vorliebe des Spielers abhängig. Kleinere Stücke wie Tanzmelodien wurden immer gänzlich nach Gehör gespielt. Sogar wenn die Musiker notenkundig waren, diente das, was auf Notenlinien geschrieben wurde – besonders bei Geigenspielern und Klarinettisten – höchstens als Gedächtnisstütze. Der russische Musikologe Iwan Lipaew, der 1904 als erster über die russisch-jüdischen Klezmer-Orchester schrieb, beobachtete diesen Vorgang bei einem Geiger in Witebsk: »Vor ihm werden die Noten hingelegt, aber er hat von ihnen nur eine Melodie entnommen und bildete auf ihr solche Spiralen, die ich nie in meinen Träumen gehört habe.«

Ebenso wie das musikalische Analphabetentum, das sich in den ersten Jahrzehnten des zwanzigsten Jahrhunderts unter Klezmorim in der Alten und Neuen Welt nur noch in Ausnahmefällen zeigte, erweist sich auch die Beliebigkeit der Klezmertöne – das Bild des Klezmers als unverbildeten, natürlichen Gefühlsmenschen, dessen Töne von innen kommen und nicht vom Intellekt gesteuert sind – als Wunschbild der westlichen Zivilisation. Dabei scheinen regelmäßige Proben schon während der zweiten Hälfte des 19. Jahrhunderts einen regulären Bestandteil des Klezmer-Lebens gebildet zu haben. Scholem Alejchem beschrieb seine Besuche im Hause des Klezmers Jeschije Heschel, wo er den an jedem Montag und Donnerstag stattfindenden Proben mit seinen Söhnen lauschen konnte. Ganz gleich, ob sie sich geschriebener Noten, wie die Krementschuger Klezmorim, oder gar kunstvoll orchestrierter Arrangements, wie Pedotsers Orchester, bedienten, die Kapeljes probten bis zur Perfektion. Leopold Kozlowski erinnert sich an die Arrangements, die sein Vater für sein Orchester schrieb. Diese wurden von den Musikern erst auswendig gelernt, dann sorgfältig miteinander geprobt und schließlich als Vorlage für ihre Improvisationen genommen.

»Ein jiddisches Hochzeitstänzchen für alle«: Klezmorim im Vielvölkerstaat

Wirkungskreis der Kapeljes im 19. und frühen 20. Jahrhundert war gewöhnlich begrenzt und ging selten weit über ihr eigenes Schtetl hinaus: So war beispielsweise die Chabner Kompanje neben Chabne auch für alle kleineren Orte innerhalb eines Umkreises von etwa dreißig bis vierzig Kilometern zuständig, da viele dieser Schtetlech keine eigene Kapelje besaßen. In den 1930er Jahren bildete der Distrikt Lwów-Tarnopol mit den Städten Przemyślany, Rohatyn, Tarnopol, Busk, Złoczów, Podhajce und Brzezany – alles in allem vielleicht zwanzig Städte und Schtetlech – den Bereich des Hersch Kleinman Orchesters. Manchmal dominierte eine einzige Familie das klezmerische Umfeld einer ganzen Stadt oder eines Bezirks, so wie die Stupel-Familie im damaligen russischen Wilna, deren Mitglieder die ganze Spanne musikalischer Formen von Hochzeitsmusik über das Jiddische Theater bis hin zur Oper abdeckten. Aus dieser Klezmer-Familie ging der heute in Berlin lebende Pianist Vladimir Stupel hervor. Reisende Klezmorim, nicht »wandernde«, wie oft fälschlicherweise behauptet, bleiben eher die Ausnahme: Aus dem 19. Jahrhundert wird von moldawischen Klezmer-Gruppen aus Jassy berichtet, die in der osmanischen Metropole Konstantinopel für Griechen und aschkenasische Juden spielten. Die dortigen Gemeinden sephardischer Juden, der Abkömmlinge der 1492 von der Iberischen Halbinsel vertriebenen Juden mit ihrer osmanisch geprägten Kultur, gehörten jedoch nicht zu ihrem Publikum.

Die Situation der Klezmorim im russischen Zarenreich unterschied sich beträchtlich von derjenigen jüdischer Musiker in Aschkenas. Dort gab es wenig Konkurrenz von nichtjüdischer Seite: Die Klezmorim waren in den meisten Fällen die einzigen professionellen Musiker in den Schtetlech und Städten, denn in der bäuerlichen nichtjüdischen Bevölkerung existierte das Musizieren nur als nichtprofessionelle Tätigkeit einzelner und konnte beispielsweise nicht zur Bildung von ganzen Orchestern führen. Nur wenn die vielseitigen Orchester der Makonowetskis oder der Tarraschuks, die als Profis immer auch die neuesten Melodien und Tänze aus Westeuropa parat hatten, für die Familienfeste und Tänze nicht zur Verfügung standen, griffen die Nichtjuden auf jüdische Amateurmusiker für Bälle und Feste zurück. Bogrow berichtet von drei jüdischen Heranwachsenden in seinem Heimat-Schtetl im Poltawer Gouvernement in den 1840er Jahren, die auf Fiedel, Flöte und Kontrabaß mit Mühe einige Melodien zuwege bringen konnten. Da es in jenen Tagen keine anderen Musiker in diesem Landstrich gab, wurden sie von dem musikliebenden Gutsverwalter des Ortes gezwungen, abends bei ihm zu Hause zu spielen. Die Alternative zu den jüdischen Ensembles waren aus Bessarabien stammende Zigeunerkapellen, denn sie bildeten mit den Juden die beiden Gruppen professioneller Unterhaltungsmusiker in Osteuropa. Während die jüdischen Musiker sich im allgemeinen eher in der Ukraine, Weißrußland und in Polen konzentrierten, beschränkte sich der Wirkungskreis der professionellen Roma-Musiker im jüdischen Osteuropa eher auf Rumänien, die Bukowina, Galizien, Bessarabien und Ungarn. »Sind keine Zigeuner hier?« fragt der Leutnant Mitja Karamasoff den reichen Pachtherrn Trifón Boríssytsch Plastúnoff in Dostojewskis Roman »Gebrüder Karamasoff« (1879–1880). »Von Zigeunern ist jetzt nichts zu hören, Dmitrij Fjorodówitsch, die Obrigkeit hat sie vertrieben, aber es gibt hier ein paar Juden, die spielen auf Zimbals und Geigen, nicht weit von hier, in Roshdéstwenskoje, man könnte sofort hinschicken, wenn's beliebt. Sie würden sofort kommen.«

Von Juden, Ukrainern und Zigeunern lernte auch der junge Geiger Leon Schwartz (1901–1990) aus der kleinen Stadt Karaptschiw in der Bukowina im damaligen Österreich-Ungarn. Schwartz, der nicht aus einer Klezmer-Familie stammte, lernte mit acht Jahren nach Gehör das Geigenspiel. Bis zum Alter von zwanzig Jahren leitete er seine eigene Kapelle, die aus Angehörigen seiner Familie sowie ukrainischen und Roma-Musikern bestand, denn in seiner Stadt gab es nicht genügend jüdische Musiker.

So hatten professionelle Klezmorim wie Schwartz' Kapelje und Makonowetskis »Chabner« Kompanje auch für Hochzeiten und Festlichkeiten der verschiedenen örtlichen ethnischen Gruppen zu Diensten zu sein. Waren es Ukrainer, spielten sie »Kasatschoks«, waren es aber Polen, wechselten sie zu Polkas, Mazurkas, Krakowiaks und Polonaisen. Zu den weiteren Minoritäten, auf die sich professionelle Kapellen einzustellen hatten, gehörten Roma, Ungarn, Deutsche und Rumänen. Jedoch spielte Makonowetskis Kompanje bei den Hochzeiten der ukrainischen Bauern nicht nur ukrainische und russische Tänze wie den temperamentvollen Solotanz »Kasatschok« (Jiddisch: »Kasatske«) mit seinen graziösen Bewegungen, das »Hopak« (Jiddisch: »Hopke«) und die feurige »Kamarinskaja«, sondern auch die von den Bauern geschätzte jiddische Musik. Leopold Kozłowski berichtet, daß das ostgalizische Publikum nichtjüdischer Feste bei Auftritten der Kapelje seines Vaters Hersch Kleinman noch in den dreißiger Jahren dieses Jahrhunderts nach jüdischen Stücken verlangte. »A Chassene-Tentsl, sej hobn getantst ale!« (Ein jiddisches Hochzeitstänzchen haben alle getanzt). Umgekehrt gelangten die ukrainischen Kasatskes auf die jüdischen Hochzeiten und avancierten zu einem der Lieblingstänze der ukrainischen Juden und damit zum unverzichtbaren Bestandteil des Klezmer-Repertoires. Es scheint aber, daß sowohl Hopak als auch die Kamarinskaja von den Juden nur als Melodien und nicht als eigentliche Begleitung zum Tanzen übernommen wurden.

Klezmerisierung und Judaisierung von Melodien

Kompositionen aus der schöpferischen Phantasie der Klezmorim selber und Melodien nichtjüdischen Ursprungs, besonders aus Moldawien und der Ukraine, stellten nur zwei Komponenten des klezmerischen Repertoires des 19. Jahrhunderts dar. Die dritte Hauptquelle bildeten jüdische Volkslieder sowohl säkularen als auch religiösen Inhalts, z. B. die »Smires«, die religiösen Volkslieder, die am Schabbat gesungen werden, und vor allem die chassidischen Nigunim, dazu die Musik der Purim-Spiele, der Liturgie, Badchones und später auch Liedkompositionen der Broder-Sänger und des professionellen jiddischen Operettentheaters. Zu den Schöpfungen der Klezmorim selbst gehörten Stücke von »jüdischen« Gattungen – Stücke also, die von Juden als »jüdisch« angesehen und die nicht mit der nichtjüdischen Bevölkerung geteilt wurden. Vorwiegend waren dies die lyrischen »Dobridschens« (wörtlich »Guten Tag«; Begrüßungsstücke), die Melodien zum »Basetsn di Kales« und die »Tsum-Tisch«-Improvisationen (virtuose und kontemplative Solostücke für die Festtafel) sowie die Tanzstücke »Frejlechs« und »Scher«. Dagegen verloren die vor allem ursprünglich aus Moldawien stammenden Formen wie die Tänze »Bulgarisch«, »Sirba« und »Zhok« sowie die rhapsodischen Doina-Improvisationen während des oft Generationen dauernden »Judaisierungsprozesses« durch jüdische Musikanten allmählich einige ihrer früheren »fremden« Eigenschaften. Die solcherart organisch »klezmerisierten« Melodien galten aber unter den Klezmorim weiterhin als »nichtjüdisch«. Die Klezmerisierung oder Judaisierung war ein Prozeß der kulturellen Transformation, der Veränderungen einzelner Töne und Motive, von Tonarten und Rhythmen, von Struktur, Tempo und Verzierungen bis hin zur instrumentalen Technik eines Stückes beinhalten konnte. Nach dem Klezmerisierungs-Prozeß ist es oft nicht mehr möglich, die moldawischen oder ukrainischen Elemente in den klezmerischen Stücken auszumachen. Wenn man davon ausgeht, daß umgekehrt die »jüdischen« Stücke eine ältere historische Schicht des vordem ebenfalls nichtjüdischen Repertoires darstellen, so darf man ruhig spekulieren, daß im Laufe der Zeit auch die erst in jüngster Zeit in das Klezmer-Repertoire integrierten nichtjüdischen Doinas und Zhokn als »jüdisch« angesehen worden wären.

Nicht nur ganze Melodien wurden übernommen oder klezmerisiert; die meisten der klezmerischen »Kompositionen« waren auf das kreative, phantasievolle Zusammenfügen von bereits bestehenden Phrasen und kleinen musikalischen Einheiten wie Motiven oder rhythmischen Schablonen aufgebaut. Kasatschok-Melodien und -motive wurden beispielsweise zwar dem ukrainischen Kulturkreis entnommen, erhielten aber durch den Vortrag der Klezmer-Interpreten längere, medleyartige Formen mit vielen verschiedenen Teilen und virtuose Eigenschaften. Insofern waren die Klezmorim keine Komponisten im engeren Sinne, sondern Kompilatoren. Während des Spielens fügten die Musiker dann spontan Melismata und Triller sowie dynamische Färbungen hinzu, die den Stücken den Charakter von Improvisationen verliehen. Im bessarabischen Schtetl Orgejew war der Klarinettist Nehamiah Kawadlo für sein ornamentreiches Spiel im Koloraturstil berühmt, ähnlich den kunstvollen »Chasones« der Kantoren und Chorknaben. »Er drejt a Nign«, so beschrieben es diejenigen, die sich noch an seine Musik erinnern konnten. Kawadlo spielte nie eine Melodie in ihrer einfachen Form, sondern pflegte alles »herumzudrehen«, auszuschmücken, zu verzieren. Der lamentierende Unterton der lyrischen Nichttanzstücke rief Ehrfurcht, Schmerz und Trauer – Empfindungen wie am Versöhnungstag – bei den Zuhörern hervor. Auch die lebhaften Tanzmelodien, die an den kontemplativen Teil angeschlossen wurden, überziehen diese düstere Stimmung nur mit einem Anstrich von Fröhlichkeit. Die strenge Intensität ist selbst in den amerikanischen Aufnahmen vom Klarinettisten Dave Tarras oder gar Max Epstein nicht zu überhören.

»Die Seelenwanderung einer Melodie«: Poetische Musikethnologie

»A Gilgl fun a Nign« zeigt der jiddische Dichter Isaac Lejbusch Peretz, wie ein und dieselbe Melodie in den verschiedensten Funktionen wiedergeboren werden konnte. Die Geschichte spielt in einem Schtetl bei Berditschew und beschreibt, wie der arme Klezmer Reb Chajml ein eigentlich ausgelassenes »Masltow«-Stück Pedotsers, ursprünglich als ein »Frejlechs« für eine arme Braut komponiert, in eine herzzerreißende »El-Mole-Rachmim«-Melodie umwandelt. Der »Onfirer« der dortigen Kapelje, Reb Chajml, war Schüler von Pedotser gewesen, ein kunstfertiger und seelenvoller Musiker, jedoch kein Komponist wie sein Meister. Er verstand es nur, ein Stück zu interpretieren und es mit »Harts un Neschome«, mit Herz und Seele, zu beleben. Als der gute Chajml das El-Mole-Rachmim, die Fürbitte für die Toten, auf der Hochzeit der Tochter einer gottesfürchtigen Witwe spielt, wollen sich die Eltern des Bräutigams, Großstadtmenschen aus Kiew, jedoch ihre lustige Stimmung von einer solch traurigen Melodie nicht trüben lassen. Diese Vertreter der neuen Zeit haben keinen Sinn mehr für solche altmodischen »Narrischkejten« wie das Gedenken an die Toten am Hochzeitstag, sondern wollen nur, daß Chajm schneller und schneller, rascher und rascher spiele. Und so durchläuft die Melodie eine weitere Stufe ihrer Seelenwanderung – diesmal verwandelt sie sich in eine harmlose, oberflächliche Weise ohne Seele. Nach einem Gastspiel dieser Melodie im Jiddischen Theater von Warschau, wo sie in ein glühendes Liebesduett verwandelt wird, erklingt sie als Gassenhauer aus dem Leierkasten von Akrobaten mit einem bleichen Mädchen im Gefolge. Dieses arme Kind, den Eltern entrissen und erbärmlich gehalten, ausgenutzt und erkrankt, wird von seinen Peinigern sterbend auf dem Felde zurückgelassen. Nach seiner wundersamen Genesung zieht das Mädchen als blinde Bettlerin von Tür zu Tür und singt diese Melodie, die jetzt wieder um Erbarmen fleht und in die Ohren und die Seele eines Toragelehrten in Radziwilow dringt. Als Reb Dowidl von Talnoje Radziwilow besucht und dort den Schabbat verbringt, singt der Gelehrte ihm die einzige Melodie vor, die er kennt, die Melodie des Bettelmädchens, Pedotsers Melodie, und der Talnojer Rebbe summt leise mit. Plötzlich erfüllt sich das Lied mit dem Duft der Tora und dem Hauch der Sabbatheiligkeit und findet so endlich seine Erlösung. Peretz' fast ethnographisch zu nennende Erzählung stellt dar, wie ein und dasselbe Nign sich immer wieder verschiedenen Kontexten des jüdischen Lebens anzupassen und mit diesen Verwandlungen die jeweilige »Kawone« (Intention) und die Bedeutung der Melodie zu verändern vermag.

Nichtjüdische Musiker in den Klezmer-Kapeljes

Die Klezmer-Kapellen im jüdischen Osteuropa bestanden wie schon erwähnt nicht immer nur aus jüdischen Mitgliedern; in den ukrainischen Kapellen waren dies häufig polnische und ukrainische Bauern, und in den südlichen Regionen wie der Bukowina und Bessarabien gesellten sich vorwiegend Roma zu den jüdischen Klezmorim. Es gab sogar bessarabische Truppen, die von judaisierten Zigeunergeigern angeführt wurden. So leiteten die Roma-Geiger Petru und Monolati im Schtetl Orgejew nicht nur ihre eigenen Klezmer-Kapeljes und spielten im Klezmer-Stil, sondern trugen auch »Jarmlkes«, Scheitelkäppchen, sprachen bessarabisches Jiddisch und konnten einige der jüdischen Gebete auswendig sagen. Beregowski begegnete 1933 einem Geiger in Kiew, der durch die Höfe zog und jiddische Tanzmelodien spielte. Der polnische Nichtjude hatte fünfzehn Jahre lang bei einer Klezmer-Kapelle in Korostischew im Kiewer Distrikt gespielt und dabei eine solche Fertigkeit in dem elegischen klezmerischen Stil erlangt, daß sich Beregowski anfangs sicher war, er habe einen veritablen jüdischen Klezmer vor sich. Manche nichtjüdischen »Klezmorim« komponierten sogar Stücke im Klezmer-Stil, wie der Leiter einer Kapelle in Ruzhin, der versuchte, dem Komponisten und Folkloristen Joel Engel während der An-ski-Expedition im Sommer 1912 seine eigene »Majufes«-Melodie zu verkaufen. Vermutlich geht man nicht zu weit, wenn man behauptet, daß es Engel damals wohl kaum in den Sinn gekommen sein kann, diesen »Goj« und seine Kompositionen nicht als Bestandteil der Klezmeraj anzusehen – wer von den Klezmorim lernte und sich als geschickter Spieler in ihren Kapellen erwies, wurde von ihnen auch anerkannt.

In den meisten Orten aber war die Mitgliedschaft nichtjüdischer Musikanten in den Klezmer-Kapeljes überhaupt nicht nötig. In der Umgebung von Ternowka gab es beispielsweise keine nichtjüdischen professionellen Musiker. Ab und zu luden die Tarraschuks einen talentierten ukrainischen Laiengeiger zum gemeinsamen Spiel ein, aber nichtjüdische Mitglieder des Orchesters gab es keine. In seiner Kurzgeschichte »Rothschilds Geige« (1894) erzählt Anton Tschechow vom christlichen Laiengeiger Jakow Iwanow Matweitsch »dem Sargtischler«, der aufgrund seines vortrefflichen Vortrags russischer Lieder vom jüdischen Kapellmeister Schachkes zum gemeinsamen Spiel gebeten wird. Das Zusammenspiel von Juden und Ukrainern in einem wolhynischen Dorf um 1860 beschreibt auch der ukrainische Schriftsteller Wladimir Korolenko in seinem autobiographischen Roman »Der blinde Musikant«. In diesem Fall erfreuen der ukrainische Geiger Jochim, der für seine ukrainischen Kasatschoks und polnischen Krakowiaks beliebt ist, und der orthodoxe jüdische Kontrabassist Jankel sonntags die Wirtshausbesucher. In seinem Roman »Klezmer« (Moskau 1940/1976) differenziert der sowjetisch-jiddische Romancier Irme Druker (1906–1982) in seinem Wortgebrauch zwischen »Klezmer« und »Musikant«. Für ihn bezeichnet Klezmorim ausschließlich die jüdischen Musiker in ihrer Funktion als rituelle Spieler bei jüdischen Hochzeiten und Festen; wenn sie in den Höfen der »Pritsim«, der adligen, vorwiegend polnischen Gutsbesitzer, auftreten, sind sie nun einmal Musikanten, genau wie die ukrainischen Geiger Wasil und Peter.

»Moschke kriech auf allen vieren!«: Klezmorim bei Nichtjuden

Die Auftritte der jüdischen Musiker außerhalb ihrer rituellen Klezmer-Funktion in der jüdischen Gemeinde waren nicht selten: Sie spielten für Bauern und die Nobilität und wurden auf die Landsitze der Zarenfamilie geladen. Leopold Kozłow-

skis Großvater Pejsech Brandwein (Abb. 13) und sein Orchester wurden, so die Familienlegende, an den Hof des Kaisers Franz Josef von Österreich gebracht, aber auch die Veranstalter von Polizistenbällen und Sylvesterfeiern mochten nicht auf die schwungvollen Klänge der jüdischen Musikanten verzichten. Auch der spätere »King of Klezmer« Dave Tarras erinnert sich, daß die Kapelle seiner Fa-

Abb. 13 Pejsech Brandwein, Przemyślany/Polen (Ostgalizien), vor 1923. Archiv Leopold Kozłowski.

milie auf den Bällen eines in der Nähe von Ternowka lebenden polnischen Grafen spielte. Da die Landbesitzer eher die westeuropäischen Gesellschaftstänze sowie leichte klassische Kost schätzten, mußte die Tarraschuk-Familienkapelle eine große Bandbreite von Wiener Walzern, Mazurkas und Tafelmusik, die aus Stücken wie der Ouvertüre zu Franz von Suppés »Dichter und Bauer« (1845) bestand, im Programm haben. Wie die »Lăutari«, die professionellen Roma-Musiker aus Rumänien, die in ihrer Funktion als Unterhaltungsmusiker für Nicht-Roma niemals ihr eigenes Repertoire spielten, lieferten auch die Klezmorim bei den Landadligen nicht die für jüdische Feste bestimmte Klezmer-Musik.

Die Kompanjes spielten ganze Wochen auf nichtjüdischen Festen und Bällen der adligen Landbesitzer, währenddessen die Klezmorim jede Art von grausamer Behandlung seitens der betrunkenen Gäste über sich ergehen lassen mußten. Diese gefürchteten Pritsim entwickelten eine ganz eigene »Vorliebe« für die Kunst der Klezmorim: Auf ihren Festen befahlen sie ihren jüdischen Bediensteten, zum Spiel der hebräischen Ode an den Schabbat, »Ma Jafit«, vor ihren Augen mit der als »jüdisch« angesehenen spezifischen Gestik und Mimik zu tanzen und zu singen, um sie dann zu erniedrigen und zu verspotten. »Ma Jafit« (Wie schön und lieblich bist Du, o Geliebte) stammt aus dem 13. Jahrhundert und zeichnet sich durch eine besonders eingängige und erhebende Melodie aus. Sie hatten nur einen Namen für den Juden, den von Mojsche abgeleiteten »Moschke«. »Moschke, sing! Moschke, tanz! Moschke, kriech auf allen vieren!« Nicht selten legten sich die Landbesitzer auch selbst falsche »Pejes« (Schläfenlocken) und die von chassidischen und anderen orthodoxen Männern getragenen, zur Tracht gehörenden Gürtel (»Gartl«) an, um in die Gestalt derjenigen zu schlüpfen, die sie verachteten. Diese nach der polnisch-jiddischen Aussprache als »Majufes« bezeichneten Parodien entwickelten sich zu einem ganz eigenen, allerdings recht fragwürdigen Unterhaltungsgenre, als deren wahre Meister sich später dann die Nazis erweisen sollten. In der jüdischen Welt steht der Begriff

Majufes für eine kriecherische oder erzwungene Anpassung an die Erwartungen des polnischen Adels und der Behörden, ja zuweilen ganz spezifisch für die erniedrigende Schmähung von Juden.

Besonders das Spiel der jüdischen Geiger stand bei einigen Landbesitzern hoch im Ansehen. So beschreibt der Dichter Esekiel Kotik (1847–1921) in seinen Erinnerungen (»Majne Sichrojnes«, Berlin 1922), wie der polnische Landbesitzer Paskewicz vom Geigenspiel des Klezmers Schepsl aus Kobrin im Bezirk Grodno so angetan war, daß er ihn jeden Tag mehrere Stunden lang zu den Mahlzeiten mit angesehenen Gästen aufspielen ließ. Am Ende gab ihm der dankbare Paskewicz tausend Rubel mit einem »Diplom«, das Schepsl als »göttliches Musiktalent« auswies, ohne daß er ein ausgebildeter Musiker war. Aber auch in diesem Falle waren recht drastische Bedingungen mit der vermeintlichen Generosität verknüpft: Bevor Schepsl sein Diplom erhielt, hatte Paskewicz nichts unversucht gelassen, ihn zum Glaubenswechsel zu zwingen.

Ein Klezmer aus Polen:
Rubin Szpilman (1865 Ostrowtse, 1942 Treblinka)

Obwohl es weniger historische Information über sie gibt als über die Klezmorim in der Ukraine, spielten die Kapeljes auch eine wichtige Rolle im Musikleben Polens und Litauens sowie in anderen Teilen des jüdischen Osteuropas wie der Bukowina, Ostgalizien, Moldawien, Bessarabien und Weißrußland. Von den wenigen verfügbaren Lebensläufen polnischjüdischer Klezmorim aus den Jahrzehnten um die Jahrhundertwende scheint es, daß ihr Leben sich nicht allzusehr von dem der Klezmorim in der Ukraine unterschied. So entstammte auch der »Wunderfiedler« und Kapellmeister Rubin Szpilman, 1865 im polnischen Schtetl Ostrowtse (Ostrowiec) südwestlich von Lublin geboren, einer alten polnischen Klezmer-Familie (Abb. 14, vgl. Abb. 3). Nach dem Studium in

Abb. 14 Rubin Szpilman und sein Sohn Elieser am Klavier mit Szpilmans vier Enkelkindern, Ostrowiec/Polen. Von rechts: Motl Rosenberg, Perkussion; Elieser Rosenberg, Cello; Schmuel, Flöte, und Jehude Rosenberg, Geige.

Moskau gründete er eine eigene Kapelje und trat überall an chassidischen Höfen und bei Bällen in den Häusern der Gutsbesitzer auf. Wie seine ukrainischen Chawejrim gab auch er den Kindern der Wohlhabenden, in diesem Falle den polnischen Grafen, Geigenunterricht. Sowohl Juden als auch Christen ließen die musikalischen Fähigkeiten ihrer Kinder von dem orthodoxen Juden Rubin Szpilman einschätzen. Im Haus der Familie Szpilman erklang beständig Musik: Alle seine acht Kinder und Enkelkinder ergriffen ebenfalls den Musikerberuf. In der Sommerzeit pflegten ganze Scharen von Menschen unter seinen Fenstern zu stehen und den Konzerten zu lauschen, die dort gespielt wurden. Obwohl Szpilman mit seiner Kunst ein wohlhabender Mann wurde, blieb er ein demütiger und gottgefälliger Jude, der jeden Tag Tora lernte und den Juden immer »Tojwes«, Gefallen, tat. Stets war er an den neuesten Entwicklungen in der Musik und am Spiel von anderen interessiert; so arrangierte und orchestrierte er Kompositionen anderer für seine Kapelje. Rubin Szpilman wurde 1942 in Treblinka ermordet. Sein Neffe Władisław Szpilman, ein berühmter Pianist, überlebte den Krieg in Warschau und schrieb seine Memoiren 1945 nieder.

Der Berufsstand der Klezmorim

Der Ort Chabne und die umliegenden Schtetlech gehörten zu Polessije (heute Weißrußland), einem verarmten Landstrich, in dem kaum einer der jüdischen oder nichtjüdischen Bewohner mehr als das Notwendigste zum Leben besaß. Trotzdem trat Makonowetski gewöhnlich mit seiner kompletten Kapelje auf, nur selten wurde sie um einige Musiker reduziert. Da insgesamt nicht genug Geld erwirtschaftet wurde, um einen Hochzeitsbarden, einen Badchn, als reguläres Gruppenmitglied zu beschäftigen, übernahm einer der Musiker diese Rolle. Insbesondere in den größeren Städten führte eine starke Konkurrenz zwischen den Klezmer-Kapeljes häufig dazu, daß sich zwei oder mehrere rivalisierende Kompanjes um die Aufträge stritten, besonders heftig und oft handgreiflich gestalteten sich die Kämpfe um die Hochzeiten der wenigen Reichen, die natürlich das meiste Geld einbrachten. Auseinandersetzungen zwischen verfeindeten Kompanjes konnten durch Zahlung von Entschädigungsgeldern beendet werden.

»Getsolts« und »Tsum Tisch«:
Das Entlohnungssystem

Klezmorim wurden nach dem Anteilssystem entlohnt: Jedes Mitglied der Kapelje erhielt einen Prozentsatz der Gesamteinnahmen, der wiederum auf seinem Status innerhalb der Gruppe beruhte. Dem Ersten Geiger stand immer mehr zu als den übrigen Musikern, und der kleine Pajkler ging stets leer aus. Dieses Verhältnis gestaltete sich von Region zu Region unterschiedlich: In Polessije, wo fünfzehn Kopeken einen ganzen Anteil bedeuteten, verdiente der Erste Geiger zweiundzwanzigeinhalb Kopeken, der Klarinettist siebzehn, der Zweite Geiger fünfzehn Kopeken; auf der untersten Sprosse der Klezmer-Hierarchie befand sich der »Barabantschik«, der Trommler, der siebeneinhalb Kopeken einstrich. Diese Summen verdeutlichen, wie niedrig der Verdienst eines gewöhnlichen Klezmers war. Makonowetski machte deshalb auch keinen Hehl aus seinem Neid auf Pedotsers Orchester, der berühmtesten Kapelje seiner Zeit: Für die Hochzeit des Zuckerfabrikanten Gornschtejn in Radomischl betrug der Lohn mehrere tausend Rubel – in jenen Tagen eine enorme Summe!

Die Haupteinnahmequelle der Musiker jedoch war das »Getsolts«, das Gezahlte, die Trinkgelder der Brauteltern und der Gäste. Diese mußten während der Hochzeit für jedes Vivat und »Dobrinotsch« und jeden der zahllosen Tänze an die Musiker gezahlt werden. Von den Eltern der Braut, die gewöhnlich die Hochzeit ausrichteten und finanzierten, erhielt der Kapellmeister nur eine geringe Summe. Üblich war – so Makonowetski selbst – das Entrichten des Getsolts vor Beginn eines jeden Tanzes an einen der Klezmorim, der dann das Geld im Geigenkasten oder in einer speziellen Sammelbüchse namens »Puschke« verstaute. Die Puschke wurde vorher abgeschlossen, und der Schlüssel blieb zu Hause. Nach der Hochzeit versammelten sich die Musikanten im Hause des Kapellmeisters und öffneten die Puschke, zählten das Geld und teilten es untereinander nach dem Anteilssystem auf. Die verschiedenen Tänze besaßen eine unterschiedliche Wertigkeit: In den siebziger Jahren kosteten in Minsk eine Polka oder ein Walzer fünf Kopeken, eine Mazurka zehn, eine Quadrille zwanzig Kopeken, und der Lancier kostete fünfundzwanzig Kopeken. Ein anderes Entlohnungssystem beschrieb Ben Bazyler: Beim »Spielen tsum Tisch« wurde ein Teller in die Mitte der Tafel plaziert, und die Musiker stimmten Begrüßungsmelodien für die einzelnen am Tisch sitzenden Gäste an, die vom Badchn kommentiert wurden. Während die

Musikanten aufspielten, pflegten die auf diese Art geehrten Gäste den Teller mit Geld zu füllen. Laut Ben Bazyler nannte man das »den Tisch machen«. Zu Feiertagen und Bällen in jüdischen Häusern erhielten die Musiker dagegen eine feste Summe anstelle von Trinkgeldern.

Sozialversorgung

Ein weiteres typisches Merkmal der ökonomischen Struktur des Klezmer-Standes war ihre nach dem Prinzip einer Solidargemeinschaft geordnete Sozialversorgung. Hierzu steuerten alle Mitglieder gleichermaßen ihren Anteil bei, jedes von ihnen mit der Gewißheit, im Krankheits- oder Todesfall auf diese Unterstützung bauen zu können. Sie halfen auch kranken Berufsgenossen und sammelten Gelder für den Beistand ihrer Witwen und Waisen. Bei Konfliktfällen leisteten auch die Klezmorim aus den benachbarten Schtetlech Beistand und regelten die Angelegenheit. Wurde ein Mitglied der Kapelje krank oder konnte aus anderen Gründen eine Zeitlang nicht spielen, bezahlte seine Kompanje ihm seinen vollen Anteil für die Dauer seiner Krankheit. Einem Klezmer, der aus Altersgründen nicht mehr auftreten konnte, stand ebenfalls sein voller Anteil zu, bei Nebeneinkünften halbierte sich dieser allerdings. Die kinderlose Witwe eines Musikers bezog bis zu ihrem Tode den ungekürzten Lohn ihres Mannes, hatte sie jedoch Kinder, die sie versorgen konnten, so stand ihr nur die Hälfte zu. Diese Regelungen wurden von allen Klezmorim gewissenhaft eingehalten, damit sie und ihre Familien nicht gezwungen waren, außerhalb ihres Berufsstandes um Hilfe ersuchen zu müssen. In der Kurzgeschichte »Schma Jisroel oder der Baß« erzählt Peretz, wie der Rabbi eines kleinen Schtetls die Klezmorim auffordert, der Witwe des verstorbenen Bassisten bis an ihr Lebensende seinen Anteil zu bezahlen. Dieses sei durch den Verzicht auf einen Baßspieler bei ihren künftigen Auftritten zusammenzutragen. Als die Musikanten protestieren, es gäbe keine richtige Kapelje ohne

Kontrabaß, beschließt man, die Witwe mit dem neuen Bassisten zu verheiraten. So behielten die Musiker ihren Baß, und die Witwe bekam einen neuen Mann und damit einen neuen Anteil.

Der Klezmer als Paria

In Chabne und anderswo sahen die geachteten und wohlhabenden Bürger, die »Balebatim« mit Mißtrauen auf die »Klezmeruke« oder »Klezmeriwke« herab, wie die Klezmorim abschätzig genannt wurden. In der jüdischen Gesellschaft Osteuropas galt die Klezmeraj der Tätigkeit eines ausgebildeten Handwerkers nicht als ebenbürtig, und die Klezmorim nahmen – ähnlich wie die Letsonim in Aschkenas – den untersten Platz in der Hierarchie ein, Objekte des Spotts und der Verachtung trotz ihrer integralen und unersetzlichen Rolle im Gemeinschaftsleben. Diese gespaltene Einstellung gegenüber den Klezmorim in lebensnotwendige, ideell überhöhte und gleichzeitig verachtete und dämonisierte Teile gleicht in frappierender Weise der Stellung der Frau in den meisten heutigen modernen Gesellschaften, findet sich aber auch gegenüber den professionellen Roma-Musikern. Bei diesen wird das ambivalente Verhalten von außen herangetragen: Als Musiker von den Nicht-Roma für ihre Lieder und Musik bewundert, sind sie als Zigeuner sozial Geächtete, Mitglieder einer Subkultur an der Peripherie der rumänischen Gesellschaft. Als Folge dieser Haltung sowie ihrer Armut bildeten die Musikanten einen eigenen Stand der Unterprivilegierten innerhalb der jüdischen Gesellschaft, besaßen aber, wie Angehörige anderer jüdischen Handwerkszünfte auch, ein ausgeprägtes Standesbewußtsein mit unabhängiger Geisteshaltung und egalitär-demokratischem Verhaltenskodex.

In »Klezmer« beschreibt Irme Druker anschaulich die seelischen Qualen, die diese gesellschaftliche Verachtung erzeugen kann: Der Kapellmeister Schlojme Maljarski aus dem ukrainischen Schtetl Lipowets empfindet beim Spielen auf den Hochzeiten der Balebatim, der wohlhabenden jüdischen Geschäftsleute und Hausbesitzer, Haß auf diese, die ihn, den Klezmeruk, wegwerfen wie einen Menschen zweiter Klasse, nachdem sie seiner Fiedel »das Mark ausgesaugt haben«. Im Roman erfährt man auch, wie schon Kindern ihre Klezmer-Herkunft als Makel vermittelt wird. Als der Lehrer Schlojmes Sohn, das Klezmer-»Jingl« Esre Maljarski, im Chejder beim Tagträumen ertappt, weist er ihn zurecht: »Klezmeruk! Klezmer-Pack! Was hast Du eben herumgeträumt wie ein Lehmgolem?!« Diese harschen Worte brennen sich wie eine glühende Zange in die Seele des Kindes ein. So war auch der Vater von Ben Bazyler nicht ohne Grund gegen dessen Berufswunsch eingestellt, Klezmer zu werden, denn er wollte ihm ein solches Bettlerleben ersparen; und auch die Reaktion von Scholem Alejchems Vater auf den Wunsch des Sohnes, das Geigenspiel zu erlernen, enthüllt die gesellschaftliche Mißachtung gegenüber dem Klezmer-Stand. Für Vater Rabinowitsch war das Herumkratzen auf einer Fiedel Zeitverschwendung, und überhaupt: Was für eine Beschäftigung ist das, wie ein Klezmer auf Hochzeiten zu spielen? Awrom-Jeschije Makonowetski, der als Knabe wohl ebenfalls so manches Mal als »barfüßiger Klezmer-Bengel« von den Türen der Bürgerhäuser fortgejagt wurde, betrachtete seinen Beruf und den Klezmer-Stand jedoch mit großer Liebe und hegte die Ansicht, daß ein Mensch ohne Gefühl für Musik überhaupt kein Mensch ist.

Mittler zwischen den Welten

Die Klezmorim waren nicht die einzige Berufsgruppe, in der bereits Kinder zum knappen Lebensunterhalt beisteuern mußten und somit aus diesem Grund auch nur geringe Kenntnisse der Heiligen Schriften Talmud und Tora aufwiesen – Kenntnisse, von denen immerhin das Ansehen eines Juden im Schtetl abhing. Die Tendenz dieser vermeintlichen Ungebildeten, sich offen über die traditionelle jüdische Lebensweise lustig zu machen oder dieser sogar gänzlich abzuschwören, trug dazu bei, daß man vor ihnen generell auf der Hut war. Klezmorim hatten, insbesondere während der Omer-Zeit, ausgiebig Gelegenheit, Gesellschaft mit Nichtjuden und ihren Frauen zu pflegen, da sie während dieser Saison auf den Bällen an den Höfen der adligen Gutsherren aufspielten und so in Berührung mit einer Welt gelangten, die von der traditionellen patriarchalischen jüdischen Gesellschaft als moralisch tieferstehend empfunden wurde als ihre eigene. Vielleicht als Bewohner eines Zwischenreiches, nicht ganz zugehörig zu der einen, der übernatürlichen Welt, doch ausgestoßen auch aus der anderen, menschlichen Welt, wurden die »Verderbten und Sünder« zu Projektionsflächen der Schtetl-Welt und zogen die Ängste und Vorurteile ihrer Mitbürger auf sich. Klezmorim galten als sexuell gefährliche Außenseiter, und die Mütter hüteten ihre Töchter wie ihren Augapfel, wenn, wie in Peretz' Erzählung »Schampanjer« (Champagner), »die Klezmorim umgehen«. Ben Bazyler erinnerte sich an den Ausspruch einer frühreifen Tochter Israels während einer jüdischen Hochzeit in den 1930er Jahren in Polen. Verzückt von der Musik und dem Charisma der Klezmorim, vertraute die Siebzehnjährige ihren Freundinnen an, die Klezmorim würden so schön spielen, daß sie gern mit ihnen »schlafen« ginge.

Als eigentlicher Grund für die Ächtung der Klezmorim mag jedoch ihre unmittelbare Nähe zu den in archaischen Gesellschaften als »gefährlich« angesehenen Übergängen von einer Lebensphase in eine andere gelten. Brautzeit wurde mehr noch als die Geburt als Gegenpol zur Sterbezeit angesehen. Bei der Hochzeit mit ihrer strengen Abfolge von Initiations- und Weiheriten verbinden sich nicht allein zwei Einzelwesen, sondern zwei Lebenskreise, die mit ihren Ahnenreihen und der alles bewirkenden Gottheit gleichberechtigt an diesem bedeutsamen Mysterium teilnehmen. Hochzeitsriten wandten sich ursprünglich an die Toten, und noch im 20. Jahrhundert besuchten die jüdischen Eheschließenden am Hochzeitstage oder Vortage die Gräber der nächsten Verwandten. Gerade auf dem Boden der Ahnenverehrung und den Gedanken an den Tod erwächst die magische, in die Zukunft gerichtete Bedeutung des Hochzeitsfestes. Die meisten Gefahren durch böse Geister drohen in der Brautnacht, vielleicht auch, weil diese mit dem Akt verbunden ist, der für die Entstehung neuen Lebens verantwortlich ist. Das fast verstörende und schrill anmutende Spiel der Klezmorim, Nachfahren von Zauberern, Heilern und Priestern, die die ersten Berufsmusiker überhaupt waren, vertreibt die bösen Geister, die Braut und Bräutigam in diesen Stunden der höchsten Gefahr umlauern.

Andacht und Geselligkeit

Der starke Zusammenhalt der Klezmorim untereinander, nicht selten durch Heiraten verstärkt, und ihr ausgeprägter Klassenstolz entwickelten sich früh aus diesem Bewußtsein, als Musiker Zugang zu den höheren Welten zu haben und eine unersetzliche Funktion im Ablauf des sozialen Lebens einzunehmen – und gleichzeitig dafür von den »Joldn«, den Nicht-Klezmorim der übrigen jüdischen Gemeinschaft, verachtet zu werden. So verkehrten die Musikanten gewöhnlich nur unter ihresgleichen, und Schlojme Maljarski und seine Frau Chantsje versammelten an jedem Schabbat, jedem Samstagnachmittag die Nachbarschaft, Schlojmes Klezmer-Kameraden und andere Handwerker zur »Tschajne«, zur »Teestube« in ihrem Wohnzimmer. An der Wand des Wohnzimmers hing eine Fotografie der ganzen Familie, darunter die vielen bunten Glückwunschkarten zum jüdischen Neujahr, die sie Jahr für Jahr erhalten hatten. Rechts davon reihten sich die Fiedeln. Beim Teetrinken erzählte die vergnügte Gesellschaft Geschichten und sang Nigunim, und nach dem Sonnenuntergang verabschiedete man die Königin Schabbat mit dem »Melawe-Malke«, dem besinnlich-fröhlichen Singen und Tanzen, zu der die Klezmorim nach Herzenslust ihre Instrumente erklingen ließen.

In Städten und Metropolen mit einer hohen Anzahl von Klezmorim unterhielten sie, wie es auch für die Bruderschaften der Handwerker typisch war, ihr eigenes »Besmedresch«, eine kleine Studier- und Betstube, wo sie Tora lernen und ihre Gottesdienste abhalten konnten. In Berditschew befand sich so eine Betstube im Haus des Klezmers Mejlech Gegner. In Wilna dagegen, wo es zwischen den beiden Weltkriegen schätzungsweise 100 bis 150 Klezmorim unter den mehr als 100 000 jüdischen Einwohnern gab, ließ das überfüllte Besmedresch der Klezmorim ihnen kaum mehr Platz zum Beten. Die Musiker trafen sich dort am »Motzei Schabbat«, dem Abend nach Schabbat-Ende sowie obligatorisch während Pessach, Sukkot, Chanukka und Purim und ließen beim angeregten Konsum eines Fäßchens Wodka ihre Instrumente zum eigenen Vergnügen erklingen. Der israelische Bassist Naftali Aharoni (geb. 1919 in Wilna) erinnert sich, daß die Klezmorim in den dreißiger Jahren nicht nur auf den »traditionellen« Klezmer-Instrumenten spielten, sondern – da die meisten auch Stellen in Symphonie-Orchestern innehatten – diverse Instrumente wie Oboe, Fagott und Baßklarinette beherrschten. So soll einmal einer der Musiker mit einem Sarrusophon – einem Blechblasinstrument, das die Oboen und Fagotte in den Militärkapellen ersetzen sollte – in der Betstube erschienen sein; er hatte es für das Spielen von Richard Strauß' Alpensymphonie von seinem Orchester ausgeliehen bekommen.

Im großstädtischen Wilna gab es ein Wirtshaus, das zum täglichen Treffpunkt für die Klezmorim geworden war, in dem sie unter sich sein konnten, Karten und Domino spielten, tranken, ausgelassen miteinander rangen und herumalberten. Auch durch ihre Kleidung suchten sich die Klezmorim bewußt von der übrigen jüdischen Bevölkerung zu unterscheiden. Dandyhaft, mit ihren europäischen Anzügen, Hemd und nie ohne Hut, zogen sie durch ihre Kultiviertheit sofort die Aufmerksamkeit auf sich. Ausführlich beschrieb Scholem Alejchem das Aussehen und die Kleidung des smarten Israel Benditski mit seinem ungewöhnlich schönen runden schwarzen Bart: Der zum erfolgreichen Geschäftsmann aufgestiegene ehemalige Klezmer pflegte sich im Schtetl gern mit einem schwarzen Umhang aus Stoff, einem Zylinder und Ledergaloschen mit messingbesetzten Absätzen zu zeigen.

»Klezmer-Loschn«:
Die Geheimsprache der Klezmorim

Ein weiteres Mittel der standesbewußten Klezmorim, sich von der übrigen osteuropäisch-jüdischen Gesellschaft abzugrenzen, war ihre eigene Geheimsprache, das Klezmer-Loschn, oder, wie die Musiker selbst es nannten, »Labuschinske«, von »labern«, spielen. »Labuschnikes«, Spieler, lautete folglich ihre Standesbezeichnung untereinander. Die Labuschinske wies sogar ein Wort für einen Juden auf, der kein Klezmer war: der »Jold«. Das von Forschern um die Jahrhundertwende zusammengetragene Vokabular ergibt insgesamt nur noch einen Umfang von etwa sechshundert Wörtern, da es zu der Zeit bereits außer Gebrauch gekommen war. Von diesem Vokabular teilten die Klezmorim nicht wenige Begriffe auch mit anderen Berufen: mit den Badchonim, Chasonim und Meschojrerim sowie den Kellnern, Köchinnen und Heiratsvermittlern, Berufe, die sich im Umkreis der Hochzeitsfeierlichkeiten herausgebildet hatten. Auch die »Scherers«, die Friseure, kannten Labuschinske, da viele der Friseure aus dem jüdischen Ansiedlungsrayon und aus Polen auch als Klezmorim tätig gewesen waren. Im Mittelalter als Barbiere und Bader bekannt, gehörten sie zusammen mit Henkern, Totengräbern, Müllern, Dirnen, Spielleuten und Fahrenden zu den »unehrlichen«, also unehrenhaften Berufen, die sich aufgrund ihrer gesellschaftlichen Randposition früh in eigenen Gilden und Bünden zusammenschlossen und, wie die Klezmorim, eigene Ausdrucksweisen schufen. Noch heute erinnern sich amerikanische Musiker wie Max Epstein und Marty Levitt an einige Wörter des Jargons, die sie von ihren in Osteuropa geborenen Berufsgenossen übernommen hatten: »Basch« heißt Geld, »Arzhe« Whiskey und »neske« nein.

Der Hauptgrund für die Entwicklung des Klezmer-Loschn liegt sicherlich im wirtschaftlichen Bereich: Die Musiker bedurften einer Ausdrucksweise, die das Absprechen finanzieller Angelegenheiten im Beisein ihrer Geldgeber ermöglichte. Eine weitere Kategorie der Labuschinske bestand jedoch aus Worten sexueller Natur. Vordergründig mag es damit zusammenhängen, daß die Welt der Letsonim und der Klezmorim fast ausschließlich eine Männerwelt war, in der wegen der religiösen Einengungen der jüdischen Gesellschaft für Kodierungen dieser Art offenbar Notwendigkeit bestand; allerdings nimmt der Wortschatz sexueller Natur auch einen Teil des Rotwelschen ein. Geht man aber davon aus, daß sich in den jüdischen Hochzeitsbräuchen, ja im orthodoxen Judentum die Denk- und Lebensweisen des deutschen Judentums im Mittelalter in nahezu reiner Form erhalten haben, so verwundert die Überbetonung des grob Sexuellen in der Klezmer-Sprache vielleicht nicht mehr. Da Klezmorim ursprünglich eine kultische Funktion innehatten und die Begleitzeremonien des Mysteriums maßgeblich mitbestimmten, ließe sich überlegen, ob in diesen Ausdrücken auf eine Zeit hingedeutet wird, in der das Benennen insbesondere der weiblichen Geschlechtsteile zwar keine beschwörende, glückbringende Funktion mehr hatte wie in der vorisraelitischen, vorchristlichen Zeit, aber noch keine so zutiefst negative, das Weibliche verachtende Bedeutung besaß wie heutzutage. Jedenfalls sprachen alle von den Autoren interviewten Klezmorim ausschließlich über die Musik, und der greise Max Epstein ließ sich nicht ein einziges der haarsträubenden Gossenwörter und Redewendungen Naftule Brandweins entlocken, »weil sie zu schmutzig für ein Buch sind«!

Das Klezmer-Loschn enthält andererseits wenige Wörter, die sich auf Musik beziehen, also Namen von Musikinstrumenten, Stücken, Tanzformen, Tonarten und anderen technischen Bezeichnungen. Das Besprechen musikalischer Angelegenheiten scheint also nicht als geheimzuhaltende Aktivität angesehen worden zu sein. Das Klezmer-Loschn hat sich offensichtlich ausschließlich für jüdische Engagements entwickelt, denn die meisten Nichtjuden verstanden das gewöhnliche Jiddisch ohnehin nicht. Dieses kann als ein Grund angesehen werden, daß die Mehrheit der Wörter aus der Klezmer-Sprache slawische oder gar lateinische und nicht hebräische oder jiddische Wurzeln aufwiesen. Wegen ihres beständigen Kontaktes mit der nichtjüdischen Umgebung verstanden sich die Klezmorim wohl auf die slawischen Sprachen besser als die meisten ihrer Glaubensgenossen. Viele der Wörte bestehen aus verdrehten Silben, zum Beispiel heißen sowohl »lábuschnik« und »bálischnik« »Musikant«. Linguistisch ist das Klezmer-Loschn mit nichtjüdischen »Gaunersprachen« und dem Rotwelsch verwandt.

Jüdische Spielweiber

Obwohl der weitaus größte Teil der Letsonim und der osteuropäischen Klezmorim männlichen Geschlechts war, gibt es auch Belege für die Existenz von sogenannten Spielweibern. Der bedeutendste aschkenasische Rabbi des 15. Jahrhunderts, Israel ben Petachia Isserlein (1390–1460), dessen Schriften ein wichtiges Zeitzeugnis über das Leben der Juden im Aschkenas des Spätmittelalters bilden, erwähnt jüdische Spielweiber, die auf Hochzeiten auftraten. Ab dem 18. und 19. Jahrhundert war die Erscheinung von jüdischen Musikantinnen nicht mehr ganz so ungewöhnlich. So ist zum Beispiel das Spiel eines jüdischen Mädchens im Jahre 1737 in Nordostböhmen für die Herrschaft von Gradlitz-Hermanitz verbürgt. Musikantinnen erschienen auch auf Jahrmärkten und bei den Handelsmessen in Leipzig, beispielsweise im Jahre 1739, als eine von ihnen ihren Vater auf dem Instrument begleitete. Gewöhnlich musizierten die Spielweiber mit ihren Vätern oder Ehemännern in der gemeinsamen Kapelle. Die Prager Judenspielleutezunft gewährte Frauen die Mitgliedschaft, wofür sie von ihren christlichen Wettbewerbern

Abb. 15 Awrom-Jeschije Makonowetski und seine Enkelkinder, vor 1938.

scharf kritisiert wurden. Die ersten Dokumente weiblicher
»Klezmerkes« aus Osteuropa stammen aus dem Anfang des
20. Jahrhunderts. So befinden sich auf einer verblichenen
Abbildung des Makonowetski-Familienorchesters neben
Awrom Makonowetski seine vier Enkel, zwei davon Mädchen
(Abb. 15). Von Frauen erwartete man aber keine spätere Be-
rufsausübung: Sie lernten zwar Instrumente spielen, heirateten dann aber gewöhnlich Klezmorim und setzten die musikalische Familientradition fort, indem sie Söhne gebaren, sie
zu Wunderkindern ausbildeten – wie die konvertierte Mutter
Anton Rubinsteins (1829–1894), deren Zugehörigkeit zu einer Klezmer-Familie jedoch nicht auszumachen ist. Im Schtetl
Wichwatinets/Podolien beheimatet, unterrichtete sie den späteren Pianovirtuosen, Komponisten und Gründer des St. Petersburger Konservatoriums (1862) bis zu seinem glanzvollen
Debüt in Moskau; sein Bruder Nikolai gründete 1866 das
Moskauer Konservatorium.

»Wie man mit der Fiedel Herzen verzaubert und fängt«

Der Typus des Hochzeits- und Festmusikanten im 19. Jahrhundert umfaßte eine Spannbreite, die von komponierenden Virtuosen mit Künstlerstatus bis hinunter zu denjenigen Stümpern reichte, deren kratzende Geige nur die rudimentäre Begleitung zu einer armseligen jüdischen Kleinstadthochzeit herzustellen vermochte. Auch die Beschreibungen von Klezmorim in den klassischen jiddischen Romanen und Erzählungen des 19. und frühen 20. Jahrhunderts spiegeln diese Hierarchie und spannen sich von charismatischen Charakteren wie Stempenju und Pedotser, letzterer eine unsichtbare, jedoch zentrale Figur in »A Gilgl fun a Nign« von I. L. Peretz, bis zu so ärmlichen und unterwürfigen Geschöpfen wie dem Klezmer-Gerippe Michl in Peretz' Erzählung »A Klezmer Tojt« (Ein Klezmer-Tod).

Aus Makonowetskis Berichten geht hervor, daß die Klezmorim seiner Generation sich als Handwerker, nicht aber als Künstler verstanden. Zahlreich sind dennoch Zeugnisse von kleinstädtischen, heute unbekannten Klezmorim, die von ihrer Umgebung als charismatische Künstlerfiguren betrachtet wurden und einen bedeutenden Einfluß auf diejenigen ausübten, die das Glück hatten, ihren Vortrag zu erleben. In seinen Memoiren »Majn Schtetl in Ukraine« (New York, 1921) beschreibt Mojsche-Jojsef Olgin die Wirkung des Fiedlers Chajm aus einem bei Uman gelegenen Schtetl. Chajms Zuhörer glaubten, seine Fiedel hielte eine Seele gefangen, die er, der Poet, aus ihrem Gefängnis herauslockte und zum Jammern, Weinen und Beten brachte. Während der Nächte versammelte sich das junge Volk und lauschte mit Inbrunst, wie Chajms Seele sich in die Lüfte aufschwang.

Wie vielleicht kein anderer verkörperte der Fiedler Druker alias Stempenju den nicht nur im 19. Jahrhundert so beliebten mythischen Typus des »Teufels-Klezmer«. In seiner romantischen Novelle verleiht Scholem Alejchem Stempenju dämonische Kräfte, noch unterstrichen durch den Gebrauch des für Außenseiter nicht verständlichen Klezmer-Loschn. Bewußt oder unbewußt bedient sich Scholem Alejchem alter Legenden über die geheimnisvollen Fiedler, die, einst zum Stande der fahrenden Spielleute gehörend und mit dem Teufel im Bunde, mit ihrer Tanzmusik die Burschen und Mädchen zu allerlei unzüchtigem Treiben verführen und sie schließlich ins Verderben reißen. Auch Scholem Alejchems Lehrer Awrom lebte »wie ein Stempenju«, ausgestattet mit einer eigentümlichen Persönlichkeit und poetischen Natur, dazu ein großer Liebhaber des weiblichen Geschlechts.

Das andere Extrem im Klezmer-Milieu des 19. Jahrhunderts stellten die einfältig-frommen, pflichtbewußten Klezmorim dar, deren verklärt-positive Charakterzüge wohl mehr über die Wunschvorstellungen ihrer Umwelt aussagen als über die realen Musikanten selbst. Solch ein naiver Klezmer war Schepsl. Für den sanften Geiger mit den schönen Augen bedeutete seine Musik alles, und nur selten nahm er zu Worten Zuflucht. In Kobrin hieß es, sein Spiel besitze einen ganz besonderen Zauber, und er spiele so vollkommen selbstvergessen, daß er sein Publikum nicht mehr wahrzunehmen vermochte. Schepsl verstand es, mit seinem Spiel die Zuhörer zu Tränen zu rühren, und so nahm es nicht Wunder, daß im gesamten Bezirk von Grodno keine betuchten Brauteltern auf die Dienste seiner Kapelje verzichten mochten. Sein relativer Wohlstand ging jedoch im Jahre 1905 bei einer Feuersbrunst in Flammen auf, zusammen mit den Häusern vieler Bewohner des Schtetls. Schepsl verfiel nach dieser Katastrophe zusehends in Melancholie und verbrachte seine Zeit beim Beten im »Schtibl«, dem kleinen chassidischen Gebetshaus. Nachdem er seiner Gemeinde verkündet hatte, daß er dem Violinspiel endgültig entsagen wolle, brachten ihn der Rabbi und die einflußreichen Gemeindemitglieder jedoch wieder von seinem Entschluß ab, und – Ende gut, alles gut – Schepsl der Klezmer spielte bis zu seinem Tod im Alter von etwa neunzig Jahren.

Teufelsgeiger oder Hanswurst:
Stempenju-Legenden

Um die Figur des Stempenju, bereits berühmt zu seinen Lebzeiten, ranken sich zahllose Legenden. Sein Name – wie auch
Pedotsers – wurde zum Synonym für den großen Virtuosen,
so wie es im 20. Jahrhundert der unvergleichliche Jascha Heifetz für die klassische Violine verkörpern sollte. Irme Druker,
im übrigen kein Nachfahre des Klezmers Druker, beschreibt
in seinem Roman »Klezmer«, wie das Spiel des zwölf Jahre
alten Geigers Lejbl von den Klezmorim mit Ausrufen wie
»Herzräuber. Das ist ein Stempenju! Ein Pedotser! Wunder!
Wunder!« bedacht wird. Im selben Roman wird Stempenjus
Neffen, dem Geiger Gedalje Knajfl aus Lipowets, Stempenjus
Erbe übertragen: »das Geheimnis, wie man mit der Fiedel
Herzen zaubert und fängt«.

Im Bewußtsein des Volkes floß das faktische Leben des
»realen« Stempenju, Jossele Druker, mit Scholem Alejchems
Fiktion zusammen. Nicht nur die historische Figur des Jossele
Druker, sondern auch der Klezmer Jeschije Heschel und seine Familie aus Scholem Alejchems Autobiographie dienten
wohl als Rohmaterial für den in »Stempenju« dargestellten
Musiker. Wie sich das Leben des »wahren« Druker gestaltete,
ist nur in sehr wenigen Zeugnissen überliefert. Jossele »Stempenju« Druker, dessen Vater schon Noten lesen konnte, studierte vier Monate lang Geige bei einem Kiewer Klezmer. Von
Kindheit an spielte er in der Kapelje seines Vaters und übernahm schließlich ihre Leitung. Es scheint, daß er bereits im
Alter von zwölf Jahren das Hochzeitsrepertoire beherrschte,
und mit fünfzehn bereiste er die verschiedenen Schtetlech
als Interpret. Nach Drukers Tod übernahm sein Schwieger-
sohn Wolf Cherniavsky (1841–1930) die Führung der Kapelje, und nach diesem dessen Sohn David Cherniavsky. In der
symbolischen Bilderwelt der Stempenju-Familie, wie sie
Scholem Alejchem schuf, wird der reale Vater von Stempenju, der Klarinettist Scholem Druker (1798–1876) aus Berditschew, durch den »feinen Reimeschmidt und ausgekochten

Schelm« Berl Bass ersetzt und nach Massepevke, ein imaginäres Schtetl, verpflanzt.

Um die »Wahrheit« über die Person hinter der Legende herauszufinden, suchte Mojsche Beregowski die Stadt Berditschew auf. In Interviews mit den Verwandten Drukers, viele von ihnen ebenfalls Musiker, fand er heraus, daß Stempenju ein häufig vorkommender Familienname in Berditschew war. Auch waren die Werke von Scholem Alejchem dort weitverbreitet, und Beregowski mußte enttäuscht feststellen, daß die Befragten mehr den literarischen Stempenju beschrieben, als daß sie eigene Erinnerungen an den Musiker Jossele Druker hätten beitragen können. Dennoch klammerte sich Beregovski noch im Jahre 1944, schon drei Jahre nach der furchtbaren Liquidation der Juden von Berditschew durch die deutsche Wehrmacht, an die Vorstellung, daß Drukers Enkel und andere Familienangehörige »noch heute dort leben« könnten.

Die wenigen Fakten, die Beregowski über Druker herausfinden konnte, widersprechen in gewisser Weise der landläufigen Vorstellung von dessen außergewöhnlichen Fähigkeiten und Charisma. Beregowski beschreibt ihn letztendlich als »den letzten der jüdischen Hanswurste und billigen Spaßmacher« und behauptete, klare Beweise dafür zu haben, daß Druker, über seine Talente als Geiger hinaus, »ein Possenreißer und Hans-Dampf in allen Gassen« war, der »gleichzeitig sein Instrument spielte und seine Tricks vorführte. Musik war nur eine Seite seiner künstlerischen Schaffenskraft«. Darüber hinaus zeigten sich, obwohl Druker angeblich viele seiner Melodien selbst komponiert hatte, nicht einmal seine Familienangehörigen imstande, Beregowski ein einziges Musikstück vorzulegen, aus dem sich eine Urheberschaft Drukers hätte ableiten lassen. Im gleichen Zeitraum vertraute aber der Kontrabassist Mojsche-Dowid Noten (geboren ca. 1874) dem Forscher an, daß sein Vater, der Geiger Nochem Noten, der im ukrainischen Städtchen Berschad lebte, systematisch Noten von Klezmorim in Uman und anderen Städtchen kopiert hätte. Darunter soll sich auch Musik von Druker

befunden haben. Seinen Aussagen zufolge hätten die »Bale-
goles«, die Kutscher, ihm die Noten der Klezmorim ins Haus
gebracht und diese dann wieder zurück zu ihren Besitzern gefahren.

»Wie der Klezmer, so die Hochzeit«: Die traditionelle osteuropäisch-jüdische Hochzeit

Im Ablauf der Hochzeit, die wie die jüdische Gesellschaft Osteuropas insgesamt durch einen hohen Grad an Ritualisie-
rung geprägt war, spielten die Klezmorim eine integrale und
ordnende Rolle. Ihr Einsatz begann mit melodischen Begrü-
ßungsstücken, einer Abfolge von »Dobridschens« und »Masl-
tows« zu Ehren der einzelnen Gäste, anschließend begleiteten sie die gereimten »Lehrdramen« des Badchn und führten das Brautpaar zum Traubaldachin. Nach vollzogener
Trauzeremonie schritt die gesamte Festgesellschaft unter
ihren Klängen zum Hochzeitsbankett, wo die Klezmorim mit
ihren »moralischen Nigunim« die satte und erheiterte Gesellschaft wieder an das Walten göttlicher Mächte erinnerten
und ihre Wirklichkeit mit dem Hauch des Vergänglichen
überzogen. Selbst die Seelen der einfältigsten und gedrück-
testen Gestalten schwangen sich mit den Tönen der Geigen
und Flöten zum Himmel auf und ließen sie in einer geläu-
terten Stimmung zurück, die noch Monate und Jahre danach
ihren Alltag vergoldete. Eine Hochzeit im Schtetl war ein Fa-
milienereignis und ein Fest für die Gemeinschaft zugleich,
und gewöhnlich vergnügte sich die gesamte Einwohnerschaft
– von den höchsten Kultusfunktionären bis hin zu den Bettlern – bei der »Chupe-Wetschere« (Hochzeitsempfang). Dabei spielten die Klezmorim dann Tafel- und Tanzmusik bis
hin zum abschließenden »Saj gesunt«, der wehmütigen Gute-
Nacht-Melodie beim großen Kehraus und Abschied. Die mit
der Trauung verbundenen Feierlichkeiten wie Bankette,
Tänze und Festumzüge dauerten gewöhnlich die acht Tage

vom Schabbat bis zum darauffolgenden Schabbat, und einschließlich der Vorbereitungszeit konnten die Ereignisse sogar bis zu vier oder fünf Wochen in Anspruch nehmen. Der Ablauf der traditionellen osteuropäisch-jüdischen Hochzeit im 19. Jahrhundert unterschied sich im wesentlichen nicht von dem der aschkenasischen Hochzeit früherer Jahrhunderte.

Die Rolle des Klezmers hing in nicht geringem Umfang von den ungezählten regionalen Varianten in den Gebräuchen und Sitten der osteuropäisch-jüdischen Hochzeitsfeiern ab: Basierend auf einer gemeinsamen Tradition und einem gemeinsamen Gesetz, hatten die beträchtlichen geographischen Unterschiede innerhalb des russischen Judentums – zwar Untertanen ein und desselben Herrschers – zahlreiche »Minhagim«, regionale und lokale Varianten religiöser Sitten und Gebräuche, herausgebildet. Generell konnte der Gang einer Hochzeit aussehen wie im folgenden beschrieben, wobei hier nur die Abläufe des Festes dargestellt werden, die von der Musik der Klezmorim begleitet wurden. Unsere Version basiert im wesentlichen auf den Erinnerungen Pauline Wengeroffs an die Hochzeit ihrer Schwester in Brest-Litowsk im Jahre 1848.

Verhandlungen mit den Brauteltern

Im allgemeinen galt ein Mädchen mit dreizehn als ehefähig, und ein Jüngling, der mit achtzehn noch keine goldene Uhr, das Verlobungsgeschenk der Schwiegereltern, vorweisen konnte, genierte sich vor seinen Altersgenossen. Lange vor der Hochzeit wurden die Hochzeitsmusiker von der Familie der Braut ausgewählt, denn wie das Sprichwort sagt: »wi der Klezmer, azoj di Chassene«, wie der Klezmer, so die Hochzeit. Das Aushandeln der einzelnen Bedingungen – wann, wo und wie lange die Musiker zu spielen hatten, die Größe des Orchesters und natürlich die Bezahlung – fand zwischen dem »Mechutn«, dem Brautvater, und dem Kapellmeister statt.

Nicht selten hatte dieser einen goldenen Ring als Pfand zu hinterlegen, um die gewissenhafte Ausführung der Dienste zu gewährleisten – mit dem Ruf der verwegenen Tonkünstler stand es ja nicht zum Besten. Natürlich wußten die Klezmorim sehr wohl Unterschiede zwischen den verschiedenen Hochzeiten zu machen und ihre Musik und ihr Auftreten je nach Status der jeweiligen Brauteltern auszurichten. Reiche Hochzeiten versprachen das höchste Einkommen und ließen auf üppige Tafeln hoffen; bei diesen wurden die Kapellen bis auf den letzten im Dorf verfügbaren Klezmer erweitert, und die Stimmung der Musiker entzündete sich an dem vollen Klang und spornte sie zu Höchstleistungen an – das wiederum ließ zusätzlich reichhaltige Trinkgelder von den hochgestimmten Gästen erwarten. Hochzeiten der Minderbemittelten oder gar Ärmsten dagegen waren nicht nur wegen der schlechteren Behandlung der Musiker wenig beliebt, sie boten auch nur kleinen Ensembles Engagements, für deren Bezahlung die Gemeinde nicht selten auch noch eine Sammlung veranstalten mußte. Der selbstbewußte Virtuose Pedotser vertrat dagegen eine ganz andere Meinung: Er sah sich als »den besten Gang« auf dem Hochzeitsmenü der Armen, denn spielte er auf einer reichen Hochzeit, sei es für ihn wie Perlen vor die Säue werfen: Die Leute vergäßen über dem Schmausen seine Musik.

»Forschpil«, das Fest der Frauen

Bei den Hochzeiten trafen Klezmorim und Badchonim mit den Sängern der Synagoge, den Chasonim und Meschojrerim, aus verschiedenen Schtetlech und Großstädten zusammen. Die Klezmorim gaben ihr Bestes auf ihren Instrumenten und begleiteten die Badchonim, und die Chasonim amtierten bei den Trauungszeremonien und traten gelegentlich mit ihren Chören beim Festbankett auf. Sogar die berühmtesten Kantoren wie Jossele Rosenblatt (1880–1933) waren sich nicht zu schade, ihre Stimmen zu solch festlichen Ereignissen erklingen zu lassen, und der Jerusalemer Kantor Naftali Herstik, Studienkollege des Tenors Placido Domingo und von seiner Gemeinde für ebenso stimmgewaltig wie dieser angesehen, singt auf Hochzeiten. So ist es keine Überraschung, daß durch diesen engen Kontakt jeder das Repertoire der anderen Gruppen kannte und eine gegenseitige Beeinflussung stattfand. Die Lieder des Barden Zunser zeichneten zum Beispiel Ähnlichkeiten mit den Gebeten der Kantoren seiner Generation aus, und die Rezitative der Badchonim und der Chasonim flossen wiederum in die Improvisationen der Klezmorim ein.

Klezmorim und Badchn begannen ihre Tätigkeit bei den Hochzeitsfestlichkeiten am »Motzei Schabbat«, dem ausgehenden Schabbat vor dem festgesetzten Trauungstermin. Nach Sonnenuntergang begann das »Forschpil« (Vorspiel), auch »Dobrinotsch« (Gute Nacht) oder »Smires« (Schabbatlieder) genannt, ein Fest zum Abschied an ihre Mädchenzeit, das die Braut mit ihren weiblichen Verwandten, Freundinnen und deren Müttern feierte. Dabei tanzten sich die Mädchen zu den Klängen der Klezmorim müde an Kasatskes, temporeichen Galoppaden, dem lustigen Rundtanz »Bejgele«, dem munteren »Chossidl«, dazu drehten sie sich in der Contredanse und im damals noch wenig beliebten Walzer. Dabei mußten die Mädchen auch den Part der Herren übernehmen, denn das gemeinsame Tanzen beider Geschlechter untersagte die religiöse Erziehung, und die männlichen Festteilnehmer konnten beim Anblick der graziösen Tänzerinnen bereits mögliche Heiratspartien überlegen. Bemerkenswert ist, daß sogar unter den sehr orthodoxen Juden auch nichtjüdische slawische Tänze wie der ukrainische Kasatske bzw. westeuropäische Gesellschaftstänze wie Galoppade und Contredanse getanzt wurden. Bei solchen Forschpil-Abenden spielten die ukrainischen Klezmorim nicht nur Tanzmusik, sondern auch die stillen und nachdenklich stimmenden Dobrinotsch-Begrüßungsstücke. Wenn das Forschpil bereits am Samstagnachmittag vor Schabbat-Ende einsetzte, wurden – wie schon im mittelalterlichen Aschkenas – von wohlhabenden Familien christliche Musikanten engagiert, denen nach Sonnenuntergang die vorher bestellte jüdische Musik folgte. Waren die Mädchen dann vom Tanzen müde, begaben sich die Eltern und nahen Verwandten der Braut samt Musik zum Bräutigam, wobei manchmal auch die Braut mitgehen durfte. Dort herrschte die ausgelassenste Fröhlichkeit bis spät in die Nacht hinein, auch hier im wesentlichen durch Scherze, Neckereien und moralische Deklamationen des Badchns bestimmt.

Am Vortage der Trauung, die in Osteuropa gewöhnlich am Dienstag, Mittwoch oder Donnerstag stattfand, wurde die Braut unter den Klängen der Klezmorim von älteren Frauen zum rituellen Bad, der »Mikwe«, geleitet, natürlich vorausgesetzt, daß sie »koscher« war, kultisch rein im Sinne von nicht menstruierend. Während der Waschung der gewöhnlich beschämten Braut, dem Putzen ihrer Nägel und dem dreimaligen Untertauchen ließen die Musiker ihre Instrumente in einem Nachbarraum erklingen. Die erfahrenen Matronen sangen, tanzten und tranken Schnaps und führten die in stummer Ergebenheit dasitzende zukünftige Braut in die Geheimnisse des Ehelebens ein. Am Abend fand das sogenannte »Chossn-Mol« statt, ein Mahl zu Ehren des Bräutigams, das von der Braut und ihrer Familie veranstaltet wurde. Kam der Chossn aus einem anderen Schtetl, ging die Familie der Braut mit den Klezmorim dem Bräutigam und seinem Gefolge bis vor den Rand des Städtchens entgegen. Die Klezmorim besuchten die Familie der Braut jeden Abend, um »Dobriwetscher«, Guten-Abend-Melodien, aufzuspielen, und jeden Morgen spielten sie Dobridschens, zu denen die »Mädchen ein lustiges Tänzchen machten«, wie sich Pauline Wengeroff erinnerte.

»Kale-Basetsn«, das Setzen der Braut

Der Hochzeitsempfang am Trauungstage fand entweder im Hause der Brauteltern, der Mechutonim, statt, oder man feierte in einer gemieteten Festhalle oder in einem großen Zelt.

Gegen zwölf Uhr trafen die ersten Freunde und Bekannten ein, wenig später zeigten sich die Braulteltern zu den ersten Takten der Musik würdevoll, mit ernsten Gesichtern und Tränen in den Augen, in ihrer Mitte die geschmückte Braut am Arm haltend. Unter den Klängen einer zu Tränen rührenden Musik wurde die erregte Braut bis in die Mitte des Hochzeitssaales zum Hochzeitsstuhl geführt, auf dem die bewegten Eltern ihr Kind niederließen. Ernst und in sich gekehrt erwartete die Braut nun ihren zukünftigen Ehemann, und nach dieser ersten Begegnung von Angesicht zu Angesicht führten die beiden Elternpaare die jungen Leute in ein Zimmer, wo diese endlich allein miteinander sprechen konnten. An den anschließenden Tänzen im Hochzeitssaal nahm auch die Braut (Kale) teil, bis man sich am späten Nachmittag zu ihrer Verschleierung anschickte, zum »Kale-Badekn«, dem das rituelle »Setzen« der Braut, das »Kale-Basetsn«, vorausging. Die noch vor einer Weile ausgelassen tanzenden Gäste schienen plötzlich von einer traurigen Stimmung ergriffen und hielten inne. Gegen vier Uhr nachmittags erhob der Badchn seine Stimme und begann sein an die Braut gerichtetes Lied. In klagendem Rezitativ – Gebet und Predigt in einem – gemahnte er die zwischen zwei Brautjungfern sitzende Braut an ihre Pflichten als zukünftige Ehefrau, Mutter und Dienerin Gottes. Der Hochzeitstag wurde als ein so gewaltiges Ereignis betrachtet wie der Jom Kippur, der Versöhnungstag, an dem das Sterbegewand getragen, gefastet und um Vergebung der Sünden gefleht wird. Auch Braut und Bräutigam flehten Gott um Vergebung der Sünden an und verbrachten diesen Tag fastend in Buße und Reue und symbolischem Tod. Gewöhnlich befand sich die Braut zu diesem Zeitpunkt bereits kurz vor einer Ohnmacht, noch unterstrichen durch ihr weißes Gewand, wie die Trauernden es einst im Rheinland trugen, wo die Häupter des Hochzeitspaares mit Asche bestreut und von Tüchern verhüllt wurden.

Die Tränen der Braut und der anwesenden Frauen flossen reichlich und innig zu den Klängen der Musik, bei der Braut war es oft mehr die bange Erwartung ihres unbekannten

Schicksals als die Trauer über die Zerstörung Jerusalems oder den Angriff der bösen Geister … Die Reime des Badchn enthielten eine melancholische Betrachtung von Leben und Tod, wobei die verstorbenen Mitglieder der Familie der Braut namentlich angerufen und ihr Ableben beklagt wurde, oft von dem trauernden Refrain der Kapelle unterbrochen. Jedesmal brachen die versammelten Hochzeitsgäste in ein lautes, herzzerreißendes Schluchzen aus. Der Badchn fuhr fort mit seinen Mahnungen:

> Wehklage, Braut, wehklage!
> Dies ist eine Zeit der Tränen.
> Denkt an Eure vergangenen Tage:
> Ach! sie sind vergangen und kehren niemals mehr zurück.

Der ganze Raum hallte vom tiefen Schluchzen wider, doch der Badchn fuhr unbeirrt fort mit seinem ernsten Vortrag, bis seine Stimme vor Erregung zu zittern anfing. Bei der Anrufung der Toten und der an die Braut gerichteten Mahnung, ihrer Herkunft zu gedenken, steigerte er sich in eine düstere, geradezu unheimliche hohe Stimmlage. In dieser fast »umkippenden« Höhe der Stimme, von Geige und Flöte, später von der stimmähnlichen Klarinette übernommen, konzentrierte sich der ganze Schrecken des irdischen Daseins und der Vergänglichkeit. Noch das phantasiereiche und improvisatorische Spiel von Dave Tarras läßt das »Kale Basetsn« als diesen tragischen Dialog erscheinen, durchzogen von Melancholie und Schauder.

Abb. 16 Der Badchn Tewje Marschalek, Osteuropa, um 1900. Foto: A. Rotenberg.

Und Eure gute Mutter hinter den Wassern,
Und Euer Vater in seinem Grab
Dort, wo Eure Wiege schaukelte,
Weint, Braut, Weint!

Nach dieser Rede erschien, in Begleitung der Eltern und Gäste, geführt von dem Ortsrabbiner, der Bräutigam im Hochzeitssaal, nahm von einer mit Hopfen und Blumen gefüllten
Schale den Schleier, und auf die Aufforderung des Rabbiners
bedeckte er damit das Haupt der tiefbewegten Braut. Bei dieser Handlung bestreuten ihn alle Umstehenden mit Hopfen
und Blumen, und unter lauten Glückwünschen, Umarmun-
gen und nunmehr munteren Frejlechs verging noch eine
gute halbe Stunde, in welcher man die Braut von der schweren Brauttoilette befreite, ihr ein leichteres Kleid anlegte und
den Schleier auf dem Kopf befestigte.

»Chossn-Basetsn«, das Setzen des Bräutigams

Manchmal fand im Anschluß an das »Kale-Basetsn« im Hause des Bräutigams das »Chossn-Basetsn«, das »Setzen« des
Bräutigams, statt, das ebenfalls von den Klezmorim und dem
Badchn begleitet wurde. Wie auch die Braut, mußte jeder jüdische Bräutigam vor der Hochzeit Reue und Leid über seine begangenen Sünden empfinden und über sie Tränen ver-
gießen, dazu wurden so lange klagende Melodien auf den
Geigen gespielt, bis er endlich weinte; denn ohne Reue und
Tränen wurde er nicht getraut. Ein nichtjüdischer Augenzeuge beschreibt ein solches Ritual am Abend einer jüdischen Hochzeit in Podolien gegen Ende des 18. Jahrhunderts: In einem großen Zimmer voller männlicher jüdischer
Hochzeitgäste in schwarzen polnischen Sabbathkleidern befand sich der Bräutigam, »jenes kleine, blasse, zwölfjährige,
lebende Kindergerippe … Auf einmal traten vier jüdische
Tonkünstler mit zwey Violinen, einem Hackbret und einem
Violoncell vor den Bräutigam und die beyden alten Männer,

149

und spielten piano ein choralähnliches Adagio. Das dringende Zureden der Alten auf den Bräutigam wurde stärker: er aber schien sich nicht daran zu kehren. Die Musik wurde etwas lauter; die beyden Alten fuhren im Nöthigen und Zureden fort ... Nun fingen die beyden Alten an zu weinen – zu schluchzen – zu heulen – tutti die jüdischen Hochzeitmänner, welche sich dem Bräutigam gegen über zu postiren suchten – die Musik spielte forte. Auf einmal zog auch der kleine Bräutigam Augen und Mund in Wasserfalten. Die Alten bemerkten es und heulten ihm mit Rohrwolfsstimmen in das Gesicht. Die Musikanten spielten fortissimo und der erste Violinist legte sich nun beym Spielen mit Brust, Geige und Bart so nahe an das Ohr des Bräutigams, dass diesem kein vier und sechzigtheilchen Ton ungenüzt vorbeystreichen konnte. Nun brach auch der – Angstschweiss schwitzende Bräutigam in ein ähnliches Heulen aus, die Schleusen seiner Thränensäcke wurden geöffnet; es stürzten sich Thränen daraus über die bleichen Wangen« (Allgemeine Musikalische Zeitung, 1802).

Die Heiligung des Paares

Dieser Tränenausbruch war für die Musiker das Zeichen des höchsten Triumphs ihrer Kunst und stachelte sie erst recht zur Meisterschaft auf ihren Instrumenten an, während die Gesellschaft gleich darauf mit dem Bräutigam zur »Chupe-Wekduschn« (Trauung) schritt. Nach Wengeroff wurde der Bräutigam bald nach dem »Bedecken« der Braut mit einem Marsch – unter den Klezmorim als »Frejlechs tsu der Chupe«, Frejlechs zum Traubaldachin, bekannt – vor die Synagoge oder die Hochzeitshalle geführt, wo er unter den auf seinen vier Stützen aufgerichteten Trauhimmel gestellt wurde. Die Musikanten begleiteten nun auch die Braut mit eben diesem Marsch zur Chupe, wo sie von den »Unterführerinnen« (Brautschwestern) an die linke Seite des Bräutigams gestellt wurde. Während der Zeremonie der »Chupe-Wekduschn« – im eigentlichen Wortsinn »Heiligung« – schwieg die Musik.

Der »Schammes« (Synagogendiener) füllte ein Glas mit Wein, über das den Segen zu sprechen ein angesehenes Mitglied der Gemeinschaft beehrt wurde. Der Synagogendiener übergab dem Bräutigam den Trauring, den dieser in die Höhe hielt, und mit den gesetzlichen Worten in bestimmtem Rhythmus: »Hare at mekudeschet li, b'ta'ba'at tsu, k'dat Mosche w'Jisrael« (Nun bist du mir mit diesem Ring angeheiligt nach dem Gesetz von Moses und Israel) steckte er den Ring auf den Zeigefinger der rechten Hand der Braut. Nach dem Hersagen der sieben Segenssprüche wurde die »Ksube« (Heiratsurkunde) vorgelesen und der Braut überreicht. Man sprach das Gebet über den Wein, danach ließ man Bräutigam und Braut aus dem Glase trinken. Kaum hatte der Bräutigam das Glas unter seinem Fuß zertreten, das die Trauer über die Zerstörung des Tempels in Jerusalem symbolisieren soll, jubelten die Instrumente der Klezmorim in immer ekstatischeren Rhythmen, und die Hochzeitsgesellschaft brach in Glückwunschrufe aus: »Masltow, Masltow, Chossn-Kale Masltow!« Mit einem »Frejlechs fun der Chupe«, einem Fröhlichen von der Chupe, verließ das Brautpaar die Chupe und trat Arm in Arm den Heimweg an, begleitet von der rauschenden, betäubenden Fanfarenmusik und dem gesamten Publikum, wobei besonders die älteren Frauen mit unerwarteter Grazie und angehobenen Röcken einen ausgelassenen Reigen dicht vor dem Brautpaar tanzten. Im Mittelalter symbolisierten sowohl das zerbrochene Glas sowie die Musik die Vertreibung der bösen Geister, die mit Scherben und schrillen Tönen in diesem besonders gefährdeten Zeitraum nach der Trauzeremonie von dem glücklichen Paar abgelenkt werden mußten.

Das Festbankett

Während sich die jungen Eheleute nach den Strapazen des Chupe-Ganges für einige Stunden zurückgezogen hatten, um mit der fetten, als »goldene Jojch« bekannten Hühnersuppe, Tee und Leckerbissen ihr Fasten zu brechen und als

Eheleute zum ersten Mal miteinander allein zu sein, begrüßten Klezmorim und Badchn bereits die ersten Gäste zur »Chupe-Wetschere«, dem festlichen Bankett nach der Trauung. Unter dem Aufrufen der einzelnen Gästenamen durch den Badchn – eingekleidet in formelhaften Wendungen ähnlich dem Gebetsvortrag (»Nuschoes«) wie »a schejn und a fajn Vivat soll wern ojfgeschpilt lekowed dem Reb Finkelschtejn fun Brisk!« (ein schönes und feines Vivat soll zur Ehre des Herrn Finkelschtejn aus Brest-Litowsk aufgespielt werden!) – schritten die prächtig geschmückten Festbesucher zu den Tischen. Bei einem ähnlichen Festbankett, auf einen Tisch gehoben, damit alle dieses Wunder sehen konnten, bezauberte auch der zehnjährige Lejb Pulver Festgäste »tsum Tisch« mit jiddischen Kompositionen des berühmten Pedotser.

Zu fortgeschrittener Stunde gab dann der Bräutigam am Festtisch seine mit talmudischen Feinheiten gewürzte Rede, die »Drosche«, zum Besten; im Anschluß an den predigtartigen Vortrag brachten die Verwandten, Eltern und Freunden den Neuvermählten das sogenannte »Drosche-Geschank«, das Hochzeitsgeschenk. Bei dieser Zeremonie zeigte sich der Badchn von einer gemütlicheren Seite, indem er jeden Gast und dessen Beitrag zum jungen Hausstand mit einem launigen »Wörtchen« bedachte und auch das Brautpaar mit seinen in Scherze eingekleideten Weisheiten nicht verschonte. Der Badchn stellte sich auf einen Stuhl und rief mit lauter Stimme, in singenden Rezitativen, das ihm ausgehändigte Hochzeitsgeschenk in die Höhe haltend, den Namen des Gebers und pries der Tischgesellschaft, angeheitert durch allerlei zotige Gespräche und berauschende Getränke, mit vielen Übertreibungen den Wert und die besonderen Qualitäten des Geschenkes. Erst spät in der Nacht wurde das Tischgebet gesprochen, das mit den sieben Segenssprüchen über einem Becher Wein endigte, von dem man dem Brautpaar zu nippen gab.

»A Tants kojfn«: Hochzeitstänze

Nach dem Bankett spielten die Kapeljes Tanzmusik. Die Mehrheit der Gäste blieb in der Festhalle und tanzte bis in die Morgendämmerung hinein. Noch bis ins späte 19. Jahrhundert blieb säkulares Tanzvergnügen strittig, und sogar in einer Großstadt wie im Wilna der Vorkriegszeit tanzte die fromme Jugend nach Geschlechtern getrennt. Die weniger Strengen schwangen ihr Tanzbein, indem sie ein Taschentuch zwischen sich hielten, um direkten Körperkontakt zu vermeiden. Nur bei den »Häretikern« faßten sich Männer und Frauen bei den Händen wie Gojim, die Nichtjuden, und gaben sich dem Tanzvergnügen hin. Bei Hochzeiten jedoch wollte jeder – ganz gleich wie fromm – die Ehre haben, »a Tants kojfn«, einen Tanz zu kaufen. Scholem Alejchem bewunderte die Agilität und Grazie seines Onkels Pinni Wewik, der ein sehr frommer Jude und ein begnadeter Tänzer war – Onkel Pinni wußte die Schritte zu allen Tänzen auszuführen, von den chassidischen bis hin zu den Kasatskes und anderen temperamentvollen bäuerlichen Tänzen. Wenn er tanzte, mit zurückgeworfenem Kopf und geschlossenen Augen, berührten seine Füße den Boden kaum und seine »Tsitses«, die Fransen am rituellen Untergewand, flogen durch die Luft. Sein Gesicht glühte vor Verzückung wie beim Beten. »Nein, das war kein Tanzen, es war eher eine Art Anbetung Gottes, ein reiner Gottesdienst«.

Der Höhepunkt bei den Hochzeitsfeiern bildete, wie schon im aschkenasischen Mittelalter, der sogenannte »Mitswe-Tants«. Bei diesem auch unter Nichtjuden bekannten Braut- oder Ehrentanz muß die Braut mit allen männlichen Mitgliedern ihrer eigenen und der neuen Verwandtschaft tanzen, ein Symbol für das Verlassen ihrer Familie und die Aufnahme in die neue. Da auch der Tanz bei Hochzeiten als frommes Werk gilt, wird die Frage, »wie man vor der Braut tanzt«, schon im Talmud diskutiert und beschäftigt seit zweitausend Jahren rabbinische Gelehrte. Juden beziehen sich beim Mitswe-Tants auf die vorgeschriebene Erfüllung des Gebotes, die Braut glücklich zu machen. Die vorgeschriebene Trennung zwischen dem männlichen und weiblichen Geschlecht wird eingehalten, indem die verschleierte Braut zwischen die Brautschwestern plaziert wird, von denen eine ein seidenes Taschentuch in der Hand hält. Der Badchn fordert nun einen der Gäste auf, mit der Braut zu tanzen, wobei die Brautschwester einen Zipfel des Tuches der Braut in die Hand legt und den zweiten Zipfel ihrem Tänzer reicht. Auf diese Weise macht die Braut mit ihrem Tänzer zweimal die Runde. Der Badchn ruft: »Schon getanzt!« und die Braut setzt sich wieder zwischen die Brautschwestern. So tanzte die Braut, ohne daß ihr das Lüften des Schleiers erlaubt war, mit allen anwesenden männlichen Gästen bis spät nach Mitternacht.

»Es togt schojn«: Der Abschied

Es war meist schon hell, wenn die müden Klezmorim ihre letzten Nummern herunterfiedelten, Abschiedsstücke wie das melancholische »A gute Nacht« oder »Saj gesunt«. Awrom-Jeschije Makonowetski erinnerte sich noch an das schöne Kehrauslied »Es togt schojn« (Es wird schon Tag), das die bereits erschöpften Klezmorim zu fortgeschrittener Stunde für die ebenfalls übernächtigten Gäste als »Rausschmeißer« zu singen und zu spielen pflegten – eine der seltenen Ausnahmen in der ansonsten auf die rein instrumentale Klangerzeugung beschränkte Tätigkeit der Klezmorim.

Fast immer fuhren die Musikanten gleich nach der Hochzeit oder am nächsten Tag fort. Geigenkästen und andere Instrumentenbehältnisse wurden dann mit Transportgut ganz anderer Art gefüllt: Leopold Kozłowskis Onkel Dudje Brandwein stopfte bei seinen Engagements in den 1930er Jahren in Ostpolen das Futteral seines Basses in der Küche mit Gänsen und Hühnern und anderen Leckereien voll, genug, um alle Musikanten eine ganze Woche lang durchzufüttern. Dudje transportierte dann den Baß auf seinen Schultern, während der Tsimbler Schije mit Herschele, dem Badchn und Trommler, das Futteral zum Pferdeschlitten schleppte. Lange nachdem die Klezmorim das Schtetl verlassen hatten, klang ihre Musik in der ereignislosen Welt ihrer Zuhörer noch nach, Bruchstücke einer Tanzmelodie oder eines traurigen Gesanges, die die Bewohner auf ihren Geigen ausprobierten, mit ihren eigenen Gedanken verzierten und jeder auf seine Weise sang. So war das jiddische Osteuropa erfüllt von einem ständigen Gesumme von tausenden und abertausenden Nigunim auf Seelenwanderschaft, Melodien und Motive, die sich in einem immerwährenden Prozeß der Verwandlung befanden und sich von einem chassidischen Nign in eine Melodie der Jiddischen Bühne, ein Spottlied junger Mädchen, in das Lamento eines Klezmers und in den Gebetsgesang eines Kantors verwandeln konnten.

»Jüdisches Volkstum auf dem Aussterbeetat«

Der Lebensstil, wie ihn der Klezmer Makonowetski dem Forscher Beregowski in den dreißiger Jahren noch aus eigener Erinnerung beschreiben konnte, war exemplarisch für die kleinstädtischen jiddischen Klezmorim im ausgehenden 19. und im frühen 20. Jahrhundert. Zu Makonowetskis Zeiten begannen sich die Spuren des alten klezmerischen »Lebns-Schtejger« jedoch schon allmählich zu verwischen. So konnte Awrom-Jeschije Makonowetski nur noch von den Erlebnissen seines Vaters berichten, der mit einer Truppe von ausgelassenen Purim-Spielern von Haus zu Haus gezogen war und sie auf der Fiedel begleitet hatte. Auch hatte er noch von den »Kuntsnmachers« gehört, jenen Clowns, die ihre oft recht dreisten Späße und Tricks mit den Hochzeitsgästen trieben. Schon im Rußland des Jahres 1913 beklagte sich Samuel Weissenberg, daß die Hochzeitsfeiern bei den südrussischen Juden viel von ihren charakteristischen volkstümlichen Eigenschaften eingebüßt hätten und die damaligen Klezmorim »und mit ihnen ein Stück jüdischen Volkstums auf dem Aussterbeetat« stünden. Die nach der Ermordung von Zar Alex-

ander II. einsetzenden Judenverfolgungen und vor allem die
heftigen Pogrome des Jahres 1905 hatten maßgeblich zu diesem Niedergang beigetragen und aus dem einst alles über-
strahlenden, mehrere Tage andauernden Ereignis ein fades
geselliges Vergnügen mit wenig spezifisch jüdischen Eigenschaften – abgesehen von den Besonderheiten der religiösen
Trauung – gemacht. Die Feierlichkeiten beschränkten sich
auf einen Tag und blieben oft ganz ohne Musik. Aus Angst
vor dem Spott und der Gewalttätigkeit der Nichtjuden hatte
man schon seit den 1880er Jahren die Straßenzüge mit Musik eingestellt. Wie unterschiedlich sich diese Veränderungen der Hochzeitssitten regional auswirkten, vermitteln die
Reiseerinnerungen von J. H. Bondi aus den späten achtziger
Jahren des 19. Jahrhunderts: Darin ist von dem Klezmer Art-
sche die Rede, der als einziger Musikant die Hochzeit eines
Reichen in Weißrußland bestreitet, eine Hochzeit, die nur
noch 24 Stunden dauert. Die Töchter der chassidisch ausgerichteten Familie der Braut tragen farbige Seidenkleider und
hoch hinaufreichende Glacéhandschuhe, und einer der
männlichen Mitglieder erzählt von einem Kuraufenthalt in
Marienbad, ein Statussymbol, das die Familie in einheimi-
schen Kreisen in den Rang der Vornehmsten erhob. Trotz des
nach dem Tode des Zaren ausgebrochenen Judenhasses stehen in diesem Fall die nichtjüdischen Bauern mit brennenden Fackeln während des Trauungsaktes vor dem jüdisch ge-
führten Gasthaus auf der Dorfstraße. Die jüdischen Hochzeitsgäste sind bei den russischen Muschiks untergebracht,
und zum Abschied am nächsten Morgen erscheinen der »Sta-
rost«, der Gemeindeälteste, und die anderen Honoratioren
des Dorfes, Russen allesamt, um dem wohlhabenden Juden
ihre Ehre zu erweisen. Dennoch erhielten sich viele der jahrhundertealten Hochzeitsbräuche und der mit ihnen verbundenen Berufe nur noch in der älteren Generation, das Kale-
Basetsn war schon lange vor der Russischen Revolution kaum
mehr als bloße Erinnerung, und auch Zunser, der geliebte
Badchn, hatte, wie die hungrigen Klezmorim, Komödianten
und Kantoren, sein Glück in der Neuen Welt gesucht.

Blütezeit im 19. Jahrhundert: Die großen Virtuosen

Joseph Gusikow:
Nationalklänge aus Holz

Die sicherlich geheimnisvollste, berühmteste und wohl auch bedeutendste Persönlichkeit, die das Genre Klezmer hervorgebracht hat, war der Xylophonist Michael Joseph (Michoel-Jojsef) Gusikow aus dem weißrussischen Schklow. Gusikow, der auf einem bis dahin kaum beachteten Instrument auf dem Gipfel seiner Karriere zwischen 1834 bis 1837 Triumphe in den Metropolen Ost- und Westeuropas feierte, übte einen nicht zu unterschätzenden Einfluß auf das europäische Konzertleben der damaligen Zeit aus. In Konzertsälen und musikalischen Salons ebenso umjubelt wie in den Adelshäusern und Königshöfen, konkurrierte er mit romantischen Virtuosen wie Niccolò Paganini (1782–1840), Franz Liszt (1811–1886), Felix Mendelssohn-Bartholdy (1809–1847), Ignaz Moscheles (1794–1870) und Frédéric Chopin (1810–1849).

Wenn auch das Leben Gusikows nur skizzenhaft überliefert ist, kann aus den Details seiner Laufbahn geschlossen werden, daß sich seine frühere Lebensweise als Klezmer und – sofern eine Verallgemeinerung erlaubt ist – der Lebensstil der Klezmorim ein halbes Jahrhundert später nicht allzusehr von demjenigen des »gewöhnlichen« Klezmers Makonowetskis in der zweiten Hälfte des Jahrhunderts unterschied. Die männlichen Mitglieder der Gusikow-Familie waren über viele Generationen Klezmorim. Sie zählten sich zu den Chassidim, in Gusikows Geburtsstadt Schklow eine Minderheit, denn hier herrschten die schriftorientierten orthodoxen Gegner der mystisch ausgerichteten Chassidim, die mächtigen Misnagdim.

Schklow, ein kleines Städtchen im Morast Weißrußlands, begann sich nach der Teilung Polens ab 1778 unter Graf Semion Zorich in eine Kulturmetropole und zu einem der führenden Handelszentren in Weißrußland zu entwickeln. Nicht nur die weitgereiste Elite der jüdischen Händler Schklows, sondern auch die Mittelschicht der jüdischen Bevölkerung der Stadt profitierte von der Weltläufigkeit und dem engen Miteinander von russischer Aristokratie und religiösem Judentum. Neben dem Theater und der Tanzschule inmitten der Stadt lagen Synagoge und Talmudhochschule, »Jeschiwe«, und die Existenz eines aristokratischen Hofes innerhalb einer überwiegend jüdischen Ansiedlung war ein ungewöhnliches Phänomen; immerhin war die Stadt nicht nur das führende Zentrum der hebräischen Buchdruckerei in Osteuropa, sondern konnte sich auch noch einer Synagoge rühmen, die in Litauen und Polen nicht mehr ihresgleichen hatte. Gleichzeitig wurde Schklow zum Schauplatz der religiös-weltanschaulichen Auseinandersetzungen, die sicherlich sowohl Vater als auch Großvater Gusikow erlebten: Hier suchten nicht nur die Anhänger des Rabbi Schneur Salman von Ljadi (1745–1813; Begründer des Chabad Chassidismus) und des Wilnaer Gaon – als führende rabbinische Autorität des 18. Jahrhunderts – Einfluß zu gewinnen, auch die Lehren des in Berlin wirkenden Aufklärers Moses Mendelssohn begannen sich früh durchzusetzen. Durch Beziehungen zum Mendelssohn-Kreis seit den siebziger und achtziger Jahren des 18. Jahrhunderts hatte sich Schklow gleichzeitig auch zum ersten Außenposten der Haskala in Osteuropa entwickelt. Ihre Anhänger, die Maskilim, wurden von beiden orthodoxen Strömungen als Bedrohung des Judentums angesehen, da sie seine fundamentalen Züge für gänzlich vereinbar mit der modernen Welt hielten.

Als junger Mann wurde auch Gusikows Vater, ein Flöten- und Tsimbl-Spieler und daneben – so wollen es manche Quellen wissen – auch Klarinettist, von dieser religiösen Protestbewegung und ihrer Wundergläubigkeit angezogen, gar nicht zu reden von dem demonstrativ-ausschweifenden Lebenstil der Gottsucher mit Musik, Tanz und reichlich Branntwein.

Aufklärung im Schtetl

Joseph Gusikow wurde am 2. September 1806 mitten hineingeboren in eine Umbruchphase jüdischen Lebens. Obwohl einer chassidischen Familie entstammend, wurde er das Produkt einer jüdischen Moderne, eines Milieus, in dem jüdischen Händlern der Aufstieg in die höchsten Ränge der russischen Aristokratie möglich war und in der sich der aufklärerische Geist Berlins und der Einfluß des zaristischen Hofes in St. Petersburg auch auf die Rabbis auszuwirken begonnen hatten. Unter diesen Gemeindeältesten gab es welche, die fließend Latein sprachen und das Studium von Tora und Wissenschaft nicht als Widerspruch begriffen, und auch die niederen Stände orientierten sich bereits an westlichen Werten: Ein 1795 in Schklow gedrucktes jiddisches Lebenshilfepamphlet führt stolz seine in Berlin, Wien, Danzig, Leipzig und Paris beheimateten Verfasser auf. Aber der Aufstieg der chassidischen Bewegung ab 1794 stellte die Modernität und kosmopolitische Atmosphäre von Graf Zorich und den Anhängern der Haskala wieder in Frage, denn die frommen Fundamentalisten vermieden jeglichen Kontakt mit Nichtjuden und ihrer Lebensart.

Die Gusikow-Familie spielte die Hauptrolle im musikalischen Leben des Mogilewer Distriktes und war bei nahezu allen Hochzeiten vertreten. Wie in vielen ähnlich strukturierten Gemeinden Osteuropas, spielten die Gusikows in ihrer Funktion als Klezmorim eine wichtige Rolle bei der Verbreitung der Nigunim nicht nur von einer chassidischen Dynastie zur anderen, sondern auch zwischen Misnagdim und Chassidim. Michoel-Jojsefs Vater reiste gewöhnlich während der Woche zu Engagements in andere Schtetlech und Dörfer und kehrte am Freitagnachmittag mit seinem mageren Verdienst zurück, um den Schabbat mit seiner Familie zu feiern. Auch er selbst war ein talentierter Musiker: Zu zahlreichen Gelegenheiten wurde er zu Quartetten nach Moskau eingeladen, wobei er von dem jungen Joseph, seinem älteren Bruder und anderen Verwandten begleitet wurde. Dort sollen die Gusikows sogar für den Zaren Nikolaus I. gespielt haben. Nichtjüdische Russen schätzten die Musik der vielseitigen jüdischen Klezmorim und engagierten die Gusikow-Familie zu ihren Moskauer Festen und »Heim-Konzerten«, wo Joseph Gusikow sich auch als Meister der »pikanten russischen Melodien« erwies und diese »artig zu variiren verstand« – so exotisch empfand jedenfalls ein damaliger westeuropäischer Zeitgenosse die slawischen Klänge des jüdischen Musikers.

Michael-Jojsef Gusikow erhielt die in orthodoxen Familien übliche Erziehung und lernte ab dem frühen Knabenalter zehn bis zwölf Stunden am Tag im beengten Chejder. Recht bald schon zeigte sich sein außergewöhnliches musikalisches Talent, und sein Vater begann ihn im Flötenspiel zu unterrichten. Noch als Knabe spielte Jossl in der Familienkapelle. So erstaunlich waren seine Fortschritte auf der Flöte, daß er lange vor seiner Bar-Mitswe, der Feier seiner Religionsmündigkeit im Alter von dreizehn Jahren, seinen Vater vertrat und die Kapelle anführte. Schon als Jüngling zeigte sich auch, daß der bereits in der gesamten Region berühmte Instrumentalist Gusikow weit mehr als ein durchschnittlicher Hochzeitsmusiker war. Sein Leben war gänzlich der Musik gewidmet, und seine Leidenschaft für das Spiel soll so groß gewesen sein, daß er an spielfreien Tagen zuhause bis in die Nacht hinein auf seiner Flöte improvisierte und seine frühaufstehenden Nachbarn damit verärgerte. Ebenso wie im Falle des sechzehn Jahre später geborenen legendären Fiedlers Stempenju liebte insbesondere die weibliche Jugend sein Spiel, und »die Mädchen seiner Vaterstadt hüpften vor Freuden, wenn sie vernahmen, daß er auf einer Hochzeit oder am Purim spielen würde«, so der Gusikow-Biograph Sigmund Schlesinger (»Josef Gusikow und dessen Holz- und Stroh-Instrument«, Wien 1836). Das Volk pflegte zu sagen: Wenn Gusikow zu einer Hochzeit aufspielt, dann eilen sogar die Wickelkinder aus den Höfen herbei, um ihm zu lauschen.

Das Holz- und Strohinstrument

Im Alter von fünfundzwanzig Jahren verfiel Gusikow der sogenannten »Brustkrankheit«, vermutlich Tuberkulose. Er, der seit seiner frühen Kindheit professioneller Flötenspieler war, mußte nun aus gesundheitlichen Gründen sein Instrument aufgeben. Seine Pflichten als Ernährer von Frau und zwei Kindern trieben ihn zu dem Entschluß, sein Spiel auf dem sogenannten »Holz- und Strohinstrument« (Abb. 17) zu vervollkommnen, einem volkstümlichen Xylophon, das er in seiner Jugend wohl schon gelegentlich gespielt hatte. In derselben Technik wie beim Tsimbl wurden die Töne dieses hölzernen Schlaginstruments – das nicht zur typischen Besetzung einer Klezmer-Kapelje gehörte – durch den Gebrauch von zwei Schlegeln erzeugt. Das Holz- und Strohinstrument war seit dem Mittelalter bei Russen, Polen und Litauern als Instrument zur Tanzbegleitung bekannt. Gusikow nahm auch Verbesserungen an der Bauweise seines neuen Instruments vor, um den Umfang zu vergrößern, die Spieltechnik zu erleichtern und die Akustik zu verstärken – ohne daß er Kenntnisse in Akustik oder Mathematik besessen hätte. Sein nun mit einem chromatischen Tonumfang von zweieinhalb Oktaven ausgestattetes Instrument wurde später infolge der Popularität Gusikows Bestandteil des Symphonieorchesters und damit der Vorgänger des modernen Orchesterxylophons. Außerdem überwand Gusikow einige der technischen Begrenzungen des Instrumentes selbst: Weil das Holz beim Aufschlag nicht lange genug vibrierte, entwickelte er Wirbel mit seinen Schlegeln und schuf damit die Illusion eines weichen Legato.

Bevor sich Gusikow mit seinem neuen Holz- und Strohinstrument auf die Konzertbühne wagte, probierte er es in den Dörfern bei den Bauern aus, welche »haufenweise zusammenliefen, so oft es hieß, Gusikow werde spielen, und mit ihren Kopeken dann nicht sparten«. Erst nachdem er ein gewisses Maß an Berühmheit damit erlangt hatte, spielte er es für die Juden in den Schtetlech, bis endlich sein Ruf auch die Großstädte erreicht hatte und er sich anschicken konnte, die Bühnen zu erobern.

Der Gusikow-Kult

Gusikow feierte seinen ersten großen Konzerttriumph in Kiew, wo er im Juli 1834 mehrere Aufführungen bestritt. Ebenfalls auf Konzertreise in Kiew befand sich der große polnische Geiger Karol Józef Lipiński

Abb. 17 Joseph Gusikow mit seinem »Holz- und Strohinstrument«, Mitte der 1830er Jahre.

(1790–1861), damals der einzige ernstzunehmende Rivale Paganinis. Selbst ein Liebhaber von Thema und Variationen aus der Volksmusik, das einen Großteil von Gusikows Repertoire ausmachte, und Herausgeber zweier Bände mit von ihm selbst in Galizien gesammelten Volksmelodien, ließ Lipiński sich nach einer Gusikow-Aufführung zu dem Ausruf hinreißen: »Wahrhaftig Gusikow, – ich bewundere euch! Ihr seyd ein größerer Künstler als ich; ich benütze nur die Mittel, welche mir zu Gebote standen – Ihr verschafft euch neue.«

Gusikow war so gut wie unbekannt im Westen, als er, nach erfolgreichen Konzertgastspielen in Lemberg und Krakau, im Juni 1835 in Wien eintraf, wo sich ein einziger Artikel des einflußreichen Dichters und humoristischen Schriftstellers Moritz Gottlieb Saphir (1795–1858) als Wendepunkt in seiner Karriere erweisen sollte: »Stroh- und Holz-Variationen auf dem Stroh- und Holz-Instrumente des Hrn. Joseph Gusikow« in der Wiener »Theaterzeitung und Originalblatt für Kunst, Literatur, Musik, Mode und geselliges Leben« am 24. Juni. Indem er den Genius des »polnischen Israeliten« mit dem des Maestros Paganini verglich und dem kuriosen Kaftanträger mit den schwarzgelockten Pejes darüber hinaus auch die großen zeitgenössischen Diven Maria Felicità Malibran (1808–1836) und Henriette Sontag (1806–1854) zur Seite stellte, bereitete Saphir die Wiener Gesellschaft auf das Phänomen Gusikow vor. Der Effekt des Artikels erwies sich als ungeheuer: Das übersättigte Wiener Publikum, sicherlich nicht allein durch große Namen oder billige Scharlatanerie zu beeindrucken, füllte den Saal der Wiener Akademie bis auf den letzten Platz. In Wien wurde Gusikow schnell zur Kultfigur, und die charakteristischen Pejes, die sein schmales Gesicht einrahmten, dienten besonders den Pariser Damen als Vorbild für die neueste Haarmode »à la Gusikow«. Eine Federzeichnung von Gusikow und seinem Ensemble aus dem Jahre 1835 zeigt ihn stehend hinter einem Tisch mit seinem darauf aufgebauten Instrument.

Hinter ihm zu seiner Linken ist ein Cellist plaziert, rechts ein Violinist, vermutlich Abraham, sein älterer Bruder und musikalischer Weggefährte seit Knabenzeiten. Alle tragen Scheitelkäppchen (Jarmlkes), lange chassidische Mäntel im polnischen Stil, Stiefel, Bärte und Pejes. Schon 1836 soll Gusikow in »moderner Tracht« erschienen sein und nicht mehr im langen polnischen Mantel, aber dieses scheint sowohl der Zeichnung als auch den Beschreibungen anderer Augenzeugen zu widersprechen. Könnte der Wiener Erfolg vielleicht eine schnelle Modernisierung seiner Erscheinung bewirkt haben?

Wie es typisch für musikalische Soiréen zu dieser Zeit war, bestritten Gusikow und seine Musiker niemals allein ein öffentliches Konzert. Gewöhnlich trugen sie nur ein bis drei Stücke vor – nicht mitgezählt die vielen Zugaben, mit denen sie ihr jubelndes Publikum zufriedenstellen mußten –, und der Rest des Konzertes wurde von bekannten Interpreten klassischer oder »nationaler« (d. h. Volks-)Musik gestaltet. Beispielsweise nahmen an dem Konzert am Sonntag, dem 19. Juli 1835 im Saale der Gesellschaft der Musikfreunde in Wien neben Gusikow und seinem Ensemble auch Mitglieder der k. k. Hofkapelle sowie des k. k. Hof-Operntheaters teil. In Prag trat Gusikow zusammen mit den beiden geigespielenden Wunderkindern Ernst, 13 Jahre, und Eduard Eichhorn, 12 Jahre, auf; in Paris teilte er sich das Programm mit dem Pianisten, Komponisten und Pädagogen Friedrich Kalkbrenner (1788–1849).

Bereits seit seinen ersten Auftritten hatte Gusikows Spiel auch bei Juden Anerkennung gefunden, ungeachtet ihrer jeweiligen weltanschaulichen Ausrichtung. Der Konvertit Felix Mendelssohn-Bartholdy, der in Begleitung des angesehenen Geigers und Lehrers Ferdinand David (1810–1873) 1836 Gusikows Leipziger Konzert besuchte, lobte den Virtuosen in einem Brief an seine Mutter in den höchsten Tönen und befand, er sei »ein wahres Phänomen; – ein Mordkerl, der an Vortrag und Fertigkeit keinem Virtuosen der Welt nachzustehen braucht, und mich deshalb auf seinem Holz- und Strohinstrument mehr ergötzt, als Viele auf ihren Pianofortes, eben weils undankbarer ist«.

Gusikows Auftritte wurden wie die vielleicht keines anderen Virtuosen seiner Zeit gefeiert. F. C. Weidmann, ein Theater- und Kunstkritiker, jubelte in der Wiener »Theaterzeitung« über dessen Konzert am 12. August 1835 im k. k. Priv. Theater in der Josephstadt: »Fast nie, in der langen Reihe von Jahren, seit ich Kunsterscheinungen meiner Beurtheilung unterzog, und so viele deren mir auch vorkamen, ist mir das Wirken des Genius auf eine so ergreifende Weise anschaulich geworden, als in dem Spiele des Hrn. Gusikow.«

Fast alle Aussagen belegen, daß Joseph Gusikow die Musiknotation nicht beherrschte. Wie der weitaus größte Teil der traditionell ausgebildeten Klezmorim während der ersten Hälfte des 19. Jahrhunderts erwarb er seine instrumentalen Kenntnisse und das Repertoire durch das Hören. Gusikow muß im Besitz eines außergewöhnlichen Hörvermögens gewesen sein, da er – zusätzlich zu den traditionellen jiddischen und slawischen Melodien – auch viele der gängigen klassischen Solostücke der damaligen Zeit auswendig beherrschte. Diese virtuosen Stücke hörte er in den Konzerten und, da sie ihm des Nachts im Kopf herumgingen und ihn am Schlafen hinderten, vermochte er sie bereits am nächsten Morgen vollständig auf seinem Instrument zu spielen. Diese erstaunliche Fähigkeit ist wohl zum Teil auch in der jüdischen Tradition begründet, die seit Jahrhunderten und von frühester Kindheit an das Auswendiglernen fördert. So halten sich noch heute die Rebbes in chassidischen Gemeinden wegen des Schreibverbotes am Schabbat sogenannte »menschliche Tonbänder«, die sich ihre langen »Drosches«, ihre Predigten, während des dritten Schabbat-Mahles am Samstagnachmittag merken und nach Schabbat-Ende aufzeichnen.

Unter der enormen Anzahl der von Gusikow aufgeführten Stücke befanden sich traditionelle Hochzeits- und Purim-Melodien aus seiner Jugend, außerdem Fantasien, Potpourris oder »Themen und Variationen« auf verschiedene russische, polnische und ukrainische Volkslieder. Sein Repertoire enthielt jedoch auch populäre zeitgenössische Tanzformen wie Walzer und Mazurka. In den Händen von Gusikow erhielten sogar die traditionellen Melodien »einen Akzent, der ihnen einen neuen, unbekannten Charakter verlieh«, lobte der belgische Musikwissenschaftler und Direktor des Brüsseler Konservatoriums François Joseph Fétis (1784–1871). Gusikow war besonders für seine Interpretationen der Klavierkompositionen von Franz Anton Hoffmeister (1754–1812), Henri (Heinrich) Herz (1803–1888) und Ignaz Moscheles bekannt, die er, so jedenfalls nach Meinung mancher Kritiker, auf seinem Holz- und Strohinstrument schöner als im Original gespielt haben soll. Neben der österreichischen Hymne von Haydn gehörten auch Potpourris mit Opernmelodien von Giacomo Meyerbeer (Jakob Liebmann Beer, 1791–1864) und Gioacchino Rossini (1792–1868) zu Gusikows Repertoire. Seine eigenen Kompositionen enthielten Titel wie »Potpourri, bestehend aus Variationen von Herz, Moscheles und Anderem« oder »Variationen über ein Thema aus dem russischen Volkslied Po Ulitse Mostowoj« (Entlang der gepflasterten Straße) und sollen mit Trillern, Sprüngen und gebrochenen Akkorden durchsetzt und voller Imagination gewesen sein.

Es scheint, daß um die Zeit seines Debüts im Westen Europas zumindest die Hälfte von Gusikows Repertoire aus den Virtuosen- und Salon-Stücken seiner Tage bestand.

Der »edle Wilde« aus dem Schtetl

Interessant ist dagegen, daß seine Biographen wie Sigmund Schlesinger, Gustav Schilling und der Literatur- und Kunsthistoriker Adolph Kohut (1848–1916) sowie später die romantisierten Fiktionen von dem britischen Dichter und Kritiker Sir Sacheverell Sitwell (geb. 1897; »Splendours and Miseries«, London 1943) und Irme Druker (»Michoel-Jojsef Gusikow«, Moskau 1981) nicht müde werden, neben seiner natürlichen Musikalität gerade die Volksnatur seines Repertoires zu betonen. Die Selbstverständlichkeit, mit der jedoch stets auf seine ethnische Zugehörigkeit verwiesen und auch sein vermeintliches Autodidaktentum nie angezweifelt wurde, fordert geradezu die Frage heraus, ob nicht die der Aufklärung anhängenden bürgerlichen Schichten seines Publikums nach einer solch »natürlichen« und von westlicher Zivilisation unverbildeten Verkörperung verlangten. Hätte nicht ein notenlesender und sich seiner künstlerischen Mittel bewußt bedienender religiöser Jude aus dem vermeintlich rückständigen Osteuropa eine Desillusionierung bedeutet für das von den Ideen über die Errettung der Juden aus religiöser Unmündigkeit und politischer Vormundschaft bewegte Publikum?

Es überrascht nicht, daß Gusikows Herkunft aus dem Klezmer-Milieu in keiner der enthusiastischen Elogen erwähnt wird: Zu fremd und wohl auch zu widersprüchlich waren den Rezensenten die in der Person Gusikows gebündelten weltanschaulichen Strukturen, so daß man seine Herkunft lieber im Dunkeln beließ. Was wußte ein damaliger Musikkritiker, der über Opernaufführungen und Symphoniekonzerte richtete, über jüdische Klezmorim? Nur in einer einzigen Rezension (in der Wiener »Theaterzeitung«) wird seine Herkunft angedeutet, doch erscheint sie in einem wenig günstigen Licht: »Wenn irgend etwas auf die begeisterte Stimmung der Zuhörer störend wirken konnte, so war es die über alle Maßen ungelenke Begleitung der beiden Violinspieler. Das Ungeschick dieser Begleiter des Hrn. Gusikow ist ebenfalls schon mehrere Male gerügt worden, und der Künstler thäte wohl, sich ihrer zu entäußern, und Künstler aus den Orchestern, wo er sich hören läßt, dazu zu wählen«. Zu viele Verzierungen, eine andere Art von Verschleifungen, die Intonation nach westlichen Maßstäben nicht genau genug, technisch nicht sauber: Aus dieser Rezension geht klar hervor, daß Gusikows Begleiter – allesamt Verwandte – Klezmorim und keine in der westeuropäischen klassischen Kunstmusik ausgebildeten Musiker waren.

Wer ist ein Klezmer? Definitionsprobleme

Das Gusikow-Phänomen wirft noch einmal aufs neue die grundsätzliche Frage nach den Funktionszusammenhängen auf, die einen Musiker als Klezmer ausweisen. Die von Irme Druker in seinem Roman vorgenommene Unterscheidung der Begriffe »Klezmer« und »Musikant« wäre demnach auf eine neue Bedeutungsdimension auszudehnen: den Klezmer als Konzertmusiker. Als Bezeichnung für einen Gebrauchs-

und Unterhaltungsmusiker hat die ursprüngliche Rolle des Klezmers als »Liedinstrument«, als Lieferant von Musik für die jüdische Hochzeit und die jahreszeitlichen religiösen Feste allmählich an Bedeutung verloren. Nur noch der Gebrauch des aus dem Hebräischen stammenden Wortes »Klezmer« bezeugt bis heute diese überkommene Einbindung in das religiöse Ritual; einen eher weltlichen Charakter verraten dagegen die aus dem Mittelhochdeutschen stammenden Begriffe wie »Schpiler« und »Musikant« oder gar »Musiker« und »Kinstler«, denn letztere beziehen sich vornehmlich auf das Können eines Musikers und nicht auf seine Funktion. Kann Joseph Gusikow, der Konzertkünstler, überhaupt historisch auf der Basis der Rezensionen und anderer Information und der Publikumsrezeption noch als Klezmer bezeichnet werden? Da seine eigenen Kompositionen – bis auf eine Ausnahme – nicht mehr existieren, muß man sich wohl mit der Vermutung zufriedengeben, daß Gusikow sein klassisches Repertoire im Stil von Herz und Moscheles interpretierte, während er seine eigenen Fantasien auf jiddische bzw. slawische Volksmelodien eher im klezmerischen Stil aufführte. Interessant ist, das die einzige bis heute entdeckte Komposition Gusikows weder ein instrumentales Klezmer- noch ein klassisches Stück ist, sondern eine Vertonung des Psalmes 126, »Schir ha-Ma'alot« (Ein Wallfahrtslied).

Tod eines Klezmers

Joseph Gusikow wurde von Kohut als »einer der interessantesten Instrumentalisten, die je gelebt haben« und – über ein Jahrhundert nach seinem frühen Tod – von Sitwell als »vermutlich der größte autodidaktische Musiker aller Zeiten« bezeichnet. Die Wirkung von Gusikow war so stark, daß sich schon während seines kurzen Lebens Fakten mit Fiktion vermischten. Genau wie bei Stempenju ist es heute nicht mehr möglich, den »realen« Joseph Gusikow von den ihn umgebenden Legenden zu trennen.

Auch die verschiedenen Versionen von Gusikows letztem Konzert und seinem Tod erweisen sich als Legenden: Bei diesem Konzert, das am 21. Oktober 1837 in Aachen stattgefunden haben soll, habe Gusikow eine von ihm selbst komponierte Fantasie zu spielen begonnen. Gegen Ende des Stückes, voller Leidenschaft und Feuer vorgetragen, sei ein seltsames Leuchten in seine Augen gekommen und ein Lächeln habe sich auf seinen Lippen gezeigt. Als mit dem letzten Akkord der begeisterte Jubel und Applaus des Publikums einsetzte, sei der Künstler zusammengebrochen und schließlich – in den Armen seines Bruders oder seiner Freunde, je nach der jeweiligen Version der Geschichte – verschieden. Dieser Bericht vom Tode des Virtuosen ist so weitverbreitet, daß es noch Jahre darauf keinen Artikel über ihn gegeben hat, der ihn nicht kolportierte. Was in Wirklichkeit während dieses Konzertes geschah, das übrigens Ende August 1837 stattfand, war zwar in der Tat ein Zusammenbruch des geschwächten Gusikows auf der Bühne, aber sein tatsächlicher Tod erfolgte erst einige Monate später, am 21. Oktober. Und noch eine weitere Tatsache muß die schöne Legende vom Bühnentod entkräften: Der 21. Oktober war ein Schabbat, und als orthodoxer Jude, der er bis an sein Lebensende blieb, hätte er niemals eine Vorstellung an diesem heiligen Tage auch nur erwogen! Nach der »Allgemeinen Zeitung des Judentums« wurde Gusikow am 23. Oktober auf dem jüdischen Friedhof in Aachen ein großes Begräbnis zuteil. Hinter seinem Sarg erwiesen ihm nicht nur seine Glaubensgenossen, sondern auch christliche Musikfreunde die letzte Ehre. Die Kultfigur der dreißiger Jahre des 19. Jahrhunderts, umjubelt von Fürst Metternich, Kaiser Ferdinand I. sowie führenden Musikkritikern und Intellektuellen jener Zeit, wurde ohne Grabstein fern ihrer osteuropäischen Heimat zur letzten Ruhe gebettet. Wohl kaum jemand seiner trauernden Zeitgenossen wird sich bewußt gewesen sein, daß der schillernde Bühnenvirtuose aus dem osteuropäischen Klezmer-Milieu mit seinem »armseligen Instrument« Nachkomme einer Musiktradition war, die vor achthundert Jahren gerade hier, im südlichen Deutschland und seinen umliegenden Regionen, ihren Ausgang genommen hatte.

Pedotser: Lebenslang ein Klezmer

Eine Generation später sollte auch der Klezmer Pedotser (Abb. 18), der als Arn-Mojsche Cholodenko geborene Geiger, dessen Name ein halbes Jahrhundert in aller Munde war, die populären klassischen Werke seiner Zeit spielen, vornehmlich die virtuosen romantischen Violinkonzerte und Konzertstücke von Henryk Wieniawski (1834–1880) und Henri Vieuxtemps (1820–1881). Pedotsers traditionelles Repertoire bestand zum großen Teil aus selbstkomponierten Fantasien und »Themen und Variationen« über populäre jiddische und ukrainische Volkslieder wie »Ichaw kosak sa Dunaij« (Ein Kosak ging fort über die Donau). Diese arbeitete er nach westlicher Manier zu längeren Formen aus. Seine lyrischen und virtuosen Stücke wie »Ahawa Raba« (Große Liebe) und »Luli« (Wiegenlied) sowie seine »jiddischen« Konzerte, von denen manche den hohen technischen Anforderungen der Wieniawski-Konzerte in nichts nachstanden, erstaunten den Musikwissenschaftler Iwan Lipaew wegen ihrer Volkstümlichkeit: »Die Nationalzüge sind in den Konzerten von Cholodenko in jedem Takt«. Als ein einflußreicher und überaus eleganter Stilist und gleichzeitig für seine raffinierten Vogelstimmen-Imitationen bekannt, probte Pedotser bis zu seinem Tode die schwierigsten Geigenetüden. Imitationen waren im übrigen eine Spezialität der Klezmer-Virtuosen: So erlangte der Geiger und Kapellmeister Alter Gojsman (Alter Tschudnower, 1846–1912) mit seinen wirklichkeitsgetreuen akustischen Nachahmungen eines Eisenbahnzugs Berühmtheit.

Wie Schklow war auch Berditschew, die Heimat Pedotsers, mit dem Aufstieg des Chassidismus zu einem wichtigen Zentrum chassidischer Gelehrsamkeit und jüdischen Handels geworden. Berditschew, die archetypische jüdische Stadt in der Ukraine, ist später unter dem Namen Glupsk, Stadt der Narren, als beißendes Porträt jüdischer Rückständigkeit von dem Aufklärer Scholem-Jankew Abramowitsch in die Literaturgeschichte eingegangen. Noch zu Anfang des 19. Jahrhunderts ein kleines Schtetl, war das »ukrainische Jerusalem« bereits ein halbes Jahrhundert später mit einer Einwohnerschaft von 60 000 zur zweitgrößten jüdischen Gemeinde Osteuropas nach Warschau und

Abb. 18 Der Geiger Pedotser (Arn-Mojsche Cholodenko), Berditschew/ Ukraine, vor 1902.

zur Handelshauptstadt der Ukraine angewachsen. Da jedoch die neue Eisenbahn in den sechziger Jahren an der geschäftigen Stadt vorbeigebaut wurde, sank Berditschew wieder zu relativer Bedeutungslosigkeit herab, wies aber immerhin auch in der zweiten Hälfte des 19. Jahrhunderts noch fünfzig Klezmorim auf.

Die Geheimnisse der Tora

Mit seinen Schülern soll Pedotser auch Beethoven-Stücke diskutiert haben, so hat Irme Druker es überliefert. Der gebildete Anhänger der chassidischen Bewegung machte offensichtlich regen Gebrauch von seiner Kenntnis der lateinischen Buchstaben, eine Fähigkeit, die in chassidischen Kreisen als Ketzerei galt. Im Gegensatz zu Gusikow blieb Pedotser sein ganzes Leben lang ein Klezmer und gab keine Konzerte. Der Glanz seines Ruhms überstrahlte dennoch alle seine Zeitgenossen, und seine Kompositionen, vor allem die beliebten »Tsum-Tisch«-Melodien, bildeten einen wesentlichen Bestandteil des ukrainischen Klezmer-Repertoires um die Jahrhundertwende. Das Erscheinen Pedotsers auf Hochzeiten glich Auftritten westlicher Starsolisten: Sich seiner Wirkung wohl bewußt, beehrte der hochbezahlte Tonkünstler die Festlichkeit erst zu fortgeschrittener Stunde, wenn seine Musiker die Gäste bereits in Stimmung versetzt hatten. Die tiefe Stille bei seinem Eintritt gibt Aufschluß über die Spannung, mit der das Publikum seinem Spiel entgegenfieberte. In ähnlicher Weise wird man ein halbes Jahrhundert später die Auftritte der Klarinettisten Naftule Brandwein und Dave Tarras in New York feiern. Pedotser leitet seine Kapelle, in der Mitglied zu sein eine Ehre bedeutete, nicht nur bei Hochzeiten und Festen in und um Berditschew; auch Kunden in weit entfernten Dörfern und Städten bezahlten beträchtliche Geldsummen für das Privileg, mit dem charismatischen Geiger und seinen Klezmorim ihr Fest aufwerten zu können.

Der zukünftige Solist am St. Petersburger Marinski Theater, Sergei Levik, berichtet über die musikalische Prägung, den die eleganten Berditschewer Hochzeitsorchester bei ihm als Jüngling hinterließen, und bezeichnet diese als seine einzige »Musikuniversität«: Pedotsers Orchester spielte mindestens zweimal in der Woche in einer Festhalle, wo die Hochzeitsfeste abgehalten wurden. Aber auch die aus dreizehn Spielern bestehende Berditschewer Gruppe von Mojsche-Abe »dem Klarinettisten«, die der Überlieferung nach alle ohne Noten spielten, konkurrierte mit dem Starorchester des Meistergeigers. Hinter den Kesselpauken zusammengekauert, verbrachte der musikbesessene Jüngling viele Stunden beim Zuhören und Nachsummen der Musik. Es scheint damals zu den beliebten Jungenstreichen gehört zu haben, den Klezmorim nachzuschleichen und hinter dem Rücken des Kontrabassisten an den Saiten des oft baufälligen Instruments zu zupfen – und diesen Spaß dann mit einer kräftigen Ohrfeige von den erbosten Gesellen zu bezahlen! Ja, dafür konnte man sogar am Ohr gezogen und mit den Worten »na

Mamser, kusch die Mesuse« vor die Tür befördert werden: »da Bastard, küß die Mesuse«, womit das Stück Pergament mit Passagen aus dem Alten Testament gemeint ist, das alle Juden an den Türpfosten anbringen. So erzählt es jedenfalls Scholem Alejchem in »Afn Fidl«. Wie der Dichter bleibt auch der Opernsänger Levik zeitlebens den Klezmer-Klängen verfallen: In späteren Jahren hört er während der Sommerzeit draußen auf der Straße Pedotsers Orchester mit der Musik der Walzerkönige Émile Waldteufel (1837–1915) und Johann Strauß, Opernarien von Tschaikowsky sowie andere Salonstücke, die der Meister arrangiert hatte.

An seinen Kompositionen mit ihren hohen technischen Anforderungen schieden sich die mittelmäßigen und mit mangelnder Kenntnis jüdischer Spielweisen ausgestatteten Spieler von den fähigen und begabten Klezmer-Geigern. Gleichzeitig sollen seine Melodien eine solche Tiefe besessen haben, daß Reb Dowidl aus Mischa Elmans Geburtsstadt Talnoje behauptete, in ihnen würden Geheimnisse der Tora verborgen sein, tiefe Geheimnisse, die selbst Pedotser nicht kenne. Während der bleiche, stets im Kaftan konzertierende Gusikow in den westeuropäischen Metropolen das jüdische wie nichtjüdische Publikum zu Begeisterungsstürmen hinriß, blieb der Ruhm von Pedotser – ein deswegen nicht minder bedeutender Musiker – auf das vielfältige Völkergemisch der Ukraine und ihrer benachbarter Regionen beschränkt.

Der große »Panini«

Joseph Gusikow ist heute kaum mehr als eine Fußnote in der Geschichte der Kunstmusik geworden, eine fast vergessene Kuriosität aus der Ära des romantischen Genie-Virtuosen des 19. Jahrhunderts. Lange vor dem Ostjudenkult des Ersten Weltkrieges, als die assimilierten deutsch-jüdischen Frontkämpfer an der Ostfront in ihren noch der traditionellen Lebensweise verwurzelten Glaubensgenossen die »wahren« Juden entdeckten und ihre Kultur für die Ziele des Zionismus zu vereinnahmen suchten, nahm der Holz- und Stroh-Tsimbler die westeuropäische Faszination mit dem »Kaftanjuden« vorweg.

Erwachsen aus dem osteuropäischen Klezmer-Milieu und ausgebildet als ein solcher, hat dieser zu Unrecht vergessene Künstler durch seine Konzerttätigkeit im westlichen Europa und seinen Gebrauch des westlichen klassischen Repertoires die traditionelle Klezmeraj weit hinter sich gelassen. Daß er in Konzertsälen spielte – wie 1836 in der Salle Pleyel, wo Chopin einige Jahre zuvor seine ersten Pariser Konzerte gegeben hatte –, kann in der Rückschau als Vorwegnahme dessen gesehen werden, was sich um die Wende des zwanzigsten Jahrhunderts als generelle Entwicklung erweisen sollte: die Hinwendung talentierter Klezmorim zur klassischen westlichen Musikkultur. Weitaus früher als bisher angenommen zeigte sich somit auch der Einfluß europäischer Kunstmusik auf die Klezmorim.

Kurios, aber aufschlußreich ist in diesem Zusammenhang die fiktionalisierte Gestalt des Niccolò Paganini, über den selbst im entlegensten Schtetl Legenden kursierten: Sie gibt interessante Anhaltspunkte über die am westeuropäischen Virtuosentum ausgerichtete Orientierung der osteuropäischen Klezmorim. Paganini sei ein Jude, so heißt es in Scholem Alejchems Erzählung »Afn Fidl«, der mit Tubal-Kain, dem biblischen Ahnherrn der Schmiede, Methusalem und König David – den ersten Geigern überhaupt – auf einer Stufe gestanden haben soll. Der Mythos zeigt sich in der Polarisierung: Einerseits soll er seine Seele dem Teufel für eine Geige verkauft haben, andererseits habe er den Goldlohn der Könige und Kirchenväter ausgeschlagen und lieber vor armen Leuten gespielt, in Wirtshäusern der Dörfer und sogar für die Tiere des Waldes – Handlungen, die nicht von ungefähr auch Stempenju zugeschrieben wurden. Scholem Alejchem übernahm Einzelheiten aus den damals vielgelesenen Erinnerungen des Schriftstellers Grigori J. Bogrow und dessen Beschreibung seines Lehrers Levik. Dieser Levik spielte auf einer schwarzen Fiedel, die nach seinen eigenen Worten dem großen »Panini«, Paganini, selbst gehört habe. Panini sei der Kaiser der Fiedler und habe das Spielen mit Hilfe des Teufels gelernt, als er wegen der Ermordung seiner Frau im Turm saß. Nach der Befreiung durch den damaligen französischen König habe man Panini viel Geld geschenkt, nur damit er sein wunderliches Spiel hören lasse, und wenn eine Saite bei ihm zerbarst, spielte er weiter auf drei Saiten, und wenn die zweite Saite barst, spielte er noch besser.

Die unheimliche Legendengestalt des judaisierten Paganini, wie die wirklichen Klezmorim Gusikow, Stempenju und Pedotser Bestandteil des kollektiven jiddischen Bewußtseins, vereint alle Entwicklungsstränge und unlösbaren Widersprüche der Klezmer-Musik, weist sie doch in die europäische Moderne und in die Vergangenheit des deutschen Mittelalters zugleich. In Paganini verbergen sich die Wunschvorstellungen und Ambitionen der osteuropäischen Klezmorim, die eine Synthese mit der westeuropäischen Kunstmusik suchten, die sie im realen Leben nicht erreichen konnten. Selbst Gusikow hat seinen grandiosen Erfolg zumindest teilweise – neben seinen zweifellos überragenden musikalischen Fähigkeiten – auch der Faszination mit dem »Exotischen« der besseren Kreise der europäischen Metropolen zu verdanken. Und solange man den eigentlichen Urgrund der Musik Gusikows, Stempenjus und Pedotsers nicht hört und begreift, wird dieser »Panini« auch die jahrtausendealte Furcht vor den magischen Kräften der Musik verkörpern, die im Pakt mit den höheren Mächten die Menschen beherrscht und verführt.

Klezmorim als Ausbilder der Musikelite des 20. Jahrhunderts

Im Gegensatz zu Gusikow wird Pedotser von der Musikgeschichte gänzlich übergangen. Musiker der nachfolgenden Generation, zu der sowohl der Pedotser-Schüler Pejsech

(Pjotr) Stoljarski (1871–1944) – das historische Vorbild für Irme Drukers Figur Esre Maljarski – als auch Lejb Pulver (1883–1970) und der später in Amerika für seine jiddischen Theaterkompositionen und Platteneinspielungen berühmt gewordene Joseph Cherniavsky gehörten, begannen ihre Laufbahn zwar noch innerhalb des alten Lehrsystems, ergriffen aber schon bald als Heranwachsende die Gelegenheit, nach der Ausbildung in den Konservatorien auch das klassische Musikleben zu erobern – im Gegensatz zu Makonowetski, der zeitlebens dem Klezmer-Milieu verhaftet blieb. Der zehnjährige Joseph Cherniavsky und sein zwölfjähriger Bruder entliefen nach Odessa und versuchten unter Prostituierten und Kriminellen in der Moldowanke, dem berüchtigten Gaunerviertel der Hafenstadt, zu überleben. Ein Bruder ihres Vaters, Alexander Fiedelman, damals neben Leopold Auer in Sankt Petersburg und Stoljarski in Odessa einer der drei führenden Violinpädagogen in Rußland, erteilt Joseph Cello- und seinem Bruder Geigenunterricht.

Fiedelman wiederum, auch Sohn eines Klezmers, hatte seine Ausbildung bei dem Geiger Adolf Brodsky (1851–1929) absolviert, der Tschaikowskys Konzert in Wien im Jahre 1881 uraufgeführt hatte. Der Beitrag des Odesser Pädagogen Stoljarski, der so viele der großen Geiger des 20. Jahrhunderts wie Nathan Milstein, David und Igor Oistrach und Joseph Roisman vom Budapester Streichquartett ausbildete, ist bislang nicht genügend gewürdigt worden. Der Entwicklungsprozeß vollendete sich dann mit den Geigenvirtuosen Mischa Elman (1891–1967), Jascha Heifetz (1901–1987), Milstein und Oistrach (1908–1974), die – obwohl kaum noch vertraut mit dem Klezmer-Milieu aus erster Hand – die Klezmer-Tradition dennoch durch ihre emotionale Qualität, ihren besonderen Ton und ihre brillante Ornamentierung in die klassische Musik tragen.

Es ist sehr wahrscheinlich, daß die Dirigenten der osteuropäischen Symphonieorchester die Ausbildung der Klezmorim als ebenbürtig mit derjenigen der Konservatorien ansahen, insbesondere, wenn sie die solide Erfahrung der Geiger mitbrachten. Dies belegt auch eine Geschichte des jungen Boris Thomashefsky (1868–1938), des späteren Gründers des Jiddischen Theaters in New York: Als sich der ausgebildete Meschojrer für einen Platz im Chor der Kiewer Oper bewarb, riet ihm der italienische Direktor, seine Studien als Kantor noch eine Weile fortzusetzen, um sich dann später für eine Stelle im Ensemble zu qualifizieren. Auch in der Familie Thomashefsky setzt sich bis heute die Tradition fort: Der Enkel von Boris ist der derzeitige Dirigent der San Francisco Symphony Michael Tilson-Thomas.

Die um die 1870er Jahre geborenen Musiker wie Makonowetski stellten die vermutlich letzte Generation von Klezmorim – und vor allem von jüdischen Geigern –, die noch unter dem alten, auf Lernen nach Gehör basierenden Lernsystem aufwuchsen und während ihrer gesamten Lebenszeit als Klezmorim tätig blieben. Auch der Lebensweg von Makonowetskis Kindern und vor allem der seiner Enkel ist typisch für Klezmer-Nachkommen in Rußland: Aufgewachsen während der sowjetischen Ära, studierten sie in russischen und sowjetischen Musikschulen und Konservatorien und nahmen – wie die Mehrzahl der jüdischen Musiker dieser jüngeren Generationen des ehemaligen Ansiedlungsrayons – die Gelegenheit wahr, aus dem Klezmer-Milieu in die russisch-sowjetische Kunst- und Popularmusik hinüberzuwechseln.

Kiew 1941: Das Ende

Ohne die von M. I. Rabinowitsch aufgenommenen sechs Stücke würden wir heute nicht mehr wissen, wie die letzten Klezmer in Rußland geklungen haben. Seine Spur verliert sich Ende der dreißiger Jahre; ob er in den Strafkolonien des stalinistischen Gulag oder den Massengräbern von Babi Yar endete oder von der Sowjetregierung vor der anrückenden deutschen Wehrmacht in den Osten der UdSSR evakuiert wurde – wir wissen es nicht. Vielleicht haben er und seine Musiker ihr Ende so erleben müssen wie mancher ehemalige Klezmer, der den Sprung vom Hochzeitsmusiker zum Angestellten des Kiewer Radioorchesters geschafft hatte: Als am 24. September 1941 der neue deutsche Direktor von Radio Kiew seinen Dienst antrat, befahl er als erstes, daß von den versammelten Mitarbeitern alle Juden aufstehen sollten. Als sich auch beim zweiten Mal niemand erhoben hatte, schrie er, rot im Gesicht vor Zorn in die tödliche Stille: »Alle Jidden aufgestanden!« und griff zu seinem Revolver. Und so begannen sie sich langsam von ihren Sitzen zu erheben, die Musiker, Geiger und Cellisten – Kinder und Enkel einst stolzer Klezmer-Dynastien –, auch einige Techniker und Editoren, und mit gesenktem Kopf dem Ausgang zuzugehen.

Klezmer-Musik in Amerika

»Di goldene Medine«:
Die Entdeckung von Amerika

Lange vor dem Beginn der Massenauswanderung zwischen 1881 und 1924 hatten sich osteuropäische Juden auf den Weg in die Neue Welt gemacht: Insbesondere die zaristische Wehrpflicht trieb ab 1827 junge Männer über die preußische Grenze in die westeuropäischen Häfen, von wo sie sich nach Übersee einschifften. Im Verlauf der folgenden Jahrzehnte füllte ein beständig zunehmender Strom von Auswanderern die billigen Unterdecks der Transatlantik-Schiffahrt.

Nach der Herrschaft des gefürchteten Nikolaus I. hatten die verfolgten und unterdrückten Juden unter dem reformfreudigen Alexander II. optimistischer in die Zukunft zu sehen gewagt. Die Ermordung des Zaren, der ihnen die russischen Schulen, Universitäten und Musikkonservatorien geöffnet hatte und von dem man sich erzählte, daß er unter seinen Oberkleidern die »Tsitses« trug, das mit vier gedrehten Fransen versehene rituelle Untergewand der jüdischen Männer, setzte ihren Hoffnungen ein jähes Ende. Eine erneut antisemitische Gesetzgebung und zahllose Pogrome waren die Folge und setzten eine Auswanderungswelle großen Ausmaßes in Gang. Zwischen 1881 und 1890 flohen 150 000 eingeschüchterte und verarmte Menschen, im folgenden Jahrzehnt nahmen weitere 350 000 die kathartische Überfahrt voller Schrecken auf sich, an deren Ende ihre »Neuerschaffung« als Amerikaner stand.

Zu dieser Zeit lebte knapp ein Viertel der russischen und litauischen Juden in erbärmlichen Verhältnissen: kinderreiche Familien zusammengepfercht in einer Hütte oder einem Kellergelaß, bei Ernährung von Wasser und Brot, auf dem nackten Fußboden schlafend. Während der endlosen Folge von Ausschreitungen und Elend zogen bis 1914 weitere anderthalb Millionen Juden fort aus der alten Heimat, Frauen, Kinder, ältere Familienangehörige, ja, ganze Dorfgemeinschaften. Die Mehrheit kam aus den weißrussischen, polnischen, bessarabischen und ukrainischen Teilen Rußlands, besonders von den nordwestlichen Gebieten an der preußischen Grenze. Unter den insgesamt zwei Millionen Flüchtlingen zwischen 1881 und 1914 befanden sich auch 340 000 Juden aus Österreich-Ungarn, und die offen antisemitische Gesetzgebung und Pogromhetze des rumänischen Staates um die Jahrhundertwende führte zu einer proportional noch höheren Auswanderung auch der rumänischen Juden. Durch den Verlust eines Drittels des osteuropäischen Judentums verwaisten ganze Landstriche, und die verbliebene Bevölkerung verelendete.

Genaue Zahlen der nach Amerika ausgewanderten Instrumentalisten sind nicht bekannt, aber es war wenig wahrscheinlich, daß ein angesehener und mit Engagements überhäufter Klezmer wie der Geiger Pedotser das Wagnis einer Auswanderung in Betracht gezogen hätte. Es waren anfangs die jüngeren Sprößlinge der alteingesessenen Klezmer-Familien sowie die weniger Begabten und Glücklosen, die Ärmsten der Armen, die sich nach Amerika aufmachten. Zeitgenössische Fotos lassen vermuten, daß keines der Mitglieder des New Yorker »Max Leibowitz Orchestra«, des »Abe Schwartz Orchestra«, von »Joseph Cherniavsky and his Yiddish American Jazz Band« und der »Boiberiker Kapelle« Anfang der 1920er älter als fünfzig Jahre alt war.

Aber auch im Lande von Kolumbus waren die Straßen keineswegs mit Gold gepflastert, und der größte Teil der Auswanderer fand sich zunächst spiegelgleich in ähnlich elenden Verhältnissen wieder: Wie zu Hause schliefen, kochten, wuschen und schufteten in den beengten Unterkünften der moderigen Mietskasernen der Lower East Side New Yorks ganze Familien Tag und Nacht in Heimarbeit für die schon reich gewordenen Zwischenhändler und Firmenbesitzer.

»Do not take a moment's rest. Run. Do.«
Das Leben unter Wolkenkratzern

Fast jeder Ankömmling durchlief eine Lehrzeit als Neu-Amerikaner, indem er als fliegender Händler mit Holzkarren oder Handlanger in einem der »Sweatshops«, der Billiglohnwerkstätten, seine ersten Cents verdiente. In diesen stickigen, überfüllten Lofts vibrierte es von traurigen und fröhlichen Liedern, die sich mit dem unermüdlichen Geratter der Maschinen verbanden. Aus den Fenstern drangen Melodien der Synagoge und der Jiddischen Bühne, beliebte amerikanische Lieder und Melodien aus den in Mode gekommenen Tanzschulen sowie die unvergessenen Weisen aus Rußland, Polen, Galizien, Rumänien und Ungarn. Respektlose Neuankömmlinge unterlegten nicht selten die hebräischen Gebetsgesänge des Versöhnungstages mit obszönen jiddischen Parodien und trugen diese ihren Kameraden vor – ihre Abrechnung mit der verfluchten Alten Welt, die sie ausgestoßen hatte wie eine lieblose Mutter. In den engen Straßen drängten sich die Einwanderer aus Kisvarda, Kimlischuk und Kotsk vorbei an den mit Waren bepackten zweirädrigen Holzkarren, den »Pushcarts«, und sogar die Ärmsten waren gut gekleidet und trugen konfektionierte Hüte. Man hörte jiddische Dialekte aus allen Teilen Osteuropas, und Schilder in Englisch und Jiddisch, manchmal auch in Russisch, priesen Waren und Dienste aller Art an. Jedes Schtetl der Alten Welt findet sich wieder in den lärmenden Mikrokosmen der unzähligen Cafés, deren Fußböden mit Sägespänen bestreut sind wie in Europa, jedes von ihnen Treffpunkt von »Landslajt«, den Landsleuten, und »Landsmanschaftn«, ihren Wohltätigkeitsorganisationen.

Wenn auch ausgebeutet und überarbeitet, erlaubten die spärlichen Löhne den Einwanderern dennoch den Besuch von Englischklassen, den Unterhalt der Angehörigen daheim und den Besuch im Jiddischen Theater. Manche gaben sogar bis zur Hälfte ihres wöchentlichen Verdienstes für Theaterkarten aus. Und es dauerte nicht lange, bis Landsleute, die in der Alten Welt in Armut und Unwissenheit gelebt hatten, Besucher der Metropolitan Opera oder der Carnegie Hall wurden. Nach den ersten Jahren als Hausierer eröffneten sie ein Geschäft, und schon bald klimperten ihre Töchter – potentielle Partien für Sweatshop-Millionäre und protzige »Alrightniks«, die neureichen Emporkömmlinge – auf den ersten Pianos in den ärmlichen Wohnungen Musik nach Noten. Der Ehrgeiz der Eltern traf sich hierbei aufs Wunderbarste mit dem Versprechen der zahllosen Musik-»Professoren« – die zumeist im heimatlichen Galizien oder Podolien zu den ärmsten und am wenigsten ausgebildeten Klezmorim gehört hatten –, ihre kleinen Wunderkinder zu großen Stars zu machen.

»A Yiddishe Mame«

Die Beliebtheit des New Yorker Jiddischen Theaters – gegründet 1882 von dem damals erst dreizehnjährigen Boris Thomashefsky – und seiner Schlager begünstigte die Verbreitung von billigen Loseblattnoten und verhalf Firmen wie Joseph Werbelowsky und seiner »Hebrew Publishing Co.« zu einem blühenden Geschäft mit jiddischen Melodien, wie z. B. »Rozhinkes mit Mandlen« (Rosinen mit Mandeln, 1898) von Avrom Goldfadn, sowie mit russischer, polnischer und rumänischer Musik. Auch die Musik der »Tin-Pan-Alley-Komponisten«, jene schnellebigen amerikanischen Gassenhauer, die meistens von osteuropäisch-jüdischen Immigranten komponiert und nach dem blechernen Klang des Pianos des dort ansässigen Verlegers Harry von Tilzer benannt worden waren, wurde unter den Einwanderern sehr populär. Zwei Hausierer, die Knopf- und Schlipsverkäufer Stern und Marks, trafen 1894 mit ihrem Schlager »The Little Lost Child« direkt ins Herz des jüdischen Massenpublikums und verkauften zwei Millionen Notenexemplare. Der Schlager vom verlorenen kleinen Mädchen, das von einem Polizisten zur Mutter zurückgebracht wird, die sich – oh Wunder! – als seine verschollene Frau herausstellt, wurde zum bis dahin erfolgreichsten

Ausdruck eines Themas, das während der nächsten Jahrzehnte die jiddische Bühne und Leinwand bestimmen sollte: die auseinandergerissene jüdische Familie mit ihren kaltherzigen amerikanisierten Kindern, die zigarettenrauchend und tennisspielend ihre Gleichgültigkeit gegenüber den Werten der Eltern ausdrücken, und die verlorene alte »Hejm«. In den Klängen von Sophie Tuckers Schlager »A Yiddishe Mame« (Jack Yellin und Hugh Pollack, 1925), hingeschluchzt in den klagenden Modulationen der Synagoge mit einer geradezu schamlosen und kalkulierten Gefühlsdarbietung, verschmolz die jiddische Welt mit der amerikanischen – ein melodramatischer Abgesang auf die als Muttersymbol verklärte alte Heimat Europa. Auch im jiddischen »Schund-Film« der dreißiger Jahre, ohne Musik nicht denkbar, bevölkerten archetypische leidende Elternpaare – vor allem die schmerzzerrissene jüdische Mutter – und verbrecherische Kinder die düstere Szenerie, bis die Assimilierung mit der neuen Generation vollzogen war.

Jiddische Massenkultur und Assimilation

In den bewegten neunziger Jahren wurde die Lower East Side geschüttelt von Massenarbeitslosigkeit und Wirtschaftskrise, militantem Arbeiterkampf und politischen Reformen. Die Musiker bekamen dies allerdings am wenigsten zu spüren, sie konnten sich auf ihre bereits im Entertainment-Sektor etablierten Familienmitglieder und Landsleute verlassen und nicht nur der wirtschaftlichen Not, sondern auch den gängigen Rassenvorurteilen größtenteils entkommen, nicht unähnlich den Enklaven des Sports und der Unterhaltungskultur, in denen Amerikas Schwarzen gesellschaftliche Anerkennung zugestanden wurde.

Bereits um die Jahrhundertwende befand sich ein Teil der Vaudeville-Theater in jüdischem Besitz, gleichzeitig bekamen Sänger und Entertainer die Möglichkeit, in den Nachtclubs aufzutreten, und manche der späteren Gründerväter Hollywoods, wie Marcus Loewe und Adolph Zukor, versuchten zunächst ihr Glück mit Nachtclubimperien. Auch die leichtsinnige »Burlesque« mit ihren knapp kostümierten Tänzerinnen, sowohl Vorläuferin des Striptease als auch der Broadway-Revue, verdankt ihre Verbreitung Söhnen von Vätern, für die biblische Gleichnisse und Predigten noch Bestandteil ihres geistigen Universums waren. Auf den kleinen Bühnen der Burlesque-Theater begannen Eddie Cantor (1892–1964), Sophie Tucker (Sophie Abuza, 1884–1966) und die mit falschem jiddischen Akzent singende Fanny Brice (Fannie Borach, 1891–1951) – deren Lebensgeschichte »Funny Girl« später von Barbra Streisand verkörpert wurde – ihre Karrieren. Zwischen tortenklatschenden Slapsticks und Lachnummern singender und tanzender Komödianten erklangen auch die ersten Lieder von Irving Berlin (Israel Balin, 1898–1989), dem russischen Juden aus Mogilew, dessen Schlager wie »White Christmas« und »Alexander's Ragtime Band« in aller Welt bekannt wurden.

Die Begegnung von Schtetl-Juden mit der größeren urbanen und nichtjüdischen Welt schuf eine günstige Konstellation, von der aus sich eine blühende Popularkultur entwickeln konnte. Neben dem Jiddischen Theater etablierten sich der jiddische Journalismus (vor allem durch die Gründung der Zeitung »Forverts« im Jahre 1897) und – durch die Vermarktung von Phonograph und Grammophon – das kommerzielle Musikgeschäft. Vor den Plattenläden drängten sich junge und alte Passanten, um die heiseren Melodien aus den Lautsprechern zu hören: Kantor Jossele Rosenblatt mit dem »U'-Mipnej Chato-Ejnu« Gebet (1914), Abe Schwartz' »Di Grine Kusine« (1917), vorgetragen von einer Frauenstimme, ganze Teile des Jom Kippur-Gottesdienstes und danach eine Figaro-Arie mit Tito Ruffo.

Im New Yorker Ghetto gab es keinen Mangel an Konzerten und aller Art musikalischer Unterhaltung, gute Musik war wesentlicher Bestandteil des Alltagslebens der jüdischen Miethausbevölkerung der Lower East Side Tenements. Die Luft war energiegeladen, schien zu bersten vor dem ungehemmten Selbstbewußtsein der Einwanderer und ihren neuen grandiosen Lebensentwürfen, ihrem Ehrgeiz – und ihren Musiktraditionen.

In diesen Massen von hoffnungsvollen Menschen befanden sich Musiker wie die unternehmungslustigen Brandwein-Brüder aus Galizien, der bekannte Klarinettist Shloimke Beckerman (1883–1974) aus der Ukraine und der ebenfalls aus der Ukraine stammende Dave Tarras, dessen hölzerne C-Klarinette bei der Desinfizierung nach der Ankunft in Ellis Island sogleich in Stücke zerfiel. »Forget your past, your customs, and your ideals«, mahnte ein weitverbreitetes Handbuch die erschöpften Neuankömmlinge, »Do not take a moment's rest. Run. Do« – und so verschlang der »Grine«, der Grüne, wie die Einwanderer genannt wurden, mit schlechtem Gewissen und ohne Gebet und Waschung sein erstes Stück grobes Roggenbrot von einem Stand inmitten der Menschenmassen in der Essex Street. Mit der Erfüllung der 613 Mitswes des Talmuds bestand auch die Pflicht zu rituellen Waschungen und einem kurzen Gebet vor einer Mahlzeit – so wurde es ihnen von ihren Vorvätern überliefert. Und selbst die jungen Rebellen und Häretiker der Schtetlech zeigten sich verwundert darüber, daß man in Amerika keine Zeit mehr hatte, seine Gebete zu sagen, ja, daß nicht wenige Geschäfte auch am Schabbat und auch an den Feiertagen geöffnet blieben! Angesichts solcher gebieterischen Zukunftsformeln mag nicht wenige der altmodischen Musikmacher aus dem Schtetl bei der Ankunft in der Neuen Welt eine beunruhigende Vorahnung beschlichen haben: Nichts würde mehr sein wie vorher, das Leben begann mit der Lower East Side!

Unter der elektrischen Chupe:
Eine Hochzeit an der Lower East Side

Die Catering Halls

Zu Beginn des Jahrhunderts gab es um die dreißig verschiedene Festhallen an der Lower East Side zwischen Houston und Grand Street, östlich der Bowery. Mit Namen wie »Pythagoras Hall«, »Zwieck's Hall« und »Apollo« versprachen sie für einen Mietpreis von 30 Dollar für Hochzeiten, Tanzvergnügen der Landsmanschaftn und Versammlungen der politischen Parteien und Gewerkschaften besten Service: Mit »Scheinwerfern, elektrischer Chupe, runden Tischen, Marmortreppen, Candelabras und Silberservice« und – nicht zu vergessen – koscherer Küche unter der Aufsicht von zwei Rabbinern wandten sie sich, wie eine Anzeige aus dem »Tog« vom 15. November 1914 belegt, direkt an Braut und Bräutigam und nicht mehr an die Brauteltern. Die Catering Halls waren aber nicht unbedingt eine Erfindung Amerikas, denn auch Pedotser spielte in den neunziger Jahren in Berditschew in einer solchen Festhalle, eine direkte Forführung der Hochzeitshäuser des mittelalterlichen Aschkenas. Juden heirateten auch in extravaganten Hotels wie im »Astor Hotel« in der Fourteenth Street und, in den Jahren zwischen den beiden Weltkriegen, in den modernen jüdischen Gemeindezentren wie dem »Brooklyn Jewish Center« in der Eastern Parkway, spöttisch »a pool with a school and a shul« (Ein Pool mit einer Schule und einer Synagoge) genannt.

Die letzten Badchonim

Die Mehrzweckhallen für einige hundert Gäste waren gewöhnlich lang und schmal, anscheinend immer unzureichend beheizt und beleuchtet. Fast immer waren auch die Samtvorhänge des Traubaldachins verblichen, und an den Wänden hingen die Satzungen der Landsmanschaftn und die roten Banner der sozialistischen Vereinigungen und Gewerkschaften, die wie Reliquien hinter Glas ausgestellt wurden. Abgesehen von diesen neuzeitlichen Kulissen, unterschied sich der Ablauf einer typischen Hochzeit im New York der 1890er Jahre kaum von einem Hochzeitsfest in Osteuropa. Die spärlichen Quellen über Klezmorim aus den ersten drei Jahrzehnten der Einwanderung wie die Kurzgeschichte »A Ghetto Wedding« (1898) von Abraham Cahan (1860–1951), dem einflußreichen Journalisten und Redakteur des »Forverts«, belegen z. B., daß die Hauptrituale der Hochzeit wie das »Kale-Basetsn« zu der Zeit noch eingehalten wurden. Gewöhnlich begann das Fest mit dem Tanzen zu einer Musik, deren emotionale Intensität die bevorstehende Trauungszeremonie bereits ahnen ließ. Geigen, Kornett und Klarinette ließen ihrem Schmerz zum Gebrumm des Kontrabasses freien Lauf, bis der Badchn seine Kopfbedeckung aufsetzte und mit näselnder Stimme in einen klagenden Singsang im Synagogenstil verfiel. Wie alle Badchonim mit melancholischem Gesicht, vermoostem Bart und getrieben von der Entschlossenheit, nicht eher zu ruhen, als bis mindestens ein Teil der weiblichen Begleitung in Ohnmacht gefallen war, sang er den Tanzenden zu: »Kommt, Damen, laßt uns die Braut verschleiern!«, und zu jedem seiner mahnenden Verse weinten, schluchzten und stöhnten die Instrumente und die weiblichen Hochzeitsgäste um die Wette. Unter dem knirschenden Geräusch des zerbrechenden Glases, zertreten vom Fuß des Bräutigams, überschlugen sich die Masltow-Rufe der Gäste, und die beleibten Matronen rafften ihre Röcke und verfielen in ein ganz unziemliches, wildes Hopsen. Die Instrumente stimmten einen jubelnden »Chossn-Kale Masltow«-Tanz zum Glückwunsch des Bräutigams und der Braut an, und das junge Glück schwebte an zwei langen Reihen von händeklatschenden und singenden Gästen entlang durch den Saal. Die Glückwünsche folgten ihnen noch, als sie sich bereits auf thronähnliche Sessel niedergelassen hatten. Besonders die Braut fühlte sich zu diesem Zeitpunkt erleichtert und wie nach dem Durchstehen einer schweren Heimsuchung. Nachdem die überschwengliche Freude und Erregung abgeebbt war, erklomm der Badchn einen Stuhl und gab den Musikanten mit ausladender Geste das Zeichen zum Tusch, laut und lang, und kündigte die Eröffnung des Banketts an. Die Gentlemen wurden nun aufgefordert, ihre Ladies in den Festsaal zu geleiten. Geführt von den Brautleuten und gefolgt von den Schwiegereltern, den stolzen Mechutonim, formierte sich eine Prozession von Paaren und marschierte zu den Klängen eines feierlichen Marsches in schnellen Schritten zu den festlich gedeckten Tischen. Während des abschließenden Festessens übertraf sich der Badchn, der sich schon das Ergebnis der Kollekte für seine Dienste ausrechnete, selbst mit Wortspielen und Witzen, bis der ganze Raum mit Fröhlichkeit erfüllt war. Weit nach Mitternacht, zu den Abschiedsklängen der Klezmorim, verließen die letzten Gäste die Halle.

Eliakum Zunser

Zu jener Zeit war der Wilnaer Badchn Eliakum Zunser noch der beliebteste Gast bei jüdischen Hochzeiten in New York. Seine kunstvollen Verse aus Parabeln und Allegorien mit ihren zeitgenössischen Themen wie Pogrome und Armut hatten einst die ganze jiddische Welt aufgerüttelt und zu Tränen gerührt, aber mit zunehmender Verbreitung von Oper und Operette zeigte vor allem das jüngere Publikum in Rußland und Polen immer weniger Interesse an dem zionistischen Aufklärer und seinen Liedern. Wie beliebt Zunsers Lieder dagegen unter seinen Landsleuten in seiner neuen Heimat New York selbst in noch späterer Zeit waren, beweist die Feier zum 50. Jahrestag seiner künstlerischen Tätigkeit in der New Yorker »Cooper Union« am 30. März 1905. Der Abend endete mit der Orchesteraufführung eines Medleys von Zunsers berühmtesten Melodien, es dirigierte der Flötist Maurice Borodkin von der Metropolitan Opera; Borodkins Vater war Klezmer in Minsk gewesen, wo er Zunser in den siebziger und achtziger Jahren des 19. Jahrhunderts oft begleitet hatte. Als das Orchester die Lieder anstimmte, fiel das ganze Publikum mit ein: Es kannte jedes Wort seiner Gedichte, die damals noch zum Alltag insbesondere der älteren Einwanderer gehörten.

So fungierten die Badchonim wie ihre weltlichen Brüder, die Broder-Sänger der osteuropäischen Kaffeehäuser, als Bindeglieder zwischen den alten Volkstraditionen und der entstehenden säkularen Musikkultur der jiddischsprachigen Massen in Amerika – einer Kultur, die ihren Gipfelpunkt in den amerikanisch-jiddischen Theatern und Vaudeville-Bühnen während der zwanziger Jahre erreichen würde.

Vom Mysterium zur Party: Die Amerikanisierung der jiddischen Hochzeit

Wie die Badchones des Eliakum Zunser schon um die Jahrhundertwende die junge Generation nicht mehr anzusprechen vermochten und der gebildete Moralist und Deklamator sich sein Brot als Inhaber einer Druckerei verdienen mußte, so geriet auch das religiös-traditionelle Repertoire der ersten Einwanderer im Schmelztiegel New York in Vergessenheit. Der Assimilationsdruck von innerhalb und außerhalb der jüdischen Gemeinschaft führte zu einer grundlegenden Wandlung des Hochzeitsrituals »Kale-Basetsn«, und die feierlichen Märsche der Verwandten und Gäste an die verschiedenen Orte des hochzeitlichen Festgeschehens kamen in den beengten Wohnverhältnissen der Einwandererquartiere außer Gebrauch. Die allmähliche Säkularisierung der Hochzeit erforderte statt der meditativen Tsum-Tisch-Improvisationen immer mehr Tanz- und amerikanische Musik. Wie der Trommler und Allround-Entertainer Max Goldberg (geb. 1911 an der Lower East Side) erzählt, begannen die Festlichkeiten in den frühen zwanziger Jahren mit allgemeiner Tanzmusik: »Wir kamen rein und spielten einen Walzer, einen

Tango, einen Two-Step. Es gab keine langsame Musik, sie hatte immer einen ausgeprägten Rhythmus.« Während des Festbanketts waren die Speisesäle mit Menschen überfüllt, es gab überall Tische. Als Tafelmusik spielten die Musikanten Ouvertüren wie z. B. von Suppés »Dichter und Bauer« und »Leichte Kavallerie« (1866) oder Werke von Goldfadn wie »Akejdes Jitschok« (Die Opferung Isaacs) und »Bar Kochba« (1883). Nach dem Essen gingen die Kapellen wieder zur Tanzmusik über und spielten jiddische Frejlechsn und Bulgars, aber auch Polkas und russische und Wiener Walzer. Die Gäste, vor allem die Männer, tanzten die Frejlechsn in Gruppen, wobei sie mit ihren Füßen rhythmisch auf den Boden stampften. Die Musikanten spielten gewöhnlich fünf bis sieben Stunden lang, eine Melodie nach der anderen.

Die Hochzeiten in den jüdischen Immigrantenvierteln übernahmen viele Sitten von den amerikanischen Hochzeiten wie teure Verlobungsringe, kostspielige gedruckte Einladungen mit Goldbuchstaben, prunkvolle Sommerhochzeiten mit komplett ausgerichteten Buffets und Festessen sowie die elegante Kleidung. Sogar für einfache Feiern mietete man Festhallen samt Musikkapellen und ließ sich in teuren Kutschen ein paar Blocks weiter in die nächste Catering Hall fahren. In solchen »Affairs« spiegelte sich der Aufstieg eines neuen amerikanischen Judentums wider, das durch eine Mischung von Emotionalität, Prunklust, Pragmatismus und Konsumententum gekennzeichnet war. Der magische, sakrale Aspekt der Verbindung der beiden Geschlechter ging allmählich verloren, man verstand den einstigen Sinn nicht mehr und begann, die Hochzeit von der zeitgenössischen romantisierten Einstellung aus zu betrachten. So wurde im Laufe der Zeit aus dem Mysterium eine Party, ein Fest, bei dem nicht mehr die zahlenden Braut eltern, der Rabbi, die Badchonim und Klezmorim den Ablauf des Festes bestimmten, sondern die amerikanischen Caterers. Diese Lieferfirmen übernahmen die führende Rolle und organisierten alles: nicht nur das Essen mit allem Drum und Dran – vom Blumenschmuck über Zigaretten und Zigarren, gedruckte Menükar-

ten bis hin zu Kopfbedeckungen für die Männer, den Jarmlkes, und passender Garderobe –, die geschäftstüchtigen Firmen besorgten auch die Musik, den Traubaldachin und sogar Rabbi, Chasn und »Maschgiech«, den rituellen Aufseher
für die Speisen. Viele Festhallen hatten eine »House Band«,
das heißt, einen Bandleader, der ihnen eine gewisse Summe
pro Jahr für ihre Empfehlungen bezahlte. So leitete der Klarinettist und Saxophonist Maxie Epstein von 1940–1945 zusammen mit seinem Partner, dem Trompeter Syd Cherry, seine Bands im kleinen »President's Chateau« an der Ecke von
President Street und Utica Avenue in Brooklyn und zahlte
dem Caterer jedesmal 5 Dollar, wenn er ihnen ein Engagement vermittelte.

»Hurenmeister und Gangsterfreund«: Der Klarinettist Naftule Brandwein

Um 1909 erreichten auch einige der Söhne und Töchter des
Kapellmeisters Pejsech Brandwein die größte jüdische Stadt
der Welt. Nur der Älteste und der Jüngste, die virtuosen Fiedler Elje Brandwein und Hersch Kleinman, waren in Polen
zurückgeblieben. Nachkömmlinge einer der bekanntesten
Klezmer-Familien des südöstlichen Polens und direkte Nachkommen des Ba'al Schem Tow, wurden der 1884 geborene le-
benslustige Klarinettist Naftule und seine Brüder, der Trompeter Azriel und der Schlagzeuger Mendel (Mookie), schnell
zu einem Begriff auf den unzähligen Festen in den New Yorker Gemeinden.

Im jiddischen Theaterdistrikt an der Second Avenue mit
Restaurants, Tanzhallen, Kabaretts und Kaffeehäusern ver-
kehrte damals die zumeist jüdische Unterwelt. »Segal's Café«,
unter der Herrschaft des Eigentümers Aaron Horlig alias Big
Aleck, war ein Treffpunkt der kleinen Gauner und Prostituierten: Charlie Auerbach, Zuhälter und Streikbrecher, die
Bordellbesitzerin Jennie the Factory, Harry Goldberg, »Gun«

(Taschendieb und Allround-Gauner), und Tillie Finkelstein, im Gangster-Jargon »Gun-Mol«, Taschendiebin. So wie sich das jiddische Wort für Gauner, »Ganef«, offensichtlich problemlos in das englische Wort »Gun« – Pistole, Gewehr – ummodeln ließ, rekrutierte sich aus diesem noch ganz osteuropäisch geprägten kleinen jüdischen Gaunertum der Lower East Side und vor allem des jüdischen Viertels Brownsville in Brooklyn in den späten dreißiger Jahren die gnadenlose Berufskillerbande »Murder Inc.« von Jacob »Gurrah« Shapiro und Lepke Buchalter (1897–1944), dem »Mörder mit dem sanften Blick«.

All diese Gangster, Gauner und Gun-Mols an der Lower East Side kannten den flotten Naftule alias »Nifty« Brandwein, der mit seinen langjährigen Erfahrungen als professioneller Hochzeitsmusikant in Galizien schnell zum unbestrittenen »King of Jewish Music« aufgestiegen war. Die Freudenmädchen und »Puffmütter« sämtlicher Bordelle engagierten den genialen »Hurenmeister« mit seiner magischen Klarinette zu den Hochzeiten ihrer Töchter und Verwandten. Mit den Worten »Max, heute wirst du für mich spielen, wir werden Kohle verdienen!« nahm Naftule während der Prohibitionszeit das »Jüngelchen« Maxie Epstein mit seinem Saxophon mit in die »Pedonjes«, die rumänisch-jüdischen Spelunken. Zu diesen Etablissements gehörte »Joe the Greaser's« an der Ecke von Second Avenue und Fourth Street, dessen gleichnamiger Besitzer Joe »the Greaser« Rosenzweig in den 1910er Jahren eine Gang geleitet hatte, die die Interessen der Kürschner- und Bäckergewerkschaften gegen die ausbeuterischen Bosse durchsetzte. Dort spielten Naftule und Max für jüdische Gangster wie die berüchtigten Shapiro Brothers: Meyer, Irving und William Shapiro, Anführer einer der brutalsten Brooklyner Straßengangs. Wie ihr Schwarzmarktgeld floß auch der geschmuggelte Alkohol aus Kanada in Strömen, den die schweren Jungs sich zur Musik der Klezmers hinter die Binde gossen, nicht selten unterbrochen vom Knallen der Pistolenschüsse, mit denen sie die Glühbirnen auszuschießen pflegten.

Nach solchen Nächten trugen Naftultschik und seine Kumpel 1200 Dollar allein an Trinkgeldern nach Hause. Noch Ende der dreißiger und Anfang der vierziger Jahre pflegte er von privaten Abstechern in die Gangsterwelt mit den Taschen voller zerknitterter Fünfer, Zehner und Zwanziger zurückzukehren. Aber nicht nur bei den Gangstern saßen die Dollarnoten locker: Der bodenständige Klarinettist und Saxophonist Sid Beckerman (geb. ca. 1919 in New York) – beileibe kein Freund von Übertreibungen – erinnert sich noch an einen Job in der Bronx, wo Naftule und Sids Vater Shloimke spielten. »Als sie die Tips unter sich teilen wollten, hatten sie eine solche Rolle Scheine, dick genug, um damit ein Pferd zu ersticken«.

Die Brandwein-Familienlegende will wissen, daß ihr berühmtester Sohn mehrmals ganze Vermögen gewonnen und wieder verloren hat, aber dem freigiebigen Naftule, um dessen Großzügigkeit sich Anekdoten ranken, bedeutete Geld nichts. Ihm bereitete es diebische Freude, seinen Musikern Dollarnoten unter die Kopfkissen zu legen und ihnen nach den Hochzeiten in den rumänischen Kabarett-Restaurants Essen zu spendieren, wobei er oft 60 Dollar oder mehr ausgab – damals ein Vermögen. Sein Enkel Arthur erinnert sich noch, wie Naftule ihn in seinen letzten Lebensjahren draußen vor der Musikerunion in New York um Geld anpumpte. Seinen ausgefransten Klarinettenkoffer hielt ein Stück Schnur, die einzelnen Klarinettenteile hingen mit Gummibändern zusammen.

Ewiges Lamento:
Charakteristika des Klezmer-Spiels

Ohne eine konventionelle Ausbildung, jedoch mit einer besonderen Intuition begabt, besaß Naftule Brandwein für diese Musik eine erstklassige Technik, und sein Spiel verkörperte die Essenz der jiddischen Instrumentalmusik jener Zeit.

Der Vergleich von zwei seiner Aufnahmen der gleichen Melodie zeigt, daß Naftule sehr wohl ein Konzept von der Melodie hatte, die er nach seinen stilistischen Vorstellungen variierte und verzierte. Es war durchaus nicht so, daß seine Einspielungen jedes Mal differierten, weil sie einfach aus ihm »herauskamen«, wie die an der westeuropäischen Kunstmusik geschulten Bewunderer es auch gerne von dem »natürlichen Musiktalent« Gusikow behaupteten. Bewundernswert sind Brandweins subtile, quasi nach innen gekehrte, scheinbar endlose rhythmische und melodische Mikro-Variationen und Ausschmückungen; so fügte er beispielsweise bei einer Wiederholung der Melodie in nur einem Takt einen synkopierten Rhythmus ein; bei jeder Wiederholung spielte er die Melodie ein bißchen anders (vgl. Beispiel S. 196 unten). Andere Charakteristika seines Vortrags waren die rasenden, nach unten gezogenen Legatokaskaden (ähnlich den Koloraturen der Chasonim), die andere Spieler nur schwerlich erreichten – nicht selten soll er mit dem Rücken zum Publikum gespielt haben, damit konkurrierende Klarinettisten nicht seine »Licks«, seine eigenen Wendungen, imitieren konnten. »Seltsam, nicht wie eine Klarinette«, so beschreibt Max Epstein Brandweins Ton, dessen eigenartige innere Süße durch eine äußere Rauhheit und ein breites Vibrato abgemildert war. Bemerkenswert ist auch seine sehr schnelle und zackige, abgehackte Artikulation von fast militärischem Charakter. Seine gebogenen Töne und Wendungen mochten noch von früheren Fiedel-Spielweisen herrühren – Naftules Vater Pejsech spielte sowohl Geige als auch Klarinette. Andererseits will die Legende wissen, daß Niftys erstes Instrument die Trompete gewesen sei.

Mikro-Variation: Der Schlüssel zur Klezmer-Musik

In der Klezmer-Musik ist eben diese altmodische Form der Verzierung und Ausschmückung der Melodie das Wesentliche, eine Form, die weit über die Kunst der europäischen

Spielleute bis in die Antike zurückreicht. Aufschlußreich für weiterführende Überlegungen zu dieser introspektivischen Eigenart des Klezmer-Stils könnte ein Vergleich mit der Entwicklung der Purim-Spiele sein. Der Stoff dieser seit dem Spätmittelalter bekannten Stücke stammte aus einigen wenigen biblischen Episoden und Legenden, die von jeder Generation immer wieder neu interpretiert und aktualisiert wurden – eine Widerspiegelung der talmudischen Methode von Interpretation und Re-Interpretation. Das Purim-Spiel war, wie die Musik der mittelalterlichen Letsonim, ein Produkt der engen aschkenasischen Ghettos, es entstand in einer Welt kleiner, ebenerdiger Synagogen, die wegen behördlicher Einschränkungen nicht erweitert werden durften. Dieser einwärts gerichtete und vergangenheitsorientierte Blick bildete sich in der Folge der ersten Kreuzzüge Ende des 11. Jahrhunderts für Juden heraus, als die Beziehungen mit der christlichen Umwelt zunehmend schwieriger wurden. Die biblische Größe ihrer Vorfahren und die heroische jüdische Vergangenheit entfalteten einen Grad an Vergeistigung, der ihr bedrückendes äußeres Dasein zu transzendieren vermochte. Während die christliche Welt sich mit ihren Massakern am Volke Jesu, mit ihren Mysterienspielen und monumentalen Kathedralen auch äußerlich räumliche Zeichen ihrer Vorherrschaft setzte, mögen die Juden in diesen Jahrhunderten des inneren Rückzuges viele ihrer damaligen Gebräuche – oft nicht einmal jüdischen Ursprungs – mit neuen religiösen Bedeutungen versehen haben. Das zertretene Glas unter dem Fuß des Bräutigams, die Trauerkapuze und das Totengewand der Brautleute verloren ihre magischen Ursprünge und erhielten statt dessen einen Anstrich von Trauer über die Zerstörung Jerusalems und die traurige Lage des jüdischen Volkes. So könnte auch in der Musik die heidnische Schrillheit und das gelegentliche Umkippen in die Disharmonie mit neuen Bedeutungen versehen worden sein und einen spezifisch jüdischen Ausdruck bekommen haben: den eines Lamentos, das wieder und wieder in phantasiereichen Kombinationen kleiner und kleinster Einheiten variiert, nach in-

Verzierung und Mikrovariation

»Terkisch-Bulgarisch«

♩=138

»Terkischer Bulgar Tants«

»Wi Tswej Is Naftule der Driter« (erste 2 Wiederholungen des Hauptthemas)

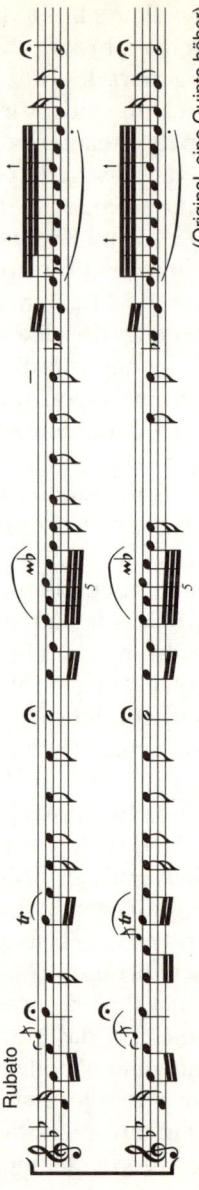

(Original eine Quinte höher)

196

nen gedreht wird, aber nach wie vor Ausdruck des einzigen großen Themas ist: Leben und Tod.

Ein gutes Beispiel für diese Mikrovariationen in der Klezmer-Musik ist die Melodie, die Naftule Brandwein als »Terkisch-Bulgarisch« im Dezember 1922 und wieder als »Der Terkischer-Bulgar Tants« am 31. März 1924 einspielte. Man beachte, wie ähnlich die ersten acht Takte der zwei Aufführungen sind, obwohl die zweite Version mehr als ein Jahr später aufgenommen wurde. Der größte Unterschied zwischen den beiden Fassungen liegt darin, daß Brandwein beim »Terkischen Bulgar Tants« im Rhythmus durch die Kadenz durchspielte, während er beim »Terkisch-Bulgarisch« die Melodie zur Ruhe kommen ließ. Noch feiner sind die Variierungen in der Wiederholung der Rubato-Einleitung seiner Aufnahme »Wi tswej is Naftule der Driter« (Wo zwei sind, ist Naftule immer der Dritte) vom April 1923. Die einzige offensichtliche Abweichung ist die Zahl der wiederholten Töne C und B.

»Gustn«, die Tonleitern der Klezmer

Klezmer-Musik, wie sie sich in Osteuropa entwickelte und in den Vereinigten Staaten von Musikern wie Naftule Brandwein und Dave Tarras fortgeführt wurde, ist eine Musik ohne formale Theorie. Sie ist weder rein modal im Sinne des osteuropäischen synagogalen Gesangs oder der klassischen Musik der Türkei und der arabischen Länder, noch entspricht sie dem westlichen harmonisch-funktionalen Muster von Dur- und Molltonarten, sondern enthält Elemente von beidem. Obwohl das melodische Material in der Klezmer-Musik meist aus kleineren Einheiten besteht, die sich im Umfang zwischen Terz und Quinte bewegen, kann man zusammenfassend sagen, daß die Musik auf vier Haupttonleitertypen basiert, von denen jeder einzelne über einen Umfang von mehr als einer Oktave verfügt. Diese Tonleitern ähneln der Funktion eines Modus – aber ohne einen klar dazugehörigen Be-

»Gustn« (Tonleitertypen)

»Frejgisch« auf D

»Ukrainisch-dorisch« auf C

»Moll« auf D

»Dur« auf F

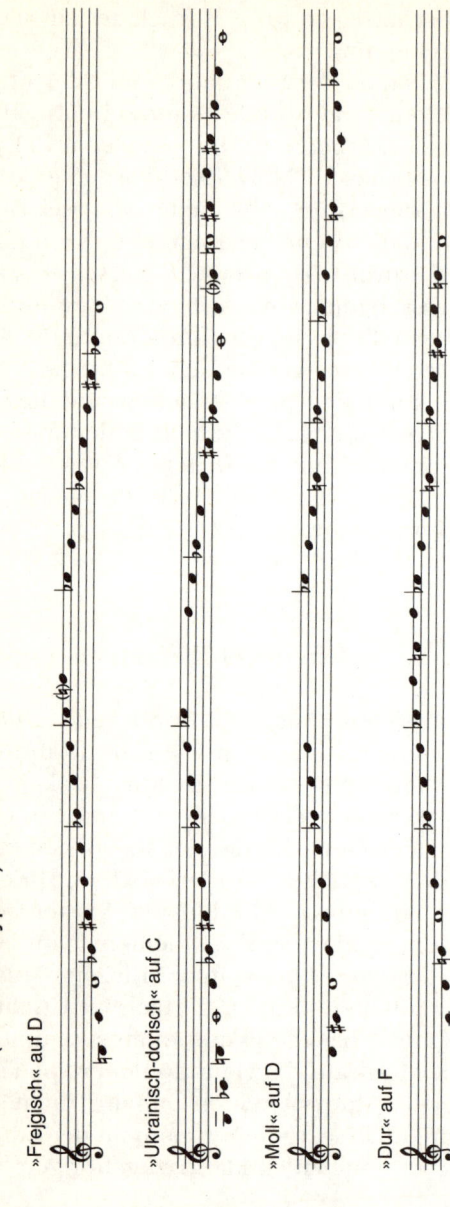

Die Gustn wurden so notiert, daß ihr gemeinsamer Tonvorrat möglichst deutlich wird. So zum Beispiel ist die Tonreihe G–A–B–C–D–Es in Frejgisch auf D, in Ukrainisch-dorisch auf C, Moll auf D und Dur auf F enthalten, weshalb problemlos zwischen diesen Tonarten hin- und hergewechselt werden kann.

198

deutungsgehalt wie beim indischen Raga oder in der klassischen türkischen Musik; gelegentlich werden sie von manchen jiddischsprachigen Musikern aus Osteuropa als »Gustn« bezeichnet, nach dem lateinischen Wort für »Gusto«, Geschmack. Jede dieser Tonleitern enthält eine Anzahl von flexiblen Tönen, die je nach den Motiven, der Melodierichtung sowie dem persönlichen Geschmack des Klezmer-Interpreten erhöht oder erniedrigt werden können.

Zwei der Tonleitertypen sind »chromatisch« – charakterisiert durch das Intervall der erhöhten Sekunde. Diese beiden für die Klezmer-Musik typischen Tonleitertypen finden sich auch unter südosteuropäischen sowie nahöstlichen Bevölkerungen. Die geläufigere dieser beiden chromatischen Tonleitern wurde unter Klezmorim wegen der kleinen Sekunde als »Frejgisch« (Phrygisch) bekannt. Die Chasonim bezeichneten die gleiche Tonleiter als »Ahawa Raba« (große Liebe) – nach den ersten Wörtern eines Gebets aus der Morgenliturgie. Die hervorstechendsten Charakteristika dieses Gust sind die erhöhte Sekunde zwischen der zweiten und dritten Tonstufe sowie der Moll-Akkord auf der siebten Tonstufe, der die »dominantische« Funktion bei den Kadenzen übernimmt. Der zweite in der Klezmer-Musik geläufige chromatische Gust hat keinen Namen unter den Klezmorim, wurde aber von Musikologen des 20. Jahrhunderts als »alterierter dorischer« oder »ukrainischer dorischer« bezeichnet. Es ist der »ukrainische dorische« Gust mit seiner erhöhten vierten Tonstufe, die die Basis der Doina-Improvisationen darstellt. Der dritte und wohl geläufigste Gust in der Klezmer-Musik besitzt einen »Moll«-Charakter, doch enthält er einige Töne wie die verminderte zweite und fünfte Tonstufe, die im Moll der westlichen Kunstmusik nicht zu finden sind. Den letzten und vierten Gust kennzeichnet dagegen ein »Dur«-Charakter, der auch einige Töne enthält, die dem westlichen Dur nicht entsprechen, wie die verminderten siebten und erhöhten vierten Tonstufen. Die Klezmer-Musik bewegt sich flüssig von einem Gust zum anderen, sowohl zwischen den unterschiedlichen Abschnitten einer Komposition als auch innerhalb der einzelnen musikalischen Phrasen selber. Diese Bewegungen folgen typischen »modulatorischen« Schemata, obwohl eigentliche Modulationen im klassischen Sinne nicht stattfinden. Vielen Klezmer-Melodien in den moll- und durähnlichen Tonleitern fehlt beispielsweise eine stabile Tonalität; sie schwanken ständig zwischen einem »Moll«- und »Dur«-Gefühl, ohne tatsächlich von Moll zum verwandten Dur zu modulieren oder umgekehrt.

Ein uraltes Ritual: Niftys Doina

Daß sich trotz der grundlegenden Veränderung des Hochzeitsfestes in der Neuen Welt die ursprüngliche Bedeutung einiger Hochzeitsrituale bis nach dem 2. Weltkrieg erhalten konnte, belegt die folgende Beschreibung einer Doina-Aufführung: Noch Mitte der vierziger Jahre gab Naftule Brandwein eine bemerkenswerte Vorstellung seiner Kunst, als während des Hochzeitsbanketts plötzlich ein Trommelwirbel ertönte und die Lichter ausgingen. Ein Spotlight brannte sich in den Fußboden in der Mitte des Saales, und in diesem magischen Kreis erschien plötzlich Brandwein, der Zauberer mit den weißen Handschuhen. Die Spannung machte sich in atemlosen »Oooooooohs« und »Aaaaaaahs« Luft, insbesondere das weibliche Geschlecht schien überwältigt und schlug sich ekstatisch an die Brust. Als der Pianist die ersten Töne der Doina anschlug, wurde es totenstill, und im Tremolo des Moll-Dreiklanges perlten die elegischen Klänge aus den Weiten Bessarabiens aus dem schwarzen Holz hervor, gefolgt von einem heißen Frejlechs-Tanz. Der befrackte Lady's Man bewegte sich auf die einzelnen Tische zu; von Blicken der atem-

Abb. 19 Naftule Brandwein spielt eine Doina in einer New Yorker Festhalle, ca. Ende der 1930er Jahre. Im Hintergrund, von links: Lou Levinn, Trompete; Mookie Brandwein, Schlagzeug; Beresh Katz, Saxophon. Archiv Dorothea Goldys-Bass. ▶

201

losen Frauen verfolgt, navigierte er sein Instrument zielsicher zwischen die Brüste und Beine einiger mit ausladenden Formen beglückter Matronen. Er spielte sein Lied »Klejne Printsessin«, und die Frauen jeden Alters begannen zu strahlen und erwiderten seine Huldigung an ihre Weiblichkeit mit Seufzern und Applaus. Der damalige Hochzeitsgast und Zeuge dieses orgiastischen Schauspiels fühlte sich, wie er selber aussagte, »als Teilnehmer eines uralten Rituals.«

Die Doina als Produkt kulturellen Austauschs

Die Doinas, diese Hirtenmelodien aus der Moldau-Wallachei und Bessarabien, ursprünglich auf Flöten gespielt, begannen sich gegen Ende des 19. Jahrhunderts besonders unter städtischen Berufsmusikern großer Beliebtheit zu erfreuen. In den südlichen Regionen des jüdischen Osteuropas wie Bessarabien und Podolien und vor allem in urbanen Zentren wie Jassy, Odessa, Bukarest, Nikolajew und sogar Konstantinopel – wo professionelle jüdische, Roma-, griechische und armenische Musiker zusammentrafen – waren aus der traditionellen bessarabischen Musik stammende Genres wie Doina, Bulgar, Honga, Sirba und Zhok seit der ersten Hälfte des 19. Jahrhunderts der wichtigste nichtjüdische Einfluß auf die Klezmer-Musik gewesen. Moldawien und Bessarabien befanden sich ab dem 16. Jahrhundert unter osmanischer Herrschaft und griechischer Administration. Im Zuge der russischen Annexierung Bessarabiens im Jahre 1812 wurde das Land durch Juden aus der Ukraine besiedelt, die dort in Kontakt mit bessarabischer Musik und den dort ansässigen »Lăutari« kamen. Diese professionellen Roma-Musiker bewegten sich – wie die ukrainischen Klezmorim auch – zwischen der bäuerlichen und der urbanen Bevölkerung und hatten Roma-Geiger wie Ianku Perza hervorgebracht, deren Ruhm sich mit dem der über die Grenzen Moldawiens und Bessarabiens bekannten Klezmorim Stempenju und Pedotser messen konnte. Der Anschluß Bessarabiens ermöglichte den Zigeuner-Kapellen nun auch Bewegungsfreiheit in der Ukraine. So sind beispielsweise von der Tarraschuk-Familie Kontakte mit bessarabischen Zigeuner-Musikanten in Podolien belegt. Gleichzeitig wurde Bessarabien im frühen 19. Jahrhundert von christlichen Bulgaren besiedelt, und im Vielvölkergemisch der Städte am Schwarzen Meer wie Odessa und Nikolajew hatten sich auch große griechische Gemeinden gebildet. Aus diesen vielseitigen interethnischen Zusammenhängen formte sich im Laufe des 19. Jahrhunderts ein Repertoire, in das Elemente der Musik der Klezmorim, der Roma-Lăutari sowie der Griechen, Türken, Krimtataren und Bulgaren einflossen. Ein großer Teil der heute als Klezmer bekannten Musik, wie die Doinas und Bulgars, entstammt diesem fruchtbaren kulturellen Zusammentreffen.

»Taksim«, die freie Improvisation

In Amerika war die Doina bis in die 1960er das einzige noch von allen gespielte Relikt einer einst reichen Improvisationstradition innerhalb der Klezmer-Musik, die Formen wie die von Gusikow bevorzugten »Themen und Variationen« und freien Fantasien, dem »Kale-Basetsn« sowie dem von Pedotser noch gespielten »Taksim« mit einschloß. »Taksim« scheint im 19. Jahrhundert bei den Klezmorim ein allgemeiner Begriff für freie Improvisationen gewesen zu sein, in denen ein Thema durch viele Tonleiter- und Akkordpassagen verziert wurde. Noch 1937 erinnerten sich ältere ukrainische Klezmorim, die um die Mitte des vorigen Jahrhunderts geboren worden waren, an Taksims – das türkische Wort bezeichnet eine instrumentale Improvisation, die eine Suite einleitet –, während die jüngeren jüdischen Musikanten das Taksim nicht mehr kannten und bereits seit der Jahrhundertwende statt dessen zu Doinas übergegangen waren. Beregowski vertrat die Ansicht, daß die Herkunft der Doina und des Taksim unterschiedlich seien, und bemerkte, daß die älteren Klezmorim jener Zeit zwischen den beiden Formen wohl zu unterscheiden wußten, wobei er nicht zu erwähnen vergaß, daß es auch Taksims in Doina-Form gab.

Die Doina als moderne Katharsis

Die in der Klezmer-Musik gebräuchliche Doina ist eine formelhafte Improvisation, deren Hauptteil metrisch ungebunden und durch Parlandi und Rubati gekennzeichnet ist. Bestimmt zum Zuhören, wird dieses Solostück – wie noch Brandweins Doina-Vorführung oftmals eher ein »Schauspiel« zwischen Suppe und dem Hauptgang des Festbanketts – von den einzelnen Musikern oft als »pièce de resistance« ihrer Virtuosität und Ausdruckskraft genutzt. Jeder Solist entwickelte im Laufe der Zeit sein »Ejgns«, seine eigene Doina-Improvisation, sein Markenzeichen, das er jedesmal aufs neue nach seinem Gusto variierte und verzierte. »Im wesentlichen gehe ich von der Doina als Grundlage aus und mache von da aus alle die Variationen. Eigentlich spiele ich und spiele ich, und ich weiß, wo ich das Stück beende. Einmal, als ich dachte, ich würde das zu Ende spielen, ging ich in eine andere Richtung. Wo ich normalerweise in d-Moll beende, ging ich in D-Dur über, und das ist wunderbar geworden, jetzt tue ich es immer. Es ist wie der Rahm auf dem Kuchen«, erzählt der Klarinettist Sid Beckerman. Der Doina wurde gewöhnlich eine »rumenische Hora« angefügt – ein rumänisches Tanzstück im Dreiachteltakt, das sich damals großer Beliebtheit unter den Juden zu beiden Seiten des Atlantiks erfreute, auch als »Zhok« oder »Wolechl« bekannt – und die Vorführung dann mit einem Frejlechs abgeschlossen.

Bei der Doina-Aufführung bildete sich – wie es auch für die übrigen meditativen Stücke wie das Kale-Basetsn und die Tsum-Tisch-Melodien galt – eine ekstatische Wechselwirkung zwischen dem Spieler und seinen Zuhörern, ein aus der Frühzeit stammendes Zwiegespräch zwischen Mensch und höherer Macht. Bei den temperamentvollen Landslajt aus den südlichen Regionen wie Podolien oder Bessarabien konnte Max

Epstein eine Doina bis auf fünfzehn Minuten ausdehnen, weil seine Zuhörer jeder noch so mikroskopischen, raffinierten Wendung zu folgen vermochten und ihn mit anerkennenden Zwischenrufen zu immer gewagteren und kühneren Läufen und Kunststücken anfeuerten – etwas Ähnliches ließ sich bei den Vorstellungen der majestätischen ägyptischen Sängerin Umm Kulthum beobachten, deren kleinster Seufzer Begeisterungsstürme bei ihrem Publikum entfachte.

Der Klarinettist und Bandleader Marty Levitt (geb. 1930), Sprößling einer der bekanntesten New Yorker Klezmer-Familien, der Levinskys, erinnert sich, wie er als Achtzehnjähriger von einer jener zwielichtigen Figuren in den Pedonjes von Brownsville gezwungen wurde, eine Doina für ihn zu spielen: »Es gab einen Nachtclub in der Pitkin Avenue, da verdiente man zwölf Dollar die Nacht plus Trinkgelder. Einmal kommt ein Typ und sagt ›Hey kid, das gefällt mir, wie du das spielst, trink einen auf meine Rechnung‹. Ich lehne dankend ab, und er entgegnet ›Wenn ich sage trink, dann wird gefälligst getrunken. Wann ist dein Gastspiel hier zu Ende?‹ Ich sage ›Gegen zwölf‹. Er darauf ›Nun, heute wird bis drei geblieben‹, und als ich mich weigere, droht er mir und sagt ›Hör mal zu, kid, du verdienst deine Kohle mit diesem Ding hier‹ – und zeigt auf meine Klarinette –, ›und ich verdiene mein Geld so‹, und er zieht eine Knarre raus und legt sie auf den Tresen. ›Also bis später‹. Um zwölf Uhr leert sich der Club, und ich gehe zum Bandleader und sage zum Boß: ›Also, dieser Typ kommt später wieder. Er hat mir gesagt, ich soll hier sein‹. Gegen halb drei kommt er zurück mit über hundert Leuten. Sie verschwinden im Hinterzimmer. Er sagt ›Kid, komm her und spiel das Ding nochmal‹. Ich spielte eine Doina. Danach sagt er ›All right, Leute, und jetzt euer Einsatz!‹ Ich verließ den Laden mit hundert Dollar Trinkgeld, das war eine Riesensumme.«

Die Beliebtheit der Doina zeigt sich nicht nur in den ausgiebigen Soli der Klezmorim, die rumänischen Doina-Klänge gelangten auch durch die Kantoren in die jüdische Liturgie der Hohen Feiertage und des Schabbat, und andererseits verhalfen Stars wie Aaron Lebedeff (1873–1960) und Moishe

Oysher (1908–1958) mit Doina-ähnlichen Motiven Liedern des jiddischen Operettentheaters und Vaudeville wie »Rumania, Rumania« und »Grine Bleter« zur Unsterblichkeit. Schon in Osteuropa hegten die Juden der Ukraine und der nördlicheren Regionen eine Neigung zu den notenreichen, temperamentvollen Sirbas und Hongas ihrer rumänischen Nachbarn, die Doina jedoch lernten viele von ihnen nicht in Lutsk oder Tschernobyl, sondern erst in der Neuen Welt kennen. Dort, in der baumlosen Steinwüste der Lower East Side, avancierte Rumänien – die Heimat der Doina – zum Symbol für die verlorene »alte Hejm«, nostalgisch verhangen in Erinnerungen an ein Land mit »Wein, Weib und Gesang«. In diesem Garten Eden war das Leben ein einziges Vergnügen; es gab alles, wonach das Herz verlangte: den rumänisch-jüdischen Nationalspeisen »Mamalige«, »Karnatsele«, »Katschkawal« (Maisbrei, Würste, Käse), und überall wurde Wein getrunken – so jedenfalls der beliebte Lebedeff-Schlager »Rumania Rumania«. Dieser ungehemmte Drang zur Verklärung des abgestreiften Daseins, der sich mit dem neuen weltlichen Lebensstil der Immigranten in Amerika einstellte, machte die Improvisationen des Badchn beim Kale-Basetsn und die moralischen Nigunim der Klezmorim überflüssig: Diese wurden von der modernen Doina abgelöst und versprachen eine der neuen Zeit angepaßte, amerikanische Katharsis.

»Für jüdische Hochzeiten braucht man keine Noten«: Naftule, der Show-Man

Naftule Brandwein spielte vorwiegend auf der C-Albert-Klarinette mit ihren Fingergriffen nach dem »deutschen« oder Müller-System, dem bevorzugten Instrument der Volksmusiker überall in Osteuropa, Griechenland, der Türkei, dem Kaukasus und auf dem Balkan. Musiker wie der 1910 aus der Ukraine eingewanderte Shloimke Beckerman dagegen entschieden sich schon bald nach ihrer Ankunft in Amerika für das sogenannte Boehm-System mit seinen »französischen« Griffen, welches das fließende Überleiten in die verschiedenen Tonarten erlaubte und den Spielern mehr Flexibilität bot – nur Naftule Brandwein und Dave Tarras blieben unter den Star-Klarinettisten beim deutschen System.

Im Gegensatz zum »Notn-Freser« Tarras besaß Brandwein nicht den Vorteil von Notenkenntnissen, die es ihm ermöglicht hätten, geschriebene Arrangements – ob jiddisch oder amerikanisch – zu spielen. Aber im Bereich der Klezmer-Musik galt er als der Größte, und für seine Doinas, Frejlechsn und Bulgars war das Notenlesen überflüssig. Die Klezmorim »spielten jüdische Hochzeiten. Wir brauchten keine Noten«, so drückte es Dave Tarras lakonisch aus. Aufschlußreich hinsichtlich der Lernmethode von Klezmorim sind die Erinnerungen des Pianisten Hal Silvers an Brandwein aus den späten dreißiger Jahren: »Als ich zuerst mit ihm spielte, klar, spielte ich jüdische Musik, Umpapah und alle diese Sachen, die man hören wollte. Brandwein dreht sich zu mir um und sagt ›Du Klavierspieler? Du Scheiße! Du wilst ojslernen‹? (Willst du etwas lernen?) Ich sage ›klar doch‹, und er brachte mir Sachen bei, er spielte in verschiedenen Tonarten, ging von d-Moll nach C-Dur und von da aus nach Fis, und ich mußte ihm folgen. Er ging von einer Tonart in die andere, und du entwickelst dann einen bestimmten Geschmack, ein bestimmtes Gefühl dafür.«

Inwieweit Brandweins Repertoire Melodien aus dem heimatlichen Galizien enthielt, ist nicht bekannt. Sein fast vierzig Jahre jüngerer Neffe Leopold Kozłowski erkannte nur drei von Brandweins Aufnahmen als Teil des Familienrepertoires. Wahrscheinlich ist, daß sich sowohl das Repertoire Brandweins als auch dasjenige seiner europäischen Verwandten in den dazwischenliegenden vier Jahrzehnten grundlegend geändert hatten. Die Lebensdauer der Melodien im Klezmer-Repertoire betrug oft nicht mehr als ein oder zwei Generationen. Die mündliche Überlieferungsweise ließ immer neue Varianten entstehen, die dann in verschiedenen Familien- und geographischen Traditionen nebeneinander existierten. Dieser ständige Erneuerungsprozeß konnte die ursprüngliche Melodie von nur einem neuen Detail bis hin zur völligen Unkenntlichkeit verändern, und durch das Komponieren und Einführen von Melodien bildeten sich fortlaufend immer neuere, jüngere historische Schichten des Repertoires. So waren zu Naftule Brandweins Familienrepertoire aus Galizien neukomponierte Melodien hinzugekommen: eigene und von seinen Kollegen sowie von anderen ethnischen Gruppen wie beispielsweise den Griechen, für die er in New York aufspielte. Im Verlauf von Brandweins Karriere drängten die neueren Melodien das ältere Repertoire in den Hintergrund, und besonders die Stücke, die eng mit den Ritualen der orthodoxen Hochzeit verbunden waren, verloren an Bedeutung.

»Wie einer im Zirkus«

Naftule, obwohl musikalisch sehr seinem kulturellen Nährboden verhaftet, besaß jedoch einen wachen Instinkt für die gesellschaftlichen Veränderungen. Show-Man durch und durch, ließ er sich im schnittigen Knickerbocker-Outfit und mit modischem Saxophon ablichten, wenngleich er – anders als seine amerikanischen Kollegen – das Instrument nicht zu spielen vermochte. Furore machte besonders Naftules elektrischer »Onkel-Sam-Anzug«, sein eigenwilligster Beitrag zur Amerikanisierung seiner selbst: »Rot, weiß und blau mit Neonlichtern. Und er zog ihn an, wenn er die ›Star Spangled Banner‹ spielte«, so Marty Levitt. Jeder seiner alten Kumpel will dabeigewesen sein, als Nifty in diesem Outfit auf der Bühne einen Kurzschluß hatte und fast umkam: »Brandwein war eingesteckt. Jemand zog am Kabel oder so was und es explodierte«. Um Brandweins Englisch, versetzt mit wörtlichen Übersetzungen eigentlich unübersetzbarer jiddischer Redewendungen, zu verstehen, mußte man Linguist sein, so Max Epsteins Auffassung. So kam es, daß sogar seine jiddischen Hilferufe im brennenden Anzug seinen Rettern zunächst un-

208

verständlich blieben … Unverkennbar osteuropäisch waren auch Brandweins Qualitäten als Performer: Die Vorliebe für das Tragen weißer Handschuhe bei den Auftritten teilte er mit einer Reihe osteuropäischer Klezmorim, mit Judl »dem Schwartsen« etwa, Badchn und Geiger der Pinsker Kapelje. Judl, der auch als Sänger der Lieder Zunsers bekannt wurde, pflegte als besonderen Höhepunkt seines Auftrittes seine Geige hinter dem Rücken mit Handschuhen zu spielen. »Brandwein war wie ein Schauspieler, er war wie einer im Circus«, erzählt Max Goldberg, der als Siebzehnjähriger 1928 im »Deluxe Palace« in Brooklyn mit Brandwein auftrat. »Er war, was immer er spielte. Ich würde sagen, er wurde Teil des Liedes, er erzählte eine Geschichte.« (Max Epstein) »Man durfte kein Wort über seine Musiker sagen, sonst war die Hölle los«, erinnerte sich Max' jüngerer Bruder, der Trompeter Willie Epstein (1919–1999), »und wenn er spielte und irgend jemand wagte es, auch nur den geringsten Lärm zu machen, unterbrach er und sah sie mit furchtbarem Blick an.« »Niemand fing an zu tanzen. Er würde es nicht erlauben, weil das seine Show war. Fing jemand an zu tanzen, hörte er auf zu spielen.« (Max Goldberg) Ähnlich verhielt es sich bei Dave Tarras, wie die Sängerin Harriet Goldstein-Daar berichtet: »Wenn Dave ein Solo spielte, durfte nicht einmal eine Stecknadel zu Boden fallen, sonst wäre Dave zum Mörder geworden. Buchstäblich. Wenn ein Kellner es nur wagte, sich zu bewegen … Das war Dave. Jeder kannte ihn, und du hattest Respekt vor ihm, weil er der King war.«

Naftule Brandwein spielte bis zu seinem Tode im Jahre 1963 auf Festen in New York und in den Catskills, dem vorwiegend jüdischen Ferienort in den Bergen nördlich von New York City, immer makellos gekleidet und auf seine Wirkung bedacht. Er, von dem die Legende erzählt, sogar Benny Goodman habe bei ihm Klarinettenunterricht genommen, befand sich gegen Ende seines Lebens meist im Alkoholrausch. Bei einem Auftritt in »the Mountains« erlebte ihn noch 1957 einer der jüngeren, in Amerika geborenen Hochzeitsmusiker: Der sturzbetrunkene Siebzigjährige »wurde aufrecht auf einen Stuhl gesetzt, man drückte ihm eine Klarinette in die Hand, und er begann wie ein Irrer zu blasen«, so wurde es dem Pianisten und Arrangeur Peter Sokolow (geb. 1940) von seinem Kollegen überliefert. Trotzdem war Brandwein auch noch um 1960 so gefragt, daß Naftules Enkel Arthur das Datum für seine Hochzeit viermal verschieben mußte, damit »dieser Hurensohn« bei ihm spielen konnte.

Der letzte archaische Klezmer

Der anarchische Naftule wurde von Kollegen und Publikum als »feuriger« Spieler bewundert, ein Teufelskerl, der mit jedem Knochen in seinem Körper spielte und der, wie Max Epstein es formulierte, »einem das Herz herausriß«, meinte Sid Beckerman, »Naftule war derjenige, der mit ein bißchen mehr »lift« (Spannung) spielte. Wenn du ihn hörtest, fingen deine Füße an, sich zu bewegen«.

Der Klarinettist und Saxophonist Danny Rubinstein (geb. 1924), der als Teenager Naftule Brandwein zum ersten Mal in einem der Hotels der Catskills hörte, sieht ihn sogar als den »Louis Armstrong« der jüdischen Musik: »Er spielte klasse, sehr bodenständig und ›dirty‹«, mit der dem Jazz eigenen, gewollt unreinen Intonation. »Mein Idol wurde der Techniker, der ihm folgte, Dave Tarras. Sein neuer Stil vereinte Technik und Gefühl gleichzeitig«. Natürlich kann man Brandweins Spiel nicht wirklich »dirty« nennen, aber aus Rubinsteins Sicht ist die Bezeichnung stimmig: Sie entspricht seinem Blick auf den raffinierteren Musiker Tarras, der hörbar seine Tonarten aus klassischen Lehrbüchern mit den »legitimen« Griffen erlernt hatte, während die von Brandwein – der oft Fingertechniken verwendete, die nicht auf der Grifftabelle zu finden sind – dagegen eher musikantisch, »dirty« wirkten.

Die Verehrung Brandweins ist ein Zeichen dafür, daß die Welt immer nach ein wenig Wahnsinn verlangt, nach Boheme und Gangsterromantik, nach Unordnung und »dirtyness«. Daß derjenige, der die bunteste Show bringt, nicht immer der größere Künstler sein muß, zeigt das Beispiel Dave Tarras: Er war der einzige unter den amerikanischen Klezmorim, der einen Stilwandel durchmachte und seine neuen Erfahrungen in seiner Musik auszudrücken vermochte; die anderen Einwanderermusiker einschließlich Brandwein fuhren mehr oder weniger fort, so zu spielen wie in der Alten Welt. Sie repräsentierten die beiden Extreme unter den Klezmorim, die es schon seit Jahrhunderten in der europäischen Geistesgeschichte und Kunst gegeben hatte, das Apollinische und das Dionysische: Tarras – fromm, raffiniert, diszipliniert, formbewußt, professionell – gegen Brandwein – wild, dämonisch, sexuell. Während Tarras ein Tanz- und Unterhaltungsmusiker auf dem Weg zum Künstler war, besaß Brandwein noch die Eigenschaften eines archaischen Zeremonienmeisters und beschwörenden Badchns, eines Zauberers, dessen elementare Körperlichkeit auch die Nähe zwischen Klezmer und rituellem Tanz ausdrückte. Aber auch die allzu wohlfeile Etikettierung Brandweins kollidiert leicht mit der Realität: Tatsächlich war Brandwein »der Schiker« (der Säufer) und herausfordernde Schürzenjäger auch ein Familienmann und besuchte sein Lieblingskind Polly fast jeden Tag zu Hause in der Bronx, um – wie ein guter Untertan des Kaisers Franz Joseph – mit ihr Kaffee zu trinken und auf Jiddisch zu plaudern. Er wollte nicht, daß seine drei Enkel Seymour, Arthur und David Unterhaltungsmusiker werden, und er ermutigte sie – wie seine klavierspielende Tochter Polly auch –, klassische Musik zu studieren. Heute sind sie allesamt etablierte Hollywood-Musiker und Komponisten.

Das Greenhorn mit der Klarinette: Dave Tarras, der neue »King of Klezmer«

Naftule Brandweins größten Konkurrenten, den 1897 in Ternowka/Ukraine geborenen Klarinettisten Dave Tarras, hatten die Pogrome 1921 nach New York getrieben. Im Gegensatz zu Brandwein, der keinen Hehl aus seinen Beziehungen zum Gangstertum machte und genüßlich seinen Ruf als Bonvivant pflegte, bemühte sich Tarras zeitlebens, sich von den gewöhnlich als Verführer und »Zigeuner« angesehenen Klezmers abzuheben und sowohl seine alkoholische Abstinenz als auch die religiöse Herkunft seiner Familie und ihre Kontakte mit der örtlichen polnischen Nobilität zu betonen. Tarras war »sehr seriös. Er hatte keinen Sinn für Albernheiten. Er war gradlinig, ein ehrlicher Mensch, ein feiner Mann«, erinnert sich sein alter Kumpel Max Goldberg. Tarras mochte Naftule und sein Spiel sehr, aber er sah sich auf einem höheren musikalischen Niveau, liebte die Musik Beethovens und wäre zutiefst beleidigt gewesen, wenn jemand ihn als »Volksmusiker« bezeichnet hätte. Dafür sagte man dem makellosen Stilisten gelegentlich nach (der im übrigen keinesfalls ein Glas Schnaps verschmähte), er spiele »so kalt wie ein Fisch« – gegen ähnliche Vorwürfe hatte sich übrigens auch Jascha Heifetz zeit seines Lebens zu wehren.

Dave Tarras, der Nachfahre mehrerer Generationen chassidischer Klezmorim, begann im Alter von neun Jahren mit seinem Musikstudium. Als Kind beherrschte er bereits Flöte, Geige, Mandoline, Balalaika und Gitarre. Das Klarinettenspiel nahm er erst mit vierzehn auf, als er sich der Ausdrucksmöglichkeiten der Flöte nicht mehr sicher war.

Nach seiner Ankunft im Land von Kolumbus durchlebte der erfahrene Hochzeits- und Militärmusiker Tarras – mit vierundzwanzig hatte er immerhin schon fünfzehn Jahre als professioneller Musikant aufzuweisen! – eine Phase des Selbstzweifels und verdingte sich für 50 Dollar pro Woche fünfzig Stunden im Sweatshop. Schließlich kaufte er sich aber doch eine kleine Klarinette.

Wandel des Instrumentariums in der Neuen Welt

Zu den grundlegenden Veränderungen, die die Klezmer-Musik in den ersten Dezennien dieses Jahrhunderts in den Vereinigten Staaten durchlief, gehörte auch ein Wechsel des Instrumentariums. So hatte beispielsweise schon Anfang der zwanziger Jahre, wenn nicht früher, die Klarinette die bis dahin als Melodieinstrument bevorzugte Geige verdrängt. In jenen Jahren bestand bereits die typische Hochzeitskapelle aus Klarinette/Saxophon, Trompete, Klavier und einem Schlagzeug, dieses zumeist in Form einer Baßtrommel, einer Wirbeltrommel und einem kleinen Becken (vgl. Abb. 21). Der Trommler Mookie Brandwein hängte die Wirbeltrommel einfach über die Rückenlehne eines Stuhls, da er nicht einmal einen Ständer für das Instrument besaß. Im Gegensatz zu den weitaus stärker besetzten osteuropäischen Klezmer-Ensembles um die Jahrhundertwende, in denen die Melodie von mehreren Musikern heterophon gespielt wurde, wurde sie in den kleinen amerikanischen Ensembles der zwanziger Jahre gewöhnlich nur von Klarinette mit entweder Trompete oder Saxophon getragen. Mit ihrem allmählichen Verschwinden aus dem Klezmer-Ensemble waren die Geiger gezwungen, Bandleader zu werden, um sich dann selbst zu engagieren. Einer der drittklassigen Musiker, in der Neuen Welt mit dem abwertenden Begriff »Chassene Klezmer« belegt, mit denen Tarras zunächst auftreten mußte, war der Bandleader und Geiger Sam Ash, ein miserabler Fiedler, der kein Tempo halten konnte. Da Ash, später Besitzer der größten Musikladenkette New Yorks, wegen seiner Geschäftstüchtigkeit fälschlicherweise auch für einen großen Geiger gehalten wurde, kam es nicht selten zu Situationen, die in heutigen Musikerrunden von New York und Brooklyn unvermindert für Heiterkeitsausbrüche sorgen. So erzählt der pokergesichtige Gin-Liebhaber Marty Levitt, dessen Vater Jack Levitt (Levinsky, 1901–1974) Geiger und Posaunist in Sam Ashs Band war, folgende Anekdote: »Sie sollten ›Hatikwa‹ und ›Star Spangled Banner‹ spielen«, die zionistischen und amerikanischen Nationalhymnen. »Also greift mein Vater, ganz der gute Bandmusiker, zur Geige und setzt zur ›Hatikwa‹ an, da rennt der Jold, der Vater der Braut, hin und ruft ›Nejn, nejn, Sam du schpil!‹ Sam ist natürlich unfähig zu spielen, und so greift er nach seiner Geige und läßt sie auf den Boden fallen. ›Oj! s'is tsebrochn‹, es ist zerbrochen, sagt er dann bedauernd und dreht sich zu meinem Vater um und befiehlt ihm ›du schpil‹.«

Die »Progressive Musicians' Benevolent Association«

Glücklicherweise sollte das Schicksal von Tarras eine günstigere Wendung nehmen: Das Greenhorn mit der Klarinette wurde zum jährlichen Festbankett der »Progressive Musicians' Benevolent Association« engagiert. Diesem 1889 von Einwanderermusikern gegründeten Wohltätigkeitsverein – ursprünglich die erste Musikerunion in Amerika – gehörten jüdische Instrumentalisten jeder Couleur an: Theatermusiker, Hochzeitsmusiker, Symphoniker, sogar der Badchn Zunser besaß einen Mitgliedsausweis. Die »Progressive« war in den frühen Jahren unter verschiedenen Namen bekannt, darunter »Jiddische Musiker Junjon« und die »Russische musikalische Junjon« – damals wurden die unverfänglichen Begriffe »russisch« und »rumänisch« von den Immigranten oft als Ersatz für »jüdisch« verwendet. Erst nach der Gründung der »American Federation of Musicians Local 802« zu Beginn der zwanziger Jahre traten die jiddischen Musikanten in die allgemeine Musikergewerkschaft ein und wandelten die »Progressive« in einen Verein um, der ähnlich den Landsmanschaftn aufgebaut war. Nicht anders als bei anderen Gewerkschaften auch, übernahmen jüdische Einwanderer – darunter einige Mitglieder von Klezmer-Familien wie Louis Grupp, der Neffe von Alter Gojsman – Führungsrollen in der »American Federation of Musicians«. Die »Progressive« pflegte weiterhin ihre Geselligkeiten, so auch das alljährliche Benefizbankett zugunsten minderbemittelter jüdischer Musiker, an dem auch alle Mitglieder von Klezmer-Familien wie die Beckermans oder die Levinskys teilnahmen. »Sie waren in dieses Land gekommen und konnten keinen Fuß fassen, und es war unsere Aufgabe, ihnen zu helfen«, erzählt Max Ep-

Abb. 20 »Joseph Cherniavsky and His Yiddish-American Jazz Band« in Kosakenkostümen, Anfang der zwanziger Jahre. Cherniavsky (Mitte) mit Taktstock; Lara Cherniavsky, Klavier; Naftule Brandwein (dritter von rechts) mit Saxophon; Shloimke Beckerman (zweiter von rechts) mit Saxophon; Jack Levitt, Posaune; die anderen Musiker sind unbekannt.

stein. »Manche waren solch minderwertige Spieler, daß sie keine Arbeit finden konnten. Wir luden die Bands mit den großen Namen ein, um für uns umsonst zu spielen.« Das Festbankett der Progressive im Jahre 1923 wurde für Tarras zum Durchbruch: Die gestandenen Musiker und Bandleader – einer davon der mittlerweile selbst schon etablierte Joseph Cherniavsky – engagierten den unbekannten Klarinettisten aus der Ukraine vom Fleck weg. Dave arbeitete immer noch als Kürschner, als er bereits mit der zehnköpfigen Cherniavsky-Band für einen Doppelauftritt zusammen mit dem Kantor Jossele Rosenblatt in Philadelphia engagiert wurde. Das im Anschluß an dieses erste Gastspiel folgende Wochenengagement mit »Cherniavsky and His Yiddish American Jazz

Band« (Abb. 20) brachte Tarras bereits 110 Dollar, mehr als das Doppelte seines Verdienstes als Sweatshop-Operator.

Der Einfluß von Simeon Bellison

Der Autodidakt Dave Tarras hatte in seinem Leben ganze drei Wochen Unterricht im Klarinettenspiel erhalten: Mit vierzehn ging er in die für ihre Klezmorim berühmte ukrainische Stadt Uman zu seinem Lieblingsklarinettisten. Dennoch zeichnete sich Tarras durch eine phänomenal saubere Technik auf der Klarinette aus. Er hatte zwar mit der C-Klarinette begonnen, war aber spätestens 1929 bereits zur einen Ton tieferen, runderen und dunkler klingenden B-Klarinette übergewechselt, die auch eine bessere Intonation aufwies. Unverwechselbar ist nicht nur sein Stil mit dem durchdringend heißen, dünnen Ton und einem schnellen, engen Vibrato, kein anderer Klarinettist vermochte auch so in die hohen Register zu schwingen wie Tarras, es klang wie der Schrei eines Vogels. Tarras pflegte die Melodien mit weniger Variierungen zu spielen, also »originalgetreuer« als sein Konkurrent Brandwein. Statt dessen bestach er mit seinem sehr persönlichen Ton und brillanten, makellosen Trillern und Wendungen. »Dave war ein Talent mit eigenem Stil, der sich eindeutig von dem Naftules unterschied, ausgebildeter, von Bellison geprägt«, so weiß es selbst die heutige Club-Date Szene New Yorks noch einzuschätzen.

Der Soloklarinettist der New Yorker Philharmoniker Simeon Bellison (geb. 1881 oder 1883 in Moskau, gest. 1953 in New York) galt als einer der einflußreichsten Lehrer und Aufnahmesolisten in den USA. Vor seiner Immigration nach dem 1. Weltkrieg war er Mitglied der Opernorchester in Moskau und St. Petersburg und des »Zimro Ensembles«, dem neben dem Cellisten Joseph Cherniavsky noch andere Absolventen des St. Petersburger Konservatoriums angehörten. Mit »Zimro«, »der ejntsiker Jiddischer Kinstler-Ansambl«, spielte Bellison 1919 Pedotsers »Taksim« in der Carnegie

Abb. 21 Typisches kleineres Klezmer-Ensemble, ca. 1940. Von links: Sammy Kutcher, Posaune; Irving Graetz, Schlagzeug; Harry Kutcher, Trompete; Sammy Beckerman, Klavier, und Dave Tarras mit Saxophon.

Hall – eine Melodie, die M. I. Rabinowitsch dem Komponisten und Folkloristen Joel Engel bei einer seiner Forschungsreisen in die Ukraine überließ. Engel, einer der geistigen Väter der Jüdischen Nationalschule in St. Petersburg, bearbeitete diese mit Leichtigkeit vorzutragende, nichtmetrische Tsum Tisch-Melodie dann für Klarinette.

Dave Tarras leitete Kapellen bei tausenden jüdischen Hochzeiten und Festen in und um New York. Immer suchte er sich die besten Musiker und bezahlte sie dementsprechend – eine Haltung, die die Musiker zu würdigen wußten. Während die Kapellen der zwanziger und dreißiger Jahre, wenn notwendig, mit einem zweiten Saxophon, mit Kontrabaß und Posaune zu einem größeren Ensemble von bis zu sieben Musikern aufgestockt wurden, bestanden zur gleichen Zeit die Kapellen von Tarras schon aus zehn Spielern einschließlich Klarinette, drei Saxophonen, zwei Trompeten, Posaune, Kontrabaß, Piano und Schlagzeug (Abb. 21). Nur

bei einer Besetzung von zwölf Musikern und mehr engagierte er Geiger. Und nicht nur als Musiker war Dave Tarras bei-
spielgebend: Er war bekannt dafür, sich für die Rechte seiner
Musiker und Kollegen einzusetzen, ein Gerechtigkeitskämp-
fer, der ohne weiteres schon mal einen Tisch umwarf, wenn
die Gastgeber eines Festes keinen eigenen Tisch für die Musiker zum Essen hergerichtet hatten.

Synthese zwischen Ost und West:
The »Boytshik« Max Epstein

Im gleichen Sinne wie der alte Folk-Blues-Stil mit Leadbellys
Tod im Jahre 1949 zu Ende war, starb auch der archaische
Klezmer-Stil mit Naftule Brandwein. Tarras ist schon als Übergangsfigur anzusehen, seine elegante Technik und kunstvol-
le Ornamentierung übten einen enormen Einfluß auf praktisch jeden jüdischen Hochzeitsmusiker aus, der nach ihm
kam. Dieser Prozeß vollendete sich mit der Person von Max
Epstein, der sich sowohl in der osteuropäischen als auch in
der amerikanischen Kultur zu Hause fühlte. Max Epstein, geboren im Oktober 1912 an New Yorks Lower East Side, ist der
älteste und angesehenste der in Amerika geborenen Musiker
und heute der letzte Musiker von Rang, dessen Entwicklung
noch maßgeblich von den osteuropäischen Klezmorim bestimmt wurde. Er wuchs zusammen mit seinen drei Brüdern
an der Lower East Side und in Brooklyn auf, in der im Immigrantenmilieu üblichen Konstellation: Der aus Pinsk eingewanderte Vater schuftete im Sweatshop, die Familie lebte in
beengten Wohnverhältnissen mit mehreren Untermietern.
Zwar kann die Familie auf keine Klezmer-Vergangenheit
zurückblicken, aber zahllose Anekdoten ranken sich um die
Leidenschaft des streng religiösen Großvaters mütterlicherseits für das Geigenspiel und seinen Verschleiß an Geigen-
lehrern. Jedoch erst Max, Willie, Julie (geb. 1926) und Chizik (Isidore, 1913–1986) wählten die Musik als Brotberuf. Als

die Mutter Anfang der dreißiger Jahre starb, übernahm der junge Max die Korrespondenz mit ihrer »Mischpoche« im weißrussischen Schtetl Libischej bei Pinsk. Noch heute, sagt er, könne er sich in einem Brief besser auf »Jewish«, also auf Jiddisch, als auf Englisch ausdrücken.

Auch der junge Max Epstein verdankt seine Karriere einer Benefizveranstaltung der »Progressive«, etwa fünf Jahre nach der Entdeckung von Dave Tarras: Spätabends, nachdem die eigentlichen Stars Naftule Brandwein und Dave Tarras schon die Bühne verlassen hatten, erntete der ernste Jüngling stürmischen Beifall für seine gekonnt vorgetragenen Tanzmelodien. Fortan nur noch das »Boytshik«, das Jüngelchen, genannt, konnte sich Epstein über mangelnde Engagements für Hochzeiten, Bar-Mitswes und andere »Simches«, die fröhlichen Feiern, nicht mehr beklagen.

Kapeljes im Kapitalismus

Nur wenige Solisten waren bis dahin in dieser funktionalen amerikanisch-jiddischen Musik als Individuen wahrgenommen oder gar als Künstler betrachtet worden. In Europa bildeten die Kapeljes gewöhnlich Gesellschaften, bei denen sowohl die Spieler als auch der Onfirer Eigentümer mit proportionalem Gewinnanteil waren und der Onfirer die patriarchalische Führungsrolle mit vorbildlichem Virtuosentum vereinte. In Amerika veränderten sich die ökonomischen und hierarchischen Strukturen der Hochzeitskapellen gemäß dem kapitalistischen Modell, wobei der Bandleader als alleiniger Eigentümer und Boss die Regeln für seine angestellten Bandmitglieder aufstellte. Wie schon das Beispiel Sam Ash zeigte, waren die Bandleader zumeist reine Geschäftsmänner, die ihre Instrumente oft schlecht beherrschten und aus diesem Grund keinen allzu großen Respekt genossen. Als der Klarinettist Marty Levitt sich in den späten vierziger Jahren entschied, auch Bandleader zu werden, versuchte sein Vater, ihn davon abzubringen: »Du wirst Schande über die ganze Familie bringen, wenn du Geschäftsmann wirst.« Denn »wenn du Unternehmer bist, heißt es, du kannst dein Instrument nicht gut spielen«. Natürlich gab es Ausnahmen wie Tarras und Brandwein als charismatische Starsolisten und echte Könner, aber eben auch viele, die diese Meinung bestätigten, etwa Ben Sherman, ein nicht übermäßig talentierter Klarinettist, dessen große Radioerfolge und überhöhte Gagen in keinem Verhältnis zu seinem Können standen. Einmal bekam Jack Levitt, Posaunist in Sherman's Band, nach einem Job aus Versehen den falschen Umschlag mit der Gage ausgehändigt. Als er ihn aufmachte, fand er 700 Dollar darin, die für seinen Bandleader Sherman bestimmt waren; die Bandmitglieder trugen damals um die 15 oder 20 Dollar pro Person nach Hause.

Die »Club Dates«

Max Epstein, der mit fast allen führenden Musikern der Immigrantenszene gearbeitet und Aufnahmen eingespielt hat, bevorzugte wie die meisten Musiker die wesentlich lukrativeren »Club Dates« im Gegensatz zu einer sicheren, aber weniger gut bezahlten Stelle im Theater oder einem Restaurant. »Club Date« ist die Bezeichnung, die die Musiker für die freiberuflichen Einzelengagements bei Bar-Mitswes, jüdischen und nichtjüdischen Hochzeiten und anderen Festen in der New Yorker Umgebung verwenden. Mitte der zwanziger Jahre lag der Gewerkschaftssatz für einen fünfstündigen Job bei 10 Dollar, mit den für die damalige Zeit üblichen zwei Überstunden kam man auf insgesamt 14 Dollar. Ein guter Spieler wie Epstein konnte für ein Club Date-Engagement noch mehr verlangen: »Vor Jahren, als der Gewerkschaftssatz, sagen wir, 12 Dollar war, bekam ich 20 Dollar«.

Reichlich flossen auch die Trinkgelder an den Gästetischen beim Spielen von Schlagern aus dem Jiddischen Theater wie Dovid Meyerowitz' »Wu sajnen majne sibn gute Jor?« (Wo sind meine sieben guten Jahre?, 1924) oder bei jiddischen Volksliedern und rumänischen und ungarischen Melodien. Diese Sitte, beim fröhlichen Tafeln mit besinnlichen Titeln an die Vergänglichkeit des Lebens zu erinnern, hatte sich selbst in Amerika noch als Relikt der einstigen Tsum-Tisch-Melodien Pedotsers oder Ben Bazylers »den Tisch machen« erhalten. »Natürlich wußten alle, daß ich die Musik spielen konnte, die sie hören wollten, also riefen sie mich zum Tisch, und ich spielte«, erinnert sich Epstein sichtlich stolz. »Einmal waren wir vier Klarinettisten, ich, Dave Tarras, Shloimke Beckerman und Benny Margulies. Wir spielten alle gleichzeitig an den Gästetischen in verschiedenen Ecken des Saals, jeder spielte etwas anderes. Wir hatten keine Begleitung, wir spielten einfach, that's all!«

Diese vielbeschäftigten Instrumentalisten wie Tarras, Epstein oder Shloimke Beckerman hatten oft drei und mehr verschiedene Jobs an einem Tag: Bei Tagesanbruch nach dem letzten Engagement im »Deluxe Palace« in Brownsville und einem rasch eingenommenen Frühstück eilte man übermüdet in den WEVD, den jiddischsprachigen Sender, zur Probe für eine ein- bis zweistündige Sendung, nachmittags zu einer Bar-Mitswe-Feier und abends wieder zu einer Hochzeit oder einem Bankett bis fünf Uhr morgens – und alles mit der U-Bahn. Es blieb kaum Zeit zum Schlafen oder für das Familienleben. Die Wochenenden brachten die meisten Engagements, so daß Max Epstein 1936 seine Auserwählte Freda sogar an einem Mittwoch zur Chupe führen mußte.

Die Engagements der Klezmorim

Landsmanschaftn, die »richtigen Klezmer-Jobs«

Bezeichnenderweise waren es im Einwandererland Amerika die Landsmanschaftn mit ihren regelmäßigen Festen, die den Musikern Arbeit und Anerkennung brachten. Von diesen Organisationen gab es allein in New York einige tausend –

fast jedes Schtetl der Alten Heimat war vertreten. In den Wintern wurden an der Lower East Side jedes Jahr Hunderte, vielleicht Tausende von Unterhaltungsabenden der Vereine gefeiert. Bei der Feier der »Minsker Independent Benevolent Association« im Dezember 1902 kamen um die viertausend Neuamerikaner aus der weißrussischen Stadt zusammen: »Junge Paare tanzten die modernen amerikanischen sowie ein paar Minsker Tänze, und alte Männer und Frauen tanzten ›Drejdlech‹ und ›Hopkes‹«, wie das jiddischsprachige »Tageblat« damals berichtete. »Die richtigen Klezmer-Jobs waren für die Landsmanschaftn«, erzählte 1994 Marty Levitt. »Einmal dachte ich, es wäre eindrucksvoller, wenn ich den Job mit amerikanischem Repertoire beginnen würde. Also fing ich an, amerikanische Standards zu spielen, und die Gäste kamen zu mir und fragten, ›wos is dos‹, was ist das? Der Pianist sagte mir, ›Diese Sorte Musik können sie auch im Radio hören, dazu brauchen sie dich nicht. Warum verschwendest du deine Zeit?‹ Und er hatte recht.«

Das Repertoire war davon abhängig, von woher die Landslajt stammten. »Wenn du für eine Gruppe spieltest, wollten sie gewisse Bulgars. Jede Kleinstadt hatte ihre Lieblingsmelodien. Du mußtest wissen, für wen du arbeitetest«, berichtet Levitt. Aber die Bulgars waren nicht jedermanns Geschmack. »Bulgars spieltest du für Bessarabier, Leute aus Odessa. Siehst du? Und wenn du bei Polen auftratst, spieltest du polnische Musik, also einen Frejlechs, einen Oberek, eine Polka und einen russischen Walzer. Wenn du bei Rumänen spielst, spiele ein bißchen schneller. Wenn du aber für Bessarabier spielst, mach es ein bißchen langsamer, weil sie so tanzen.« (Max Epstein)

Die ersten Jahrzehnte in der Neuen Welt brachten für die Einwanderermusiker eine Fülle von neuen Möglichkeiten. Tüchtige Musiker fanden Arbeit nicht nur bei jüdischen Hochzeiten und Veranstaltungen der Landsmanschaftn, sondern auch auf den Melawe-Malke-Feiern am Schabbat-Ende in den Häusern der Rabbiner an der Lower East Side. Max Goldberg erinnert sich, wie er 1921 seinen Vater Abraham

(1875–1939) an diesen feierlichen Abenden mit Hering, Kuchen und Branntwein beim Klarinettenspielen auf der Trommel oder am Klavier begleitete. Die Musiker bekamen keine Gage für die Party, sondern die Rabbiner stellten einen Teller auf und sammelten Geld für sie. »Wir verdienten circa drei Dollar die Nacht, was sehr gut war.« Eine Monatsmiete für die ganze Familie betrug zu der Zeit nur zwölf Dollar.

Bar-Mitswe-Feiern

Auch für die Bar-Mitswe-Feiern begann man schließlich Kapellen zu engagieren. Die Bar-Mitswe-Zeremonie (»Sohn des Gebotes«), die die Religionsmündigkeit des dreizehnjährigen Sohnes markiert, wurde in Osteuropa mit dem Lesen der Tora in der Synagoge und einer Feier im engsten Familienkreis begangen. In Amerika war damit die religiöse Erziehung der meisten Knaben beendet, und zu diesem Anlaß kamen in den 1910er Jahren üppige Empfänge in Mode. Da es keine Tradition gab, spezielle Klezmer-Musik zu den Bar-Mitswes zu spielen, wurde das allgemeine Hochzeitsrepertoire von den Musikern übernommen. Außerdem entstanden neue »Rituale« bei den Empfängen wie die Märsche, die »Candle Lighting«-Zeremonie und die »Tales Bearing«-Zeremonie, bei der die jüngeren Geschwister dem Bar-Mitswe-Boy den ersten eigenen »Tales« (Gebetsschal) überreichen. Bei der »Candle Lighting«-Zeremonie fordert der Bar-Mitswe-Junge verschiedene Familienmitglieder auf, eine Kerze auf dem als Torarolle oder »Tfilin« (Gebetsriemen) dekorierten Kuchen anzuzünden, wobei die Namen verstorbener Verwandten zum Andenken angerufen werden. Diese säkularen Rituale – manche wurden von den die Feier organisierenden Lieferfirmen selbst erfunden – drängten die eigentliche religiöse Zeremonie in der Synagoge in den Hintergrund und bezeugten den Einfluß einer säkularisierten und kommerziellen Gesellschaft auf jahrhundertealte Denkweisen und Rituale. Bei den Bar-Mitswes bürgerten sich instrumentale Versionen populärer Volkslieder und Gesänge aus den jiddischen Erfolgsoperetten der Second Avenue ein, allen voran drei Lieder: »Dos Pintele Jid« (Das Quentchen Jude, Text: Louis Gilrod, Musik: Arnold Perlmutter und Herman Wohl, 1909), »Dos Talesl« (Der Gebetsschal, Text: Solomon Smulewitz, Musik: Arnold Perlmutter und Herman Wohl, 1906) und »Der Najer Jid« (Der neue Jude, Text und Musik: Lipa Feingold, 1928). In dieser säkularisierten Form der Bar-Mitswe spiegelt sich nicht nur der immense Einfluß des jiddischen Operettentheaters auf die Klezmer-Musiker – hier ist das wahrgeworden, wovon Peretz in »A Gilgl fun a Nign« sprach: das »Theater als religiöses Erbauungsbuch« hat die Religion abgelöst!

Die kundigen Musiker aus Osteuropa spielten in den Vaudeville- und Broadway-Theatern und den Stummfilmkinos nicht mehr die alte Festmusik, sondern alles, was auf dem Notenpult stand, die populären amerikanischen Melodien jener Tage und leichte klassische Musik. Max Epstein begann bereits 1924 als Zwölfjähriger in Stummfilmkinos und Vaudeville-Theatern – neben den Orchestern des Jiddischen Theaters wichtige Jobbörsen für die Greenhorns – Geige zu spielen. Das Aufkommen des Tonfilms im Jahre 1927 mit Al Jolson in »The Jazz Singer« bedeutete den Wegfall einer der lukrativsten Einnahmequellen vor allem für die Geiger, da zu der Zeit jedes Kino, jedes Theater, jedes Hotel noch Live-Musiker engagierte. »Als ich sah, daß die Zeit des Stummfilms vorüber ist, kündigte ich meinen Job. Ich kaufte mir ein Saxophon und eine Klarinette, und zehn Tage später hatte ich schon einen festen Job«, erinnert sich Epstein.

Zionistenflagge und Theodore Roosevelt:
Im rumänischen Weinkeller

Rumänisch- und russisch-jüdische Restaurants, Kabaretts und Cafés erfreuten sich bei den Einwanderern großer Beliebtheit, ganz genau wie die Cafés und Weinstuben der alten

Heimat, besonders in den Vielvölkerstädten Brody, Odessa und Bukarest. Ähnlich den allbekannten italienischen Restaurants mit ihren karierten Tischdecken, Chiantiflaschen und ihrem südländischen Dekor wurde der Weinkeller des glatzköpfigen Zimbalvirtuosen Joseph Moskowitz (geb. Galatz/Rumänien 1879, gest. 1953, Washington DC) und seiner Ehefrau in der Rivington Street die Zufluchtsstätte heimwehkranker Gäste. Moskowitz komponierte viele beliebte Lieder wie »Der Rajsnder« (Der Reisende) und »As Meschiach wet kumen« (Wenn der Messias kommen wird), und aus seiner Feder stammten auch Melodien im Repertoire von Tarras und Epstein. Doch ist Moskowitz nur mit Einschränkung als »Klezmer« zu bezeichnen: Zwar war sein Vater auch Tsimbler und sein erster Lehrer, aber der junge Moskowitz schloß sich keiner Klezmer-Kapelle an, sondern zog es als Vierzehnjähriger vor, Broder-Sänger wie die »Bretl-Singer« und »Mojsche den Blinden« auf ihren Reisen durch Galizien, Rumänien, Ungarn und sogar bis in das osmanische Konstantinopel zu begleiten. Im Weinkeller dieses musikalischen Kosmopoliten, dekoriert mit Zionistenflagge und einem Bild des Präsidenten Theodore Roosevelt, unter künstlichen Trauben und Herbstlaub, mit Szenen des rumänischen Landlebens an den Wänden, trafen sich Familien nach der Arbeit in den düsteren Sweatshops, tranken Wein, schwatzten und vergossen Tränen zur Musik aus der Heimat. Nicht zufällig kamen damals die »Pajats«, die mit Clownskostüm und -maske als Bajazzo verkleideten Sänger, in Mode, die stellvertretend für ihr Publikum schluchzend den kollektiven Schmerz über die verlorene Heimat ausdrückten. Vielleicht lehnten sie sich auch an den populären Kabarettisten »Pierroscha« Alexander Wertinski (1889–1957) aus Kiew an, der in der vorrevolutionären Zeit als Pierrot verkleidet mit weißer Maske auftrat.

In einem dieser Weinkeller, die für gewöhnlich Namen wie »Rumanian Rendezvous« oder »Moishe Itzik« trugen, spielte auch Max Epstein zu Beginn seiner Karriere: »Es gab dort einen Geiger, ich war der Saxophonist, und es gab Piano und

Schlagzeug. Vier Männer [...]. Und wir machten eine Menge Kohle. Es wurde rumänisches Restaurant genannt, und sie spielten diese rumänische Musik und jiddische Musik, und ich eignete mir dort ein Repertoire an. Ich werde den Verdienst der ersten Woche niemals vergessen. Der feste Lohn betrug nur 35 Dollar, aber Ende der Woche kam ich mit 221 Dollar nach Hause. Ich brachte es meiner Mutter, sie sagt ›Hast du etwa eine Bank ausgeraubt?‹ Ich sage, ›nein Ma, so viel haben wir an Trinkgeldern verdient‹. Das war 1927 oder 1928.« Dort in den rumänischen Kabaretts wurde nicht nur Instrumentalmusik gespielt, manche der Musiker gaben auch jiddische Lieder mit saftigen Texten wie »a Pots in Toches, sol sajn gelebt« (Ein Schwanz im Arsch, jetzt wird gelebt) zum besten, ein Lied, für das der virtuose Xylophonist »Gypsy« Joe Kutcher bei Moskowitz rasenden Beifall einheimste.

Der stets sportlich-schick gewandete Naftule Brandwein ließ sich nach den Engagements mit seinem Gefolge gern im »Old Rumanian« und bei »Molly's« sehen: »Erst gingen wir die Lower East Side runter in die jüdischen Clubs. Ich folgte ihm dann mit dem Akkordeon, und wir spielten da unten. Nicht, daß sie da keine eigene Musik gehabt hätten, aber es war eine Ehre. ›Naftule Brandwein ist hier‹! Du weißt schon. Er kam einfach rein und dann, raus mit dem Schnaps und den Steaks! So war das damals mit den Musikern«, erinnert sich der spätere Bandleader Hal Silvers, der Jugendfreund Willie Epsteins.

Könner und Stümper: Die klezmerische Hierarchie

Yardniks und Klezmers

Von Anfang an dominierten nicht nur Mitglieder der osteuropäischen Klezmer-Familien wie die Brandweins, Beckermans, Levinskys und Kutchers die amerikanische Klezmer-Musik, sondern auch frühere Amateurmusiker, die die lukrativen Verdienstmöglichkeiten ihres neuen Umfeldes ausnutzten. Aus dieser frühen Zeit stammt auch die »jinglische« Wortschöpfung »Yardnik«, welche die amerikanische Variante eines osteuropäischen Straßen- oder Bettelmusikanten bezeichnet und die Musiker vom Courtyard (Hof), die keine Klezmer-Lehre absolviert haben, von den echten Klezmorim wie Makonowetski, Pulver und Cherniavsky abgrenzt. Wenn der Yardnik-Klarinettist Abe Goldberg mit seinem Sohn Max um 1920 durch die Höfe der Lower East Side zog, pflegten die musikliebenden Tenement-Bewohner Pennies in den »Forverts« oder eine andere jiddische Zeitung zu wickeln und sie den Musikanten aus den Fenstern zuzuwerfen. Auf der Skala zwischen Klezmer und Yardnik bewegten sich die halbprofessionellen Musikerfamilien wie die Familie mit dem programmatischen Namen »Musiker«, die in Europa sowohl den Beruf von Friseuren als auch von Musikern ausgeübt hatte. Aus dieser Familie stammen die vollprofessionellen New Yorker Hochzeits- und Unterhaltungsmusiker Beverly, Sam und Ray Musiker. In ihrer Heimat Luninitz im Minsker Gouvernement hieß die Familie noch im 19. Jahrhundert zuerst »Klezmer«, dann »Musikant« und wandelte nach der Auswanderung nach New York in den frühen Jahren dieses Jahrhunderts den Namen wiederum in »Musiker« um.

Die Tatsache, daß weder Mojsche Beregowski noch Joachim Stutschewsky, die zwei Historiker der osteuropäischen Klezmer-Dynastien, die Brandweins, Kutchers, Beckermans und Tarraschuks erwähnen, könnte als weiterer Beweis genommen werden, daß diese zu den eher »durchschnittlichen« Klezmer-Familien gehörten, von denen es mehrere hundert in Osteuropa gab: hochbegabt, aber nicht über die eigene Region hinaus berühmt. Die führenden und etablierten Klezmorim Osteuropas wanderten in den seltensten Fällen nach Amerika aus. Von den Klezmer-Familien in Amerika erwähnen die beiden Forscher in ihren Schriften neben der Familie Musiker lediglich den Geigenvirtuosen Alter Gojsman, der nach einigen unzufriedenen Jahren der »Goldenen Medine« Amerika wieder den Rücken kehrte.

Die Musikanten selber nannten ihre Musik damals nicht »Klezmer«, sondern verwendeten Begriffe wie »Jewish Music«, »Chassene-Musik«, »Frejlechs-Musik« oder »the Bulgars«. Beregowskis Bezeichnung »klezmerische Musik« wurde in ihrer amerikanisierten Form »klezmer music« erst von den frühen Protagonisten der amerikanischen Klezmer-Revival-Bewegung Mitte der siebziger Jahre aufgegriffen. Das ambivalente Bild der Klezmorim, in den Schtetlech Rußlands und Polens vergöttert und verachtet zugleich, erfuhr dann unter den Musikern innerhalb der jiddischsprachigen Einwanderergemeinden Amerikas eine deutliche Wendung zum Negativen: »Wenn du mich vor fünfunddreißig Jahren einen Klezmer genannt hättest, hätte ich dir eine runtergehauen«, äußerte sich Max Epstein 1991 in einem Interview. Denn in der Einwanderergesellschaft mit aufstiegsbewußten Alrightnik-Musikern verwies der Begriff »Klezmer« auf ein Greenhorn aus der Alten Welt, das unfähig war, die neuen Musikstile Amerikas zu lernen, oder des Notenlesens unkundig war.

Musikants

Ganz oben auf der »Klezmer«-Hierarchie standen die echten Musiker, die man »Musikants« nannte. »Also war mein Vater ein Musikant, weil er ein ausgebildeter Posaunist war und im Jiddischen Theater neben den Club Dates spielte«, berichtet Marty Levitt. »Mein Vater nahm Privatunterricht und übte den ganzen Tag auf jedem Instrument. Nach dem Aufstehen begann er mit der Fiedel, dann folgten Piano, Akkordeon, Posaune und schließlich Kontrabaß. Sehr wenige besuchten die Konservatorien zu jener Zeit.« Wie Levitt ausführt, waren viele der Musikants – allesamt aus Klezmer-Familien stammend – schon ausgebildete Musiker in Europa, die dort Stellen in Opernhäusern und Orchestern innegehabt hatten. In New York bekamen sie nicht so leicht eine gleichwertige Arbeit, und so spielten sie in den Vaudevillehäusern und Stummfilmkinos und ließen sich für »Club Dates« buchen.

Alle Levinskys spielten jüdische Musik. »Jüdische Musik, das ist eine Angelegenheit für Experten. Du kannst ein allgemeiner Arzt sein, aber gleichzeitig bist du eben Facharzt für Ohren oder sonstwas. Wenn du das jiddische Repertoire kanntest, bekamst du generell mehr Geld als bei den ›amerikanischen‹ Jobs, weil es weniger Leute gab, die jenes Repertoire kannten. Es war eine ausgewählte Gruppe von Leuten, die diese Art von Affairs spielen konnten. Indem sie das Repertoire nicht weitergaben, hielten sie die Konkurrenz in Grenzen. Weißt du, es war wie eine Zunft, wie eine Zunft innerhalb einer Zunft«, erklärt Levitt. Die jiddische Spielweise fand man nicht in Büchern: Als Levitt die »Russian Sher« von seinem Vater lernte, klang sie anders als im »Kammen International Dance Folio« aufgezeichnet, einer populären Notensammlung der späten zwanziger Jahre. »Mir wurden die Läufe beigebracht, sie hießen ›geheime Läufe‹. Sie waren geheim, weil es keine Aufnahmen gab, aber jeder Insider spielte sie. Die Gojim würden es spielen, wie es im Kammen Buch notiert wurde, aber das war falsch. Du mußtest die Note, auf der du einen Triller spielen wolltest, immer mit der Zunge artikulieren, sonst klang es nicht authentisch.«

Musik für die »Hebräer«: Kommerzielle Klezmer-Platten

Es waren nicht die ersten Klezmer-Aufnahmen, die der Trompeter Abraham Elenkrig (1878–1965) aus Solotonoscha/Ukraine 1913 in den USA mit seinem »Yidishe Orchestra« am 4. April 1913 für Columbia aufnahm; schon von 1908 bis 1914 wurde eine Reihe von Klezmer-Aufnahmen in Ost- und Mitteleuropa eingespielt. Diese reichten von kleinsten Besetzungen (Solovioline, Klarinette und Flöte mit Tsimbl- oder Pianobegleitung) über kleine Schtetl-Kapellen wie Belfs »Rumänisches« Orchester bis zu umfangreichen Ensembles im Stil der Orchester des Jiddischen Theaters und der Militärbands. Einige von diesen, so beispielsweise Belfs Orchester, scheinen viele tausend Platten in Osteuropa verkauft zu haben, doch nur wenige wurden in die USA exportiert oder lizenziert. Neben Warschau und Lemberg wurden frühe Klezmer-Aufnahmen in Wien, Hannover, Wilna, Czernowitz, Bukarest und London eingespielt. Große Firmen wie die »Gramophone Company« sowie kleinere deutsche und russische Labels wie »Favorite« und »Sirena« zeichneten für diese europäischen Einspielungen verantwortlich. Mit dem Ausbruch des Ersten Weltkrieges brach die europäische Produktion von Klezmer-Musik ab, bis sie 1937 mit den Rabinowitsch-Einspielungen wieder aufgenommen wurde.

Kommerzielle Schallplattenfirmen, allen voran »Victor« und »Columbia«, erkannten die gewinnbringende Kaufkraft der »europäischen Hebräer« und deren Liebe zur Musik: »Der Jude hält den Platz im heutigen Musikbereich durch Vererbung; seine Musik und Religion sind seit Jahrhunderten miteinander verwoben. So verwundert es nicht, daß die meisten Besucher von Opern und Konzerten und die begeistertsten Käufer von Victor Schallplatten zur hebräischen Rasse gehören«, so schrieb »The Voice of Victor« im Jahre 1922. Die umsatzorientierten Firmen engagierten jüdische Hochzeitsmusiker für Studioaufnahmen von populären jiddischen, rumänischen, polnischen, ukrainischen und russischen Tänzen sowie von Improvisationen und opulenten Tongedichten nach traditionellen Motiven zum Zuhören. Daneben wurden instrumentale Fassungen chassidischer Nigunim, liturgischer Gebete und Smires (Schabbatlieder) eingespielt, und in den ersten Jahrzehnten etablierte sich neben Orchesterbearbeitungen von beliebten Volksliedern und Melodien aus dem Jiddischen Theater auch nostalgische Hochzeitsszenen mit Badchn-Parodien, eingespielt von Komikern wie Solomon Smulewitz und Gus Goldstein. Columbia warb 1921 für Aufnahmen des »Abe Schwartz Orchestra«: »Beim Anhören einer Schwartz-Aufnahme werdet Ihr wieder jung und seht Euch mit Eurem Geliebten unter der Chupe stehen.« Insgesamt wurden in den Jahren zwischen 1913 und

1942 allein in den USA mehrere hundert Schellackplatten mit jiddischer Instrumentalmusik produziert, dies stellte jedoch nur einen kleinen Teil von den insgesamt mehreren tausend Platten mit jüdischer Musik allgemein, mit Monologen und Sketchen aus diesem Zeitraum, dar. Die weitaus populärsten Genres waren Melodien aus den jiddischen Operetten sowie liturgische Glanznummern von Star-Chasonim wie Jossele Rosenblatt und dem Oberkantor Gerschon Sirota (1874–1943) aus Warschau. So trug die Schallplattenindustrie entscheidend dazu bei, die ursprünglich religiöse Zeremonialmusik in eine jederzeit konsumierbare Massenunterhaltungsform zu verwandeln.

Die Aufnahmen von Brandwein und Tarras

Während der Jahre 1922 bis 1927 nahm Naftule Brandwein wenigstens 24 Schellacks als Solist und Bandleader für Columbia, Victor, Emerson und Brunswick auf, darunter »Frejt ajch, Jiddelech« bzw. »Frejt sich, Jiddelech« (Freut Euch, Leute), das er 1941 unter dem Titel »Klejne Printsessin« ein drittes Mal einspielte. Daneben machte er Aufnahmen als Ensemblemitglied mit Orchestern wie »Joseph Cherniavsky and His Yiddish American Jazz Band«, in der sich die Musiker als Chassidim mit falschen Schläfenlocken und Bart, aber interessanterweise auch als farbenprächtige Kosaken (Abb. 20, S. 215) – jene Reitersoldaten, die nicht gerade für ihre Judenfreundlichkeit bekannt waren – für ihre Vaudeville-Shows verkleideten. Mitte der zwanziger Jahre wurde Brandwein durch Dave Tarras ersetzt, da er Schwierigkeiten beim Auswendiglernen der geschriebenen Arrangements Cherniavskys hatte und zudem allzu tief und gern ins Glas schaute. Mit Cherniavsky machte Tarras dann im November 1925 einige seiner ersten Orchesteraufnahmen; zwei Monate zuvor waren bereits die ersten Einspielungen seiner Klarinettensoli bei Columbia veröffentlicht worden. Für eine »Session«, eine dreistündige Sitzung, während derer normalerweise vier

Stücke bzw. zwei 78er Platten aufgenommen wurden, betrug der Gewerkschaftssatz 15 Dollar ohne Tantiemen. Dagegen bekam Tarras zuerst 40 Dollar für eine Session, später 80 Dollar; Brandwein strich für die gleiche Leistung sogar 250 Dollar ein. Die professionelle Musikindustrie stellte neue Anforderungen an die Spieler und erwartete von ihnen, daß sie im Studio ein Stück in ein bis drei Durchläufen mikrophonreif spielten. Es wird geschätzt, daß Dave Tarras bis 1979 für solche Labels wie Columbia, Victor, Decca, Savoy, Standard, Banner, Asch, Period und Epic insgesamt etwa 500 Aufnahmen einspielte, sei es als Solist, als »Sideman« (Bandmitglied) oder im Theaterorchester als Begleiter solcher Publikumslieblinge wie Seymour Rexsite (geb. Piotrkow, Polen 1912) oder Aaron Lebedeff. Als einzigem von den in Europa geborenen jiddischen Instrumentalisten gelang es Tarras, den Sprung in die Schallplattenindustrie der Nachkriegszeit zu schaffen.

Die Bedeutung der »Klezmer«-Aufnahmen für die Musiker

Trotz ihrer heutigen historischen Bedeutung spielten die Aufnahmen eine eher geringe Rolle im Berufsleben der vielbeschäftigten Musiker, und viele von ihnen erinnerten sich kaum an ihre eigenen Platten oder bewahrten Kopien von ihnen auf. Und beileibe nicht alle im Aufnahmestudio aktiven Musiker für Klezmer-Aufnahmen waren wirkliche Klezmers: Während die Bandleader Israel J. Hochman und Art Shryer offenbar vom Jiddischen Theater kamen, schienen Harry Kandel und Lieutenant Joseph Frankel aus der amerikanischen Musik zur Klezmer-Musik übergewechselt zu sein. Beide hatten Erfahrungen in Bands unter der Leitung des »Marschkönigs« John Philip Sousa gesammelt. Die Familie des 1885 in Krakau geborenen Kandel war im Holzgeschäft tätig und ermöglichte ihm das Klarinettenstudium am Konservatorium in Odessa. In den Staaten machte er zunächst die

232

Runde in den Vaudeville-Theatern. Das »Klezmer«-Orchester für seine Aufnahmen war identisch mit dem Orchester des Jiddischen Theaters in der Arch Street in Philadelphia, das er dirigierte. Bestand in Osteuropa das Klezmer-Repertoire aus Improvisationen, Volksmelodien und Kompositionen der Klezmorim selbst, so unterlagen die Aufnahme-Bands den Einflüssen des Jiddischen Theaters ebenso wie der Ästhetik Sousas, dessen Militärmusik Ende des Jahrhunderts omnipräsent war und zu Zehntausenden von Bandgründungen führte.

Nicht immer sind die auf Platten verewigten Musiker auch die repräsentativsten und besten – mit Ausnahme des Dreiergestirns Brandwein, Tarras und Beckerman, universell als die drei führenden Vertreter der Klarinettentradition jener Tage anerkannt. Ab Ende der Zwanziger kam Maxie Epstein als Vierter hinzu. Viele der damaligen Bandleader sind völlig in Vergessenheit geraten. Daraus könnte man schließen, daß sie entweder als Musiker eine unbedeutende Rolle spielten oder nicht aus dem Hochzeits- und Simche-Milieu der Klezmorim stammten, oder daß sie mit dem Anfang der Depression 1929 gänzlich aus dem Musikgeschäft ausstiegen. So können sich die noch lebenden Musiker an Bandleader wie Abe Elenkrig oder I. J. Hochman gar nicht erinnern.

»Was Ihr spielen werdet, wird besser klingen als das, was ich schreiben könnte«: Klezmer im jiddischen Theater und Radio

Die populären jiddischen Operettenkomponisten

Dave Tarras' distinktes Klarinettenspiel war bereits ab 1927 aus dem Orchestergraben des Jiddischen Theaters zu vernehmen, und er arbeitete – wie auch sein fünfzehn Jahre jüngere Kollege Max Epstein – mit den populärsten Theaterkomponisten wie Joseph Rumshinsky (1879–1956), Alexander Olshanetsky (1892–1946), Sholom Secunda (1894–1974) und Abraham Ellstein (1907–1963). Alle vier entstammten nicht – ebensowenig wie die meisten Liederschreiber des Jiddischen Theaters – dem Klezmer-Milieu. Der in Wilna geborene Rumshinsky war ursprünglich Meschojrer und schrieb mit dreißig die Musik zu seinem ersten jiddischen Bühnenstück. Meschojrer, ein synagogaler Chorknabe, war auch Secunda gewesen, der aus dem Bezirk Cherson stammte und nach seiner Auswanderung sein Brot zunächst als solistischer »Kind-Chasn« verdiente. Später besuchte er das Institute of Musical Arts in New York und nahm Privatunterricht in Orchestrierung bei Ernest Bloch. Neben jiddischen Operetten schrieb er »E-Musik«, liturgische Kompositionen und im Jahre 1932 den Weltschlager »Baj mir bistu schejn«. Der als klassischer Geiger ausgebildete Olshanetsky aus Odessa ging nach Tourneen mit russischen Opern- und Operettentruppen in Harbin/China zum Komponieren jiddischer Operetten über. Auch der vielseitige Abie Ellstein, geborener New Yorker und waschechter Amerikaner, begann seine musikalische Ausbildung als Meschojrer in New York und sang im Kinderchor der Metropolitan Opera. Ellstein, der spätere Juilliard-Preisträger und Schüler der Komponisten und Dirigenten Frederick Jacobi und Rubin Goldmark, begleitete Chasonim und Stars des Jiddischen Theaters auf dem Klavier, spielte Orgel in Tempeln, dirigierte Chöre in Synagogen und schrieb Filmmusik und Opern. Das populäre jiddische Operettenlied folgte bis zum Ersten Weltkrieg eher dem Muster jiddischer Volkslieder mit ihren einfachen Harmonien und wenigen Modulationen und lehnte sich in der Formengestaltung an die Operetten von Suppé und Léhar an. Rumshinsky war der erste führende Komponist des Jiddischen Theaters, der einen neuen Trend von der »grand operetta« zur amerikanischen »musical comedy« durchsetzte und sich an der Musik des amerikanischen »Tin Pan Alley« und Broadway orientierte.

Die »neuen« Klezmorim

Diese Theaterkomponisten, die wie die Klezmorim ebenfalls eigene Bands für Bankette und Privatfeste zusammenstellten und mit diesen bis hinauf in die neuentdeckte Sommerfrische des »Borscht-Belts« in den Catskills fuhren, nach der populären polnisch-jüdischen Suppe aus roter Bete benannt, spielten mit ihren bis zu vierzig Mann starken Ensembles voll orchestrierte Stücke. Auf die »Chassene Klezmer« pflegten sie herabzuschauen. Ellstein, Olshanetsky, Secunda und insbesondere Rumshinsky empfanden jedoch großen Respekt vor dem »Musikant« Tarras und den in Amerika geborenen Spielern wie den Epsteins. Diese neue Klasse von »Klezmorim« hatte abgerundete musikalische Erfahrungen aufzuweisen und war imstande, Impromptu-Arrangements zu improvisieren. Als der Dirigent Rumshinsky Max Epstein und Brüdern und ihren amerikanischen Kollegen beim jährlichen Bankett der »Hebrew Actors' Union«, der Gewerkschaft der jiddischsprachigen Schauspieler, ein Blatt mit der unbearbeiteten Hauptmelodie in die Hand drückte, machte Epstein aus seinem Herzen keine Mördergrube: »Schäm dich, Rummy, so ein schönes Orchester und dann solche einfachen Noten!« Rumshinsky entgegnete darauf: »Hör zu, Epstein, ich brauche keine Musik für Euch. Was Ihr Jungs spielen werdet, wird besser klingen, als das, was ich schreiben könnte.«

Zwei Klassen: Theatermusiker und Klezmorim

Obwohl die Mehrheit der Theatermusiker ursprünglich aus Klezmer-Familien stammte, waren viele seit ein oder zwei Generationen keine Klezmorim mehr gewesen. Als festangestellte Musiker in der Second Avenue, dem jiddischen Theaterdistrikt New Yorks, mögen sie das Spielen auf Hochzeiten als unter ihrer Würde empfunden haben. So entwickelte sich eine Klassentrennung zwischen Theatermusikern und Klezmorim, wenngleich Dave Tarras eine Ausnahme von dieser

Regel bildete. Jedoch begann Tarras erst lange nach der Gründung des ersten jiddischen Theaters im Orchestergraben zu spielen. Ein typisches Beispiel für einen New Yorker Theatermusiker ist dagegen der Klarinettist Seilig Teiko aus Sibirien, der vor seiner Auswanderung mit einem Kammerquartett durch das gesamte Russische Reich tourte. Es ist unwahrscheinlich, daß einer wie er das Hochzeitsrepertoire der Klezmorim kannte, und sicherlich sah er seine Tätigkeit in einem jiddischen Theaterorchester als sozialen und beruflichen Abstieg an. Diese »legitimen« Spieler, wie die Musiker mit klassischer Ausbildung bezeichnenderweise genannt wurden, waren auf Noten angewiesen und konnten nicht improvisieren. Bei ihnen mangelte es nicht nur an der Kenntnis des speziellen Repertoires, sondern auch an der Spielweise, so daß ihre Musik nicht »jiddisch« klang. Sid Beckerman erinnert sich, wie ein klassisch ausgebildeter Klarinettist während eines Hochzeitsjobs ihn bewundernd nach seiner Griff- und Verzierungstechnik ausfragte. Auch amerikanische Unterhaltungsmusiker beherrschten die Klezmer-Technik nicht: »Es war auf einem dieser Jobs für die Landsmanschaftn«, berichtet Marty Levitt, »und ich spielte diese schwierigen Bulgars und machte alle diese Tricks mit meiner Klarinette. Und oben steht ein Dixieland-Klarinettist von Weltruf. Er beobachtet mich und fragt ›Wie machst du das bloß?‹ Ich fühlte mich wie im Himmel.«

Klezmer-Familien als Reservoir für Symphonie-Orchester

Wie sehr die Nachkommen der osteuropäischen Klezmorim auch das klassische Musikleben in den USA bestimmten, machen die Biographien der verschiedenen Symphonieorchester deutlich: Die Lebensläufe der Mitglieder von Arturo Toscaninis »NBC Symphony Orchestra« von 1938 deuten auf eine große Anzahl von Musikern mit Klezmer-Hintergrund hin. Der Konzertmeister war Mischa Mischakoff (1895–1981), der jüngste Sohn des Klezmers Isaac Fishberg (Jitschok Beckerman; geb. circa 1850), eines Flötisten und Kapellmeisters aus Proskurow/Ukraine, und Vetter von Shloimke Beckerman. Während Shloimke und seine Geschwister sämtlich in der Klezmer- und Unterhaltungsbranche verblieben, waren ihr Vetter Mischa und seine Brüder ausgewiesene klassische Virtuosi auf Geige, Bratsche und Kontrabaß. Von dem Geiger und Bratschisten Leon Fleitman (geb. ebenfalls in Proskurow, ca. 1897) heißt es im NBC-Souvenir-Buch nur, er entstamme einer Familie »mit Musikern zu beiden Seiten der Familie seit fünf Generationen«, eine verschlüsselte Ausdrucksweise, die für die Klezmer-Herkunft steht. Es ist kein Zufall, daß sich besonders gebildete osteuropäische Juden als »Russen« bezeichneten, denn auch im liberalen Amerika war es nicht immer ratsam, seine jüdische oder gar seine Klezmer-Herkunft offenzulegen; darüber hinaus könnten dem Verfasser des Souvenir-Buches die kulturellen Zusammenhänge ebensowenig klar gewesen sein wie später den Autoren der Geigerbiographien.

In der Ukraine genossen die zwanzig Mann starke Fleitman-Kapelle und der Geiger Alter Gojsman, Leon Fleitmans Großvater mütterlicherseits, einen guten Ruf – ebenso wie Gojsmans Neffe, der einflußreiche Schlagzeuger David Grupp (ca. 1898–1975), laut Biographie »aus einer sehr musikalischen Familie stammend – wobei sein Vater, zwei Schwestern und fünf Brüder alle ausgebildete Musiker sind«. Und der Perkussionist David Gusikoff – so die Biographie des Orchesters – »erbte die Liebe zur Musik von seinem illustren Vater und von einer langen Linie musikalischer Vorfahren im Lande der Zaren«. Ein weiterer Nachkomme des Genies Gusikow aus Schklow, der Geiger und Komponist Michel Gusikoff (1893–1978), war Konzertmeister im Orchester der »Russian Symphony Society of New York«, das seine Mitglieder ausschließlich aus dem russisch-jüdischen Immigrantenmilieu rekrutierte. Damals war die Trennung zwischen sogenannter Hoch- und Unterhaltungskultur – eine Entwicklung, die erst zur Zeit der großen Einwanderungswelle eingesetzt hatte – in den Vereinigten Staaten noch nicht so ausgeprägt. So spielte beispielsweise Leon Fleitman zuerst im »Capitol Theater«, bevor er seine erste Orchesterstelle im angesehenen Cleveland Orchester bekam. Man sah keinen Widerspruch darin, wenn der gefeierte Xylophonist Jakie Hoffman in »Harry Kandel's Orchestra« jüdische Vaudeville-Nummern und Hochzeitsmusik und gleichzeitig als Mitglied des Philadelphia Orchesters Brahms-Symphonien spielte.

»On the Air«:
Klezmer im jiddischsprachigen Radio

Neben den Theatern und Plattenstudios boten die in den späten zwanziger Jahren entstehenden jiddischen Radiosender zahlreichen Musikern neue Karrieremöglichkeiten. Die ersten Shows des populärsten Senders WEVD wurden schon 1926 ausgestrahlt, und im Jahre 1929 ging die erste landesweite CBS-Radiosendung in jiddischer Sprache über den Äther. Der Solist Dave Tarras und Max Epstein als Bandmitglied gehörten zu den ersten Klezmorim des jiddischen Radios: »Dave Tarras ging raus, ich ging rein. So ging das den ganzen Tag«, erinnert sich Epstein, der damals im Quintett von Abe Gubenko arbeitete, dem Bandleader und Geiger aus Jekaterinoslaw und Vater des Jazz-Vibraphonisten Terry Gibbs. Gubenkos klagende Violine pflegte um jede Melodie herumzuspielen, sogar, wenn die anderen Musiker ihre Soli hatten – ein wahrer osteuropäischer Klezmer alten Stils. Auch Max Epstein zog die besserbezahlten Radioauftritte einer festen Anstellung in einem der jiddischen Theaterorchester wie dem »Second Avenue Theater« oder Maurice Schwartz' »Yiddish Art Theater« vor: »Hatte nie einen Job in den Shows, die brachten nur 75 Dollar pro Woche. Im Radio bekamen wir 55 Dollar für zwei Stunden«. So spielte Maxie fünf Tage in der Woche für Gubenko. Beim Sender WMIL, später beim WCNW, spielten sie russische und jüdische Musik. Gäste während dieser zweistündigen »on the air«-Sessions waren daneben Sänger wie der populäre Pinchas Levanda und auch Synagogenchöre, die von Gubenkos Mannen begleitet wurden.

Die Konkurrenz der überaus erfolgreichen Radiosender und die Folgen der Großen Depression im Jahre 1929 brachten die Schallplattenproduktion von Klezmer-Musik fast zum Stillstand. Ab Ende der dreißiger Jahre wurde das Klavier in den Hochzeitskapellen oft durch das transportierbare Akkordeon ersetzt. Der Aufstieg dieses vielseitigen Instruments, für Melodie und Begleitung gleichermaßen geeignet, führte zum allmählichen Ausschluß der anderen Begleitinstrumente – ein Verlust, der in der schwachen Wirtschaftslage begründet lag. Dave Tarras leitete zum Beispiel ab Anfang der vierziger Jahre eine solche reduzierte, nur noch aus Klarinette, Akkordeon und Schlagzeug bestehende Klezmer-Formation, allerdings ist nicht sicher, ob dieses »Tarras Instru-

Abb. 22 Dave Tarras Orchestra, 1940er Jahre. Mit Irving Graetz, Schlagzeug, andere Musiker unbekannt.

mental Trio« ausschließlich Studioaufnahmen diente oder ob er es nicht doch in erweiterter Form für Live-Auftritte heranzog. Fotos aus jener Zeit zeigen mindestens fünf Musiker (Abb. 22).

»Jossl, Jossl«: Flotte Operetten-Schlager erobern den Spielplan

Die Komponisten des populären jiddischen Operettentheaters wie Ellstein, Secunda, Rumshinsky und Olshanetsky übten einen sehr starken Einfluß auf die Entwicklung des Klezmer-Repertoires in Amerika aus. Sie bereicherten mit ihren Liedern die Spielpläne der Musiker, die immer auch den Wünschen ihres Publikums nach Instrumentalversionen der neuesten Theater-Hits nachkommen mußten. Auf diese Weise gelangte der flotte Theater-Schlager »Jossl, Jossl« (Samuel Steinberg, 1923) der Komödiantin Nellie Casman in den Kanon des Hochzeitsrepertoires. So entstanden viele der Aufnahmen des populären Bandleaders Abe Schwartz – übrigens auch als musikalischer Leiter im jiddischen Vaudeville und Theater tätig – mit Melodien aus den jiddischen Musicals und wurden im großen Stil vermarktet. Diese tanzbaren Melodien spiegelten zwar den Einfluß der Klezmer-Musik wider – wie Marty Levitt es ausdrückt, verwendeten sie doch »die gleiche Sorte von Motiven und die gleichen Tonleitern und so weiter« –, aber da Olshanetsky und Co. nicht selber aus der Klezmer-Tradition stammten, wirkte sich dieser Einfluß eher indirekt aus, gefiltert durch ihre vielseitigen musikalischen Erfahrungen. In ihren Tanzkapellen und Einspielungen bevorzugten sie Arrangements, während in den traditionelleren Ensembles die nach Klezmer-Manier interpretierte Melodie selbst das Wesentliche war und daher die Betonung auf Verzierung und Ausschmückung, Timing und Phrasierung lag. Für Musiker wie Tarras und Epstein stellten die Kompositionen und Bearbeitungen von Ellstein, Olshanetsky und ihren Kollegen bereits eine höher entwickelte musiklische

Form dar, mit anspruchsvolleren Harmonien und Orchestrierungen, wie Max Epstein erläutert. Der orchestrale Ansatz von Ellstein und seinen Komponistenkollegen ähnelt denjenigen der zeitgleich in der Sowjetunion entstandenen Fajntuch- und Pulver-Aufnahmen. Während aber den russischen Aufnahmen von Fajntuch und Pulver mit ihren kompletten Symphonieorchestern das klezmerische Gefühl fehlt, bedienten sich die amerikanischen Kapellen der typischen Instrumentierung der Klezmer- und Tanzkapellen – Klarinette, Trompete, Violine, Saxophon, Klavier und Schlagzeug –, und Spieler wie Dave Tarras und der Trompeter Lou Levinn (Levinsky) bestimmten mit ihrer Kenntnis des traditionellen Repertoires und der klezmerischen Spielweisen den »Tam«, die Färbung der Musik. Sogar in den Aufnahmen der großen Kapellen, wie auf der rumänisierten »Jiddische Hora un Sarba Maracinei« (Kletten-Sirba) von »Alex Olshanetsky's Orchestra« aus dem Jahre 1928, ist der Beitrag der traditionellen Musiker – in diesem Fall Joseph Moskowitz und Dave Tarras – deutlich vernehmbar.

»Oj wej di mountains!«
Unterhaltungsmusik in den Catskills

Noch in den siebziger Jahren des 19. Jahrhunderts blieb den »Israeliten« so manches Hotel in den Catskills verwehrt, aber recht bald schon lockten Schilder »Dietary Laws Observed« zur koscheren Sommerfrische für die ganze jüdische Familie. Zu Beginn des 20. Jahrhunderts bildeten die Hotels der hügeligen Ferienorte die populärste Grünanlage der jiddischsprachigen Immigranten New Yorks, die wenigstens ein paar Wochen im Jahr den staubigen Sweatshops, überfüllten Tenements und vor allem der »weißen Pest« Tuberkulose zu entkommen suchten.

Zeitgleich zum Aufstieg des jiddischen Radios begannen die mittlerweile komfortabel ausgestatteten Hotels der jüdischen Ferienorte des »Borscht Belt«, ihre großstädtischen Gäste mit Unterhaltungsprogrammen bei Laune zu halten und die beliebten Bandleader Alex Olshanetsky und Dave Tarras aus New York zu engagieren. Aber schon lange vorher hatten sich einzelne Berufsmusiker und Entertainer auf der Suche nach einem Verdienst im Sommer in die bewaldeten Orte wie Fallsburg, Monticello und Woodridge aufgemacht: »Der Dirigent, der die erste Geige spielte, war ein feuriger Typ mit einer hohen Krone schwarzer Haare. Er arbeitete mit jedem Muskel und Nerv in seinem Körper. Er spielte Auszüge aus ›Aida‹, der beliebtesten Opera des Ghettos; er spielte die populären amerikanischen Lieder jener Tage; er spielte gefeierte Hits der jiddischen Bühne. Alles umsonst. Endlich hatte er keine andere Wahl. Er stimmte die ›Star Spangled Banner‹ an, die amerikanische Nationalhymne. Der Effekt war überwältigend. Die einigen hundert Speisenden standen wie ein Mann auf, klatschend«, so beschrieb Abraham Cahan in seinem autobiographischen Roman »The Rise of David Levinsky« (Der Aufstieg von David Levinsky, 1917) das Wirken eines Geigers in den Catskills, aller Warscheinlichkeit nach ein Klezmer aus Osteuropa. Man könnte sich vorstellen, daß dieser »feurige Typ« neben den oben beschriebenen Stücken auch hier und da einen Frejlechs oder eine Scher eingefügt hat.

In Hotels und »Kochalejns«

Auch Abe und Max Goldberg zogen mit Klarinette und Wirbeltrommel im Gepäck Anfang der zwanziger Jahre in die Mountains: Sie nahmen die Fähre am Ende der 42nd Street und überquerten den Hudson River nach Weehauken/New Jersey. Von da aus ging es mit der Bahn nach Nordosten in die Berge, nach Woodridge. Um 9 Uhr, nachdem der alte Goldberg seine Gebetsriemen angelegt und seine Morgengebete gesprochen hatte, verkündete er: »Jetst darf me gejn arbtn, schpiln«. Dann machten sich die beiden zu Fuß auf den Weg zu den »Kochalejns«, den »Koch-alleins«, wie die Feriencottages mit eigener Küche in den Catskills genannt wurden.

Auf dem Rasen vor diesen Häuschen suchten sie mit viel Lärm die Aufmerksamkeit der Sommerfrischler auf sich zu lenken. War das Interesse der Kunden geweckt, setzte der alte Goldberg zu seinen Doinas, Bulgars, Wolechlech und russischen Schern an und befahl nach beendeter Darbietung seinem Sprößling: »Olrajt, jest nem dem Hat un mach a Kollekschun.« Und Max nahm den Hut und machte eine »Kollekschun«, wobei er beherzigte, daß der jüdische Volkssport, das Kartenspiel, niemals unterbrochen werden durfte. Dann wartete der Junge mit seinem Hut vor der Veranda, bis die Spieler ihre Runde beendet hatten. Bis 12 Uhr mittags zogen die Goldbergs von Bungalow zu Bungalow, dann ging es zu »Kutcher's Hotel« in Fallsburg, wo sie im Speisesaal gegen das Stimmengewirr und Tellergeklapper anspielten. Max wechselte dann von der Wirbeltrommel zum Piano über. Mister Kutcher ließ es sich niemals nehmen, höchstpersönlich die Trinkgelder einzusammeln und diese den Musikern persönlich zu überreichen, anschließend durften sie sich in der Küche an den Speiseresten der Gäste gütlich tun. Nach dieser Pause setzten sie ihre Darbietungen bis gegen fünf oder sechs Uhr nachmittags fort. Da es zu jener Zeit noch keine Bühnenunterhaltung mit Sängern in den Hotels der Mountains gab, spielten die beiden Goldbergs auch nachts für Kutchers Gäste.

Die soziale Zugehörigkeit der jiddischsprachigen Gäste aus allen Regionen Osteuropas und ihren verwöhnten amerikanisierten Kindern, die Hotels und Kochalejns der Catskills bevölkerten, reichte vom sozialistischen Sweatshop-Worker bis zum steinreichen Alrightnik. Es war nicht unüblich, in einem Hotel nur amerikanische Musik zu hören und in einem anderen ausschließlich nach jiddischen Klängen zu tanzen. Musiker wie Naftule Brandwein und, später, Marty Levitt spielten fast nur jiddische Melodien in den Hotels, wo sie auftraten, obwohl sogar ein Naftule Brandwein sich den Wünschen seines Publikums zu beugen hatte und Hits wie Dorothy Fields' und Jimmy McHughs' Schlager »I Can't Give You Anything But Love, Baby« aus dem Jahre 1928 in sein Repertoire aufnahm. Noch in den fünfziger Jahren gab es in den Hotels, wo Levitt spielte, die Sitte, daß die Musiker die Abreise der Gäste mit dem populären jiddischen Volkslied »Joschke fort awek« (Joschke fährt weg) versüßten, für das sie einige Dollar an Trinkgeldern bekamen. Nach Levitts Ansicht waren die meisten der Musiker in den Hotels keine Klezmers, sondern nur ihre Bandleader: »Ein Klezmer buchte die Band, und er füllte sie mit Musikern aus, die die Show vom Blatt lesen, und Musiker, die amerikanische Tanzmusik spielen konnten.«

Die Catskills als Trainingslager

Neben den arrivierten Stars wie Brandwein, Olshanetsky und Tarras bestand ein Großteil der Musiker in den Catskills aus Anfängern, die sich dort ihre ersten Sporen als Unterhaltungsmusiker verdienen wollten. Der im Jahre 1920 in New York geborene Saxophonist und Klarinettist Howie Leess sowie Danny Rubinstein und später Peter Sokolow, »der jüngste der alten Klezmorim«, lernten dort weniger jiddische, sondern vorwiegend amerikanische Tanzmusik spielen. Die abendlichen Unterhaltungsprogramme der dortigen Hotels mit Shows, Komödien, Theater, Tanz und Musik bildeten das Trainingslager für diese jungen Musiker. Dort verfeinerten sie ihr Spiel und lernten, wie man eine Probe abhält, eine Show vom Blatt liest und den verschiedenen »da capi«, »dal segni«, »ritardandi«, »accelerandi« und »cuts«, den Kürzungen, folgt und dabei gleichzeitig den Dirigenten im Auge behält. Man blieb den ganzen Sommer lang, die dort entstandenen Kameradschaften und Netzwerke zwischen den Musikern nützten ihnen später wieder in der New Yorker Gewerkschaftshalle, der Jobbörse –, und jedes Jahr rückten sie ein bißchen weiter auf in der Hierarchie. Dafür waren ihre Verdienste und Arbeitsbedingungen jedoch miserabel! Der vierzehnjährige Max Epstein – damals noch kein Klarinettist, sondern Geiger – verbrachte 1927 seinen ersten Sommer in Tannersville und erhielt statt der vereinbarten 15 Dollar pro Woche plus Unterkunft mit Verpflegung nach zehn Wochen lediglich 100 Dollar. Max' Vater drohte dem Agenten eine Tracht Prügel an, bis dieser ihm die fehlenden 50 Dollar endlich aushändigte. So mancher Musiker wurde mit noch weniger abgefunden, so Hal Silvers, der Ende der Dreißiger nur 4.75 Dollar pro Woche bekam; nicht wenige wurden von den Hotelbesitzern gezwungen, den Boden des Spielsalons zu kehren oder Tanzunterricht zu geben. Als Epsteins Mutter den Schlafplatz ihres Sohnes mit schmutziger Bettwäsche in einem Eishaus mit zerbrochenen Fensterscheiben sah, traten ihr die Tränen in die Augen. Nachdem Maxie seine Freda geheiratet hatte, ging er nicht mehr regelmäßig in die Berge. Er mußte seine Familie versorgen, und »dort konntest du dir deinen Lebensunterhalt nicht verdienen!«

Der Siegeszug des Bulgars

In den USA wurden bis in die sechziger Jahre von den Klezmorim selbst neue Instrumentalstücke komponiert, oft zu den Tanzschritten des immer populärer gewordenen Bulgar, aber auch neue Frejlechsn, Schern, Rumenische Horas im Dreiachteltakt und Doinas. Jeder New Yorker »Musikant«, der etwas auf sich hielt, schrieb im Laufe seiner Karriere ein paar Stücke, und manche, wie Dave Tarras und der aus Bessarabien stammende Trompeter Alex Fiedel, komponierten eine ganze Menge davon. Von der musikalischen Seite erschienen ihnen die alten Frejlechs-Melodien als zu »einfach« – verständlich, denn das Spielen schlichter Tanzmelodien Abend für Abend empfindet ein ambitionierter Musiker als wenig herausfordernd. So wurden die rumänisch gefärbten Melodien mit ihren vielen Triolen und Sechzehntelläufen höher bewertet, und schon in den dreißiger Jahren wies eine neue amerikanische Klezmer-Melodie typischerweise mehr Noten und modale Bewegungen auf, ließ aber den Instrumentalisten auch entsprechend weniger Raum zum Ausschmücken.

Eigentlich konnte man einen Bulgar, ein Frejlechs oder eine Scher zu fast jeder Melodie im Zweivierteltakt tanzen. Der größte Unterschied bestand im Tempo: in Amerika waren Frejlechsn normalerweise etwas lebhafter als Bulgars, und Schern etwas getragener. In Amerika lag solchen Tänzen im Zweivierteltakt ein Rhythmus zugrunde, in dem die Achtelnoten in Mustern von 3 + 3 + 2 über eine Dauer von zwei Takten (vier Schlägen) unterteilt werden. Die Begleitinstrumente, vor allem das Schlagzeug, die rechte Hand des Klaviers sowie die Posaune, zweite Trompete und, später, das Tenorsaxophon, umspielten verschiedene Variationen dieses Grundrhythmus, wie zum Beispiel:

So entstand eine ständige rhythmische Spannung zwischen diesen Instrumenten und den Melodie- und Baßstimmen, deren Rhythmus in Einheiten von nur zwei Schlägen unterteilt wird. Die Posaune besaß vier Funktionen im Ensemble, indem sie Baß-, Melodie- und kontrapunktische Linien spielte, und vor allem ständig zwischen den rhythmischen Figuren wechselte (vgl. Beispiel S. 196 oben). Obwohl es vermutlich einen ursprünglichen musikalischen Unterschied zwischen den beiden Genres Frejlechs und Bulgar gegeben hat, so können ihn die noch lebenden Musiker nicht mehr erklären. Auch Beregowski machte ähnliche Erfahrungen mit Tanzgattungen: Einmal hieß die von ihm in einem Schtetl gesammelte Melodie »Frejlechs«, und in einem anderen nannte man die gleiche Melodie »Scher«. Bei den frühen Plattenaufnahmen in New York kam es nicht selten deshalb zu Diskrepanzen, weil ein und dasselbe Stück einmal als Frejlechs und ein anderes Mal als Bulger von zwei verschiedenen Kapellen eingespielt wurde. Genau wie bei den ukrainischen

Abb. 23 Bulgar-Tanz bei der Hochzeit von Rose Tarras und Sammy Musiker, ca. 1950. Von links: Irving Graetz, Dave Tarras, Frau Graetz, Sammy Musiker.

Kasatschoks übernahmen die Klezmorim selten ganze bessarabische Melodien in ihr Repertoire, sondern viel eher flossen Motive und Phrasen aus Bulgarisch (zu rumänisch »Bulgărească«), Sirba und Honga in ihre Stücke ein, die dann so vollkommen »klezmerisiert« wurden, daß häufig nur der ursprüngliche Name des Genres blieb. Manche der neuen Kompositionen erfreuten sich durch die neuen Medien und vor allem durch die Platteneinspielungen von Dave Tarras großer Popularität unter den Einwanderern, und einige gehören noch heute zum Kanon des Klezmer-Repertoires. Sobald ein neuer Bulgar von Tarras bekannt wurde, hatte jeder ihn schnellstens für die Jobs zu lernen. Sid Beckerman erinnert sich noch, als Tarras' Aufnahme »Ich bin dajner« (Ich gehöre dir) 1945 veröffentlicht wurde: »Wir spielten von neun Uhr abends bis fünf Uhr morgens. Ich konnte nicht mehr blasen. Wir spielten ihn einige Male im Laufe des Abends, das war der neueste Bulgar auf dem Markt, jeder spielte ihn«. Sogar Naftule Brandwein mußte die neuen Tarras-Stücke lernen: »Tarras kam mit einem neuen Bulgar raus, das war um 1940«, erzählt Marty Levitt. »Paps zeichnete es von der Platte auf. Er arbeitete an dem Abend mit Naftule Brandwein, und Naftule kannte es nicht. Er versuchte, sich die Melodie anzueignen, und er konnte nicht lesen. Also brachte mein Vater es ihm nach Gehör bei, ›on the job‹, weißt du?« Wenig nimmt es daher wunder, daß Naftule auszuspucken pflegte, wenn der Name Tarras in seiner Gegenwart nur erwähnt wurde.

Der elegante Bulgar übernahm die Nachfolge des Frejlechs und insbesondere des mystischen »Mitswe Tants« im säkularen Umfeld Amerikas, ähnlich wie die Überlagerung der Funktion des »Kale-Basetsn« und der »moralischen Tisch-Nigunim« durch die Doina stattgefunden hatte. So wurde im Laufe der Zeit der Bulgar von den Immigranten als »jüdisch«, als kulturelles Eigentum angesehen, obwohl er wohl erst um die Jahrhundertwende unter New Yorker Juden Popularität erlangt hatte.

Kulturelle Interaktion: Bei Roma-Totenwachen und katholischen Bergmannshochzeiten

In Dave Tarras' Kompositionen verschmelzen nicht nur Motive jiddischer Frejlechsn und Schern mit Elementen aus bessarabischen Tänzen wie Bulgărească, Sirba und Honga, sondern man spürt auch den Einfluß der von ihm geschätzten schwerblütigen griechischen Hasapiko-Tänze. Die vielseitigen jiddischen Musiker stellten die Mehrzahl der Unterhaltungsmusiker in den europäischen Immigrantengemeinden New Yorks dar, und neben Griechen, Polen, Russen, Ungarn, Zigeunern und Ukrainern schätzten auch Italiener, Türken und sephardische Juden deren Flexibilität und Professionalität. In vielen Fällen holten sich dieselben Nachbarn wie schon in Europa auch in Amerika die jüdischen Musiker

Abb. 24 »Griechisches« Orchester mit vorwiegend jüdischer Besetzung (»Perry Voultsos Orchestra«), vor 1936. Vordere Reihe (von links): Murry Kalefsky, Schlagzeug; Max Epstein, Klarinette und Saxophon. Hintere Reihe: griechischer Musiker; Aaron Philips, Saxophon und Flöte; Harry Turkenich, Posaune; griechischer Musiker; Isidor Drutin, Susaphon; Manny Cohen, Trompete; Chizik Epstein, Saxophon; Beverly Musiker (Cohen), Klavier; Pericles Voultsos, Geige und Klarinette. Archiv Ray Musiker.

für ihre Feste, und so setzten sich alte nachbarschaftliche Konstellationen auch in der neuen Heimat fort. Die Feste der zahlreichen nichtjüdischen ethnischen Bevölkerungsgruppen von New York boten den jüdischen Musikanten nicht nur zusätzliche Verdienstmöglichkeiten, sondern auch ein unerschöpfliches Reservoir an Motiven und Melodien für ihre zeitgemäßen Kompositionen. »Paps konnte griechische Musik besser als jeder Grieche spielen«, rühmt Shloimke Beckermans Sohn Sid. Nichtjuden holten die Musiker nicht etwa wegen ihrer Frejlechs, sondern weil sie die besten musikalischen Dienstleistungen boten und alles spielten, was man hören wollte. Die New Yorker Griechen hatten offenbar nicht genügend eigene Musiker und griffen aus diesem Grunde gern auf die jüdischen Musiker wie Shloimke Beckerman zurück (Abb. 24). Nur die rumänischen und bessarabischen Zigeuner tanzten zu denselben Bulgars und Frejlechs wie die Juden: Vielleicht waren es nicht genau ihre Melodien, aber die beiden Stile ähnelten sich. Bis auf den Akkordeonisten Mishka Ziganoff besaßen die aus Rußland und Bessarabien stammenden Roma keine eigenen Musiker – vermutlich übte die Neue Welt auch für die gefragten Zigeunermusiker der Metropolen Europas wenig Anziehungskraft aus. Der jüdische Trompeter Shimele Blank, Inhaber eines Musikladens an der Lower East Side, vermittelte die jüdischen Musiker für die Gypsy-Jobs. »Ich spielte zu der Zeit im ›Old Rumanian‹«, erzählt Max Epstein, »während der ›Omer‹-Zeit (zwischen Pessach und Schawuot) nahm ich immer diese Jobs an, weil es während dieser Zeit keine jüdischen Jobs, keine Hochzeiten und dergleichen gab. Sie hatten sogenannte Zigeunernächte. Der Laden war knallvoll mit Zigeunern. Da kommt dieser eine Typ herüber zu mir und sagt ›Du schreibst Musik?‹ ›Klar‹, sage ich. Er darauf: ›Ich sing mal was für dich‹. Und dann schrieb ich es auf.« So lernte Max Epstein den »Gypsy Bulgar«, wie die Klezmorim ihn nannten, das Lieblingsstück der New Yorker Zigeuner.

Der smarte Willie Epstein erinnert sich an eine Zigeuner-Totenwache, die Shimele Blank ihm vermittelte. Es war in einem Keller in Coney Island, vor dem biertrinkende Angehörige saßen. In einer Ecke des winzigen Raums, »halb so groß wie mein Wohnzimmer«, befand sich der reich dekorierte Sarg eines Zigeunerkönigs, bedeckt mit Diamanten, neben ihm die beiden Frauen des Verstorbenen, eine davon mit einem Säugling an der Brust. Willie und sein Bruder Chi spielten James Thorntons Schlager »When You Were Sweet Sixteen« (1898) und »I Can't Give You Anything But Love, Baby«, und die Frau mit dem Kind und die Ältere tanzten vor dem Sarg. Am nächsten Tag, auf dem Friedhof während des eigentlichen Begräbnisses, wünschten die Roma traurige Musik, und Willie und seine Kollegen spielten einen Hochzeitsmarsch der Bobower Chassidim und den »Alter Rebbens

Nign« sowie andere Hochzeitslieder, die sie von den Chassidim kannten.

Shloimke Beckerman und seine Musiker reisten dagegen winters oft mit dem Zug nach Pennsylvania zu den entlegenen Siedlungen der katholischen polnischen Kohlebergleute, wo sie auf den zwei bis drei Tage dauernden Hochzeiten der staubigen Kumpel spielten. Max Epstein wiederum schwärmt von seinen Jobs für die zaristischen Emigré-Russen, die zu mehreren Tausend jährlich in einem der großen Hotels wie dem Waldorf zusammenkamen: »Die gesamte Schar sang russische Kirchenmusik mehrstimmig, so etwas Schönes hast du noch nie gehört! Sie hatten vierzig Mann engagiert, darunter ein paar erstklassige Musiker; ich war einer von den Saxophonspielern. Wir sollten nur Musik von russischen Komponisten wie Tschaikowsky spielen, alles für A-Klarinette. Aber keiner hatte eine A-Klarinette, und um die Musik auf der B-Klarinette spielen zu können, mußte man die Stücke einen halben Ton tiefer transponieren. Nun bin ich zwar kein symphonischer Klarinettist, aber ich war der einzige, der transponieren konnte.«

Vor allem Tarras und Beckerman spielten zahlreiche Platten mit polnischer, ukrainischer und russischer Musik für Columbia, Victor und andere Firmen ein. Auch das »Columbia Greek Orchestra« aus dem Jahre 1929 war ein Klezmer-Orchester unter der Leitung von Abe Schwartz mit Dave Tarras auf der Klarinette. Oft vermarkteten die Firmen die gleichen Aufnahmen für Juden und andere ethnische Gruppen mit entsprechenden Titeln. So erschien Abe Schwartz' »Bajm Rebbens Sude« (Beim Rebbes festlichem Mahl) vom November 1917 gleichzeitig als »Ellenikí Dhiaskédhasis« (Griechische Unterhaltung) bei Columbia, und Tarras' »Ich Bin Dajner« erhielt den griechischen Titel »Zefki« für die Hellenen. Manchmal wurden die Namen der Künstler entsprechend verändert, so verwandelte sich Abe Schwartz für die rumänischen Konsumenten in »Alexandru Negru«. Wiederum nahm der griechisch-mazedonische Klarinettist Kostas »Gus« Gadinis Scheiben auf, die sowohl auf ein griechisches als auch ein jüdisches Publikum abzielten, wie die Melodie »Hora Hasapiko«, die bei den Juden auch als »Rumenische Hora« erschien.

»Drejdlech« und »Knejtschn«: Die Verzierungen

Die meisten Klezmer-Kompositionen bestehen aus recht einfachen Melodien, die dann, ähnlich wie in der Barockmusik und in vielen osteuropäischen und orientalischen Traditionen, verziert werden. Diese Ornamentik war bei den amerikanischen Klezmorim unter dem Begriff »Drejdlech«, Wendungen, bekannt – bei den Chassidim heißen sie »Knejtschn«, Nuancen. Es sind die Vielfalt und scheinbare Unregelmäßigkeit der Ornamentierung, Phrasierung und Artikulation, die die Qualität und Größe eines Klezmer-Vortrags ausmachen. Unter den gebräuchlichsten Verzierungen sind Triller und Pralltriller, Nachschläge sowie Glissandi und andere verschliffene und gebogene Töne wie Portamenti. Die schluchzenden Verzierungen, die den Bruch zwischen regulärer Stimme und Falsett imitieren, werden als »Krechtsn«, Stöhnen, bezeichnet. Sie sind im osteuropäischen Synagogalgesang wie auch im chassidischen und jiddischen Volkslied anzutreffen.

Diese Verzierungen und Ausschmückungen sowie die Klangfarben der Instrumente selber unterscheiden den klezmerischen Vortrag von dem anderer, verwandter Bevölkerungsgruppen. Das folgende Musikbeispiel (S. 254) zeigt, wie die gleiche Melodie von einer osteuropäischen Klezmer-Kapelle (»Na Raswete«, In der Morgendämmerung, von Belfs Rumänischem Orchester, aufgenommen in Europa im April 1912), einem amerikanisch-jüdischen Hochzeitsorchester (»Bajm Rebbens Sude« von Abe Schwartz) und einem griechisch-amerikanischen Ensemble (»Roumaniko Hasapiko«, Rumänischer Hasapiko-Tanz, von Kostas Gadinis, eingespielt am 23. März 1927 in New York) interpretiert wurde. Anscheinend chassidischen Ursprungs, deutet der russische Titel »Na Raswete« darauf hin, daß diese Melodie möglicherweise eine ähnliche Funktion wie das lyrische Abschiedsstück »Es togt schojn« bei den Hochzeiten erfüllte.

Die metrischen Stücke in der Klezmer-Musik bestehen normalerweise aus zwei oder mehr Phrasen von acht oder sechzehn Takten, die nach den Schemata AABB, AABBCC, AABB-CCB und so weiter wiederholt werden. Die Melodie »Bajm Rebbens Sude« ist auf dem sogenannten »Frejgisch-Gust« aufgebaut (vgl. S. 198) und enthält drei Phrasen von jeweils sechzehn Takten im Zweivierteltakt. Anhand dieser drei Aufführungen zeigt sich, wie ähnlich sich die beiden jüdischen Interpretationen sind und wie deutlich die griechische Version davon abweicht. Gadinis' Fassung ist hörbar schneller – er hat das melodische Abschiedsstück in einen griechischen Hasapiko-Tanz umgewandelt – und weist mehr und verschiedenartigere Verzierungs- und Ausschmückungstypen der Melodie auf, zum Beispiel die Sechzehntelpassagen in den Takten 3, 8, 13 und 14. Gleichzeitig fällt die Abwesenheit der in der Klezmer-Musik so typischen »Krechtsn« auf, reichlich vorhanden insbesondere im Spiel der Klarinettisten der beiden jiddischen Versionen.

Der kleine, aus Mazedonien stammende Gadinis galt bei den New Yorker Klezmorim als der »griechische Naftule Brandwein«, obwohl Klarinettisten wie John Kyriakatis und Nick Rellias viel größere Könner auf ihren Instrumenten waren. Als Bandleader engagierte Gadinis oft jüdische Musiker wie Max Epstein, die die amerikanischen Nummern kannten, und Epstein nahm wiederum Gadinis, wenn er für die sephardischen Juden aus dem Mittelmeerraum aufspielte, die eine Vorliebe für griechische Musik hatten. Aschkenasische Musiker fühlten sich den asymmetrischen Rhythmen und notenreichen Wendungen der griechischen Tänze nicht gewachsen, wobei Spieler wie Beckerman und Tarras – der ganze Notenbücher mit solchen griechischen Melodien füllte – eine Ausnahme bildeten. Es ist wahrscheinlich, daß Gadinis die Melodie »Roumaniko Hasapiko« entweder seiner Be-

Jiddische und griechische Interpretation im Vergleich

»Bajm Rebbens Sude«

(Original eine Quinte höher)

kanntschaft mit jüdischen Musikern verdankte, oder daß er
eine der zahlreichen amerikanisch-jüdischen Einspielungen
wie »Bajm Rebbens Sude«/»Ellenikí Dhiaskédhasis« von Abe
Schwartz gehört hatte und sie für seine Zwecke adaptierte.

Der Niedergang der jiddischen und klezmerischen Kultur in Amerika

Ausgehend von der repressiven Stimmung nach dem 1. Weltkrieg, während derer die Einwanderergesetze zunehmend ein-
geschränkt, Immigranten und Radikale arrestiert und deportiert wurden, entwickelte sich ein grimmiger Antisemitismus
in den Jahren zwischen den beiden Weltkriegen. Der Fabri-
kant Henry Ford zog mit Hetzparolen gegen den »jüdischen
Jazz, die debile Musik des jiddischen Kartells« zu Felde – womit er allerdings nicht die Klezmer-Musik meinte, sondern
die von Juden geschriebenen »Tin Pan Alley«-Schlager – und
veröffentlichte die berüchtigten »Protokolle der Weisen von
Zion«. Die fruchtbare kulturelle Interaktion zwischen den Juden in Osteuropa und Amerika, durch die Russische Revolution in der Ukraine und Weißrußland bereits unterbrochen,
wurde insbesondere durch das neue »Johnson-Reed«-Gesetz

255

von 1924 endgültig abgeschnitten. Ohne den beständig flie-
ßenden Strom von Neuzuwanderern verlor auch die Klezmer-Musik ihren Nährboden, und die mangelnde Nachfrage
seitens des neuen, jüngeren Publikums bewirkte, daß sich
schließlich nur noch die zunehmend älter werdende Einwanderergeneration in New York und anderen Metropolen
wie Philadelphia, Boston, Cleveland und Chicago an den
»hejmischen« Klängen erfreute. Mit dem abnehmenden Ein-
wandererzufluß erlebten die jiddische Presse, das Jiddische
Theater und der Besuch vor allem der orthodoxen Synagogen einen Niedergang. Gleichzeitig vollzog sich in den Jahren vor der Depression auch eine im großen Stil stattfindende Veränderung des amerikanisch-jüdischen Berufsprofils,
denn mehr und mehr Juden gründeten kleine Geschäfte und
konnten von dort in die verschiedenen Berufszweige eingehen. Ihrem Aufstieg aus der Unterschicht in den Mittelstand
stand nun nichts mehr im Wege.

Musiker wie Dave Tarras und Maxie Epstein wurden Jahr
für Jahr nicht nur für die Bankette und Bälle der »Farajns«,
der Vereine, engagiert, sondern spielten auch auf sämtlichen
Hochzeiten und anderen privaten Festen ihrer Mitglieder,
manchmal über mehrere Jahrzehnte, bis nur noch so wenige
Angehörige der Einwanderergeneration am Leben waren,
daß die Veranstaltung von Festen nicht mehr lohnte. Max Epstein schildert, wie eng er mit den Landsmanschaftn verbunden war: »Ich spielte vierzig Jahre lang für eine Organisation!
Natürlich sind sie jetzt alle von uns gegangen. Sie waren
Freunde. Wenn die eine Sache organisierten, hatte ich zu
spielen. Wenn ich es nicht machen konnte, verlegten sie es
auf einen anderen Tag. So weit ging das. Und dann sagten sie
ihren Mitgliedern, ›wenn ihr Maxele nicht engagiert, kommen wir nicht zum Fest‹. Sie waren so an mich gewöhnt, weil
ich wußte, was sie wollten, weißt Du. Ich habe immer den
›Russian Sher‹ für sie gespielt, ich mußte das ganze Ding
durchspielen, bis sämtliche Paare die Figuren durchgetanzt
hatten. Die Jungen hätten mich ums Verrecken nicht geholt.
Es waren die Eltern, die uns wollten. Sie tanzten stundenlang.

Abb. 25 Großes Nachkriegs-Club-Date-Orchester (»Max Kletter Orche-stra«), ca. 1949. Vordere Reihe, von links: Max Kletter, Dirigent; Max Epstein, Klarinette und Saxophon; Paul Pincus, Klarinette und Saxo-phon; Ray Musiker, Klarinette und Saxophon. Zweite Reihe: Tommy Lucas, Gitarre; Willie Epstein, Trompete; Sammy Kutcher, Posaune. Hintere Reihe: Al Hausman, Klavier; Bunny Fisher, Gesang; Lou Weissman, Schlagzeug; Charlie Galazan, Kontrabaß. Archiv Peter Sokolow.

Sie tanzten auf den Zehen, und du sahst fünfzehn bis zwanzig Kreise, alle gingen in der gleichen Richtung und im gleichen Tempo.«

Das Netz der Familienzusammenhänge und Gemeindeorganisationen, bis dahin Bestandteil des Einwandererlebens, begann sich zu lockern, obwohl die gegenseitige Abhängigkeit der Generationen noch Bestand hatte. Die Verwurzelung von Glauben und familiären kulturellen Mustern löste sich mit dem schwindenden Einfluß der Immigrantengeneration allmählich auf: Seine Substanz und Identität wurden für die nächste Generation zu einer Quelle von Nostalgie und Humor. Die Kinder und Enkel der Einwanderer empfanden die alten osteuropäischen Klezmer-Melodien bei den Bällen der Landsmanschaftn weder als zeitgemäß, noch sahen sie als erfolgsorientierte Yankees im Jiddischen ihr Idiom. Jiddisch sprach man zwar noch in den Wohnküchen mit den Eltern und Großeltern, aber außerhalb der Familie gab man sich so amerikanisch wie möglich, oft sogar ein wenig mehr, um die innere Orientierungslosigkeit zu übertönen. Die Synagoge, einst ein wichtiges kulturelles Bindeglied, konkurrierte nun mit einer Vielfalt säkularer Organisationen. Ganze Unterhaltungsindustrien entstanden um diesen massiven Konflikt zwischen den Generationen: Das jiddische Kino half, wie die Schallplattenindustrie, dieses Bewahren und Verwerfen der jüdischen Traditionen auszuleben und sich schließlich in die neue Heimat zu integrieren.

Auch hier in New York vollzog sich – ähnlich wie im nachrevolutionären Rußland der Wechsel von jüdischen Kleinstädten in die russischsprachigen Großstädte – die Hinwendung zur Staatssprache Englisch. Durch diesen Weggang der vorwiegend jungen, zukunftsorientierten und strebsamen Juden aus der jiddischen Sprache und Kultur verblieben der Sprache vorwiegend Leser und Sprecher aus den unteren und ungebildeten Gesellschaftsschichten. Dieser Vorgang des kulturellen Ausblutens verlief parallel zu den Verlusten in der Musik – sowohl liturgisch als auch Klezmer –, da begabte Profis in die musikalischen Bereiche der amerikanischen Mehrheitskultur hinstrebten. Im Gegensatz zu den Afro-Amerikanern konnten sich die Juden wegen ihrer weißen Hautfarbe trotz Antisemitismus zwar leichter assimilieren, als Preis dafür zahlten sie mit dem Verlust ihrer jiddischen Kultur und ihrer Klezmer-Musik, während die Afro-Amerikaner ihre musikalischen Formen vom Blues über Swing und Bebop zu einer Kunstmusik entwickelten, weil ihnen der Weg in den Mainstream der amerikanischen Kultur verwehrt wurde. Während der Schwarze Charlie Parker noch Anfang der fünfziger Jahre keine Unterstützung für ein Kompositionsprojekt des Webern-Adepten Stefan Wolpe (1902–1972) für sich und sein Ensemble fand, konnten Nachkommen von Klezmer-Familien bereits in Osteuropa das Komponistenhandwerk erlernen und damit in die klassische Musik eingehen.

Die säkulare amerikanisch-jiddische Kultur erreichte in den Operetten von Rumshinsky und seinen Mitstreitern sowie der Klezmer-Musik von Brandwein und Tarras ihren Gipfel genau zum Zeitpunkt des Generationswechsels in den zwanziger Jahren. Wie die osteuropäische Klezmer-Tradition, deren Leitfiguren Gusikow und Pedotser im 19. Jahrhundert ihren Höhepunkt und zugleich den Beginn des Niedergangs markieren, so erreichte die Badchn-Tradition mit Zunser ihre Blüte im letzten Viertel des 19. Jahrhunderts, um schon kurz darauf zu erlöschen. Einem ähnlichen Prozeß unterlagen auch die Chasones, deren Glanz in Künstlern wie Cerini, Sirota und Rosenblatt kulminierte, um auch hier sogleich zu verblassen – wobei der Kantor in den aschkenasischen Gemeinden immer noch eine führende Rolle spielt, allerdings hat sich das Schwergewicht vom einstigen Star-Status zunehmend auf das gemeinschaftliche Singen verlagert.

Mit und ohne Akzent spielen:
Shloimke Beckerman

Wie die ausdrucksvollen Eigenheiten des Jiddischen auch ihr Englisch weiterhin dominierten, blieben die Einwanderermusiker – mit wenigen Ausnahmen – mit ihren Krechtsn auch in der amerikanischen Musik Fremde. Mit und ohne jiddischen »Akzent« zu spielen, das wurde nun eine Frage des beruflichen Überlebens. Musiker wie Shloimke Beckerman zeigten sich flexibler als andere: Durch seine Fähigkeiten auf dem modischen Saxophon – das er in die jiddischen Kapellen eingeführt haben soll – gelang es ihm, Engagements in den renommierten Tanzorchestern der großen Hotels zu bekommen und mit dem symphonischen Jazz des Paul Whiteman Orchesters im »Little Club« Anfang der zwanziger Jahre ein neues Publikum für sich zu gewinnen. Auf der anderen Seite des Ozeans, im Vorkriegspolen, hatten Klezmer-Musiker wie der Flötist Schlojmke Kosch in Lemberg bereits das Saxophon benutzt; möglicherweise fanden um die gleiche Zeit wie in Amerika auch Klavier, Akkordeon und Schlagzeug ihren Weg in die polnischen Ensembles. Leopold Kozłowski war vermutlich der erste, der schon 1935 in Galizien die beliebte Quetschkommode in die väterliche Kapelje einführte.

Shloimke Beckerman, der Nachkomme der angesehenen Beckerman/Fishberg Klezmer-Familie aus Tschudnow, hatte eine gründlichere Ausbildung als Tarras oder Brandwein genossen, er schrieb Arrangements nach Gehör, konnte vom Blatt in alle zwölf Tonarten transponieren sowie Gegenmelodien und Mittelstimmen improvisieren. Max Epstein sagte von ihm, er habe alle New Yorker Klezmorim übertroffen. Wie später in den fünziger Jahren so mancher amerikanische Musiker der Swing-Ära den Übergang zum Rhythmus des Rock and Roll nicht mehr zu vollziehen vermochte, zeigten sich die jiddischen Musiker unfähig, die Synkopen der ragtime- und jazzgefärbten amerikanischen Musik zu empfinden, ihre Versionen klangen eckig und swingten nicht. Dabei spielt es sicherlich eine Rolle, daß viele von ihnen erst als Erwachsene nach Amerika ausgewandert waren und sich mit Syntax, Grammatik und Tonfall der neuen Sprache zeit ihres Lebens schwertaten. »Er spielte furchtbare amerikanische Musik, aber Mann, wenn es jüdisch wurde!« schwärmt der temperamentvolle Peter Sokolow von dem um 1907 in der Ukraine geborenen Schlagzeuger Irving Graetz, Tarras-Begleiter über viele Jahre hinweg.

Max Epsteins musikalische Zweisprachigkeit

Während Dave Tarras seine Musik durch beständiges Üben zu verfeinern suchte und sie seinen Erfahrungen in einer sich radikal verändernden Welt anzupassen vermochte, ging der versierte Yankee-Musiker Max Epstein noch einen Schritt weiter: In den dreißiger Jahren drückte der strebsame, gebildete Musiker erneut die Schulbank und legte seine Magisterprüfung in Musikpädagogik an der New Yorker Universität ab. Das ehemalige Wunderkind der klassischen Violine, von früh auf mit einseitiger Taubheit geschlagen, studierte Trompete, Posaune und Klavier, und Epstein hinterließ untröstliche Lehrer, als er von seinem Universitätsabschluß keinen Gebrauch machte und ins Club Date-Geschäft zurückging. Epstein, der nebenbei auch in vielen anderen ethnischen Spielweisen zuhause war und mit dem besten ungarischen Zigeunergeiger des damaligen New York, Karoly »Charlie« Bencze, auftrat, profitierte von den erweiterten Dimensionen seines musikalischen Könnens, indem er nach seinem Studium auch Synagogalchöre zu den Feiertagsgottesdiensten in den Ferienorten des Borscht Belt dirigierte. Wie seine osteuropäischen Vorläufer Gusikow und Pedotser, hatte sich auch Epstein schon als Jugendlicher an der klassischen Ästhetik orientiert und bei dem gefeierten Klarinettenvirtuosen Simeon Bellison die »legitimen« Griffe lernen wollen. Nach einer Stunde soll ihn der Maestro ausgelacht und zur Beibehaltung seiner eigenen Griffe und Spielweise geraten haben, denn es sei egal, so Bellison, welche Griffe man benutze, solange das Instrument richtig klinge.

Daß Epstein ein Autodidakt auf der Klarinette ist, hört man an seinem Ton. Im Gegensatz zu seinen Kollegen Tarras und Beckerman mit ihren ausgefeilten Techniken ist Max Epsteins Spiel dem Brandweins näher, etwas roh, frei und sehr expressiv. Nichtsdestotrotz spielt er sehr »sauber« und vereint – nicht zuletzt aufgrund seiner allgemeinen Kultiviertheit und musikalischen Ausbildung – die Formbewußtheit und kühle Eleganz von Tarras mit der spielerischen Kühnheit des »teuflischen Magiers« Brandwein in einer eigenen Synthese. Von seinem fast dreißig Jahre jüngeren Freund Maxie sagte Shloimke Beckerman, er sei besser gewesen als Tarras und Brandwein. Ein Musiker wie Epstein hinterläßt aber – im Gegensatz zu Tarras – hauptsächlich als Interpret und nicht als

Komponist seine Spur in der Musikgeschichte. Da er selten Plattenverträge als Solist hatte, erübrigte sich für ihn das Schreiben eigener Stücke: Wenn er bei den Hochzeiten auftrat, mußte er nur die Stücke spielen, die von ihm verlangt wurden.

Epstein war, wie sein jüngerer Kollege, der Klarinettist und Saxophonist Sammy Musiker (1916–1964), musikalisch zweisprachig: Als er »als jüdischer Klarinettist anfing, wollten alle diese Altgedienten hören, was der Junge kann. Sie konnten es nicht glauben, daß ein so junger Mann, in Amerika geboren, mit dem Enthusiasmus und dem Tonfall spielen konnte, mit denen sie aufgewachsen waren und die er sich von ihnen angeeignet hatte. Und dann spielte er schon in seinem Alter amerikanische Tanzmusik, populäre Musik, die zu der Zeit sehr, sehr zeitgenössisch war. Und sie konnten das nicht. Also war es erstaunlich für sie, daß ein Typ amerikanische Musik und sogenannte jüdische Musik gleichzeitig spielen konnte und beides so gut«, erinnert sich Julie Epstein.

Jiddisch und Klezmer

Obwohl es keine direkte Verbindung zwischen der instrumentalen Musik und der jiddischen Sprache gibt, bestehen gewisse Parallelen zwischen dem Sprachgebrauch der osteuropäischen Juden und den schöpferischen Prozessen in der Klezmer-Musik. Jiddisch wurde schon immer in einem bilingualen bzw. multilingualen Kontext gesprochen, wobei sich die jeweiligen Sprachen auf vielfältigste Art aufeinander bezogen. In der aschkenasisch-jüdischen Welt gab es zwei interne Sprachen – das hebräische »Loschn-Kojdesch« von Tora und Talmud und das Jiddisch – die untrennbar ineinander verwoben waren. Die Chejder-Knaben lernten ihre Tora-Verse auswendig, aber nicht nur auf Hebräisch: Jedes Wort wurde ins Jiddische übersetzt, so daß beide Sprachen sich ergänzten und in den Köpfen zu einem einzigen Sprachgewebe verschmolzen. Gleichzeitig beherrschten die meisten der osteuropäischen Juden zumindest eine der verschiedenen Staatssprachen wie Russisch, Polnisch, Rumänisch oder Deutsch. Jiddisch ist – wie das Englische auch – eine Fusionssprache, die Elemente aus dem Hebräischen, Mittelhochdeutschen und verschiedenen romanischen und slawischen Sprachen kombiniert. Es gilt als eine eigenständige Sprache und nicht als Dialekt des Mittelhochdeutschen, und in ähnlicher Weise kann auch die Klezmer-Musik zwar als Fusionsmusik angesehen werden, muß aber, wie das Jiddische, als eigenständige Gattung gelten. Wie die jiddischsprachigen Juden zwischen den Sprachen der dominanten Kulturen und ihren eigenen hin und her zu wechseln vermochten, so waren in ähnlicher Art und Weise die Klezmorim in der Lage, zwischen ihrer eigenen internen Musik – die zwar Elemente aus dieser Mehrheitskultur enthielt – und der Musikkultur der benachbarten Bevölkerungen hin- und herwechseln, da sie auch mit jener Musik vertraut waren.

Besonders ab Ende der zwanziger Jahre waren die unregelmäßigen Rubato-Phrasierungen und die reiche Ornamentik der osteuropäisch-jüdischen Klezmer-Tradition zunehmend glatteren und vereinfachten Formen gewichen. Dies hatte zum Teil damit zu tun, daß sich zu dem Zeitpunkt eine neue Generation von Musikern – sowohl diejenigen, die aus Klezmer-Familien stammten, als auch Außenseiter – die freigewordenen Plätze in den jüdischen Hochzeitskapellen eroberte. Zweifellos auch bimusikalisch, mit Englisch und Jiddisch aufgewachsen, und im Ohr Bulgars, Foxtrotts und frühen Jazz, fehlte dieser neuen amerikanischen Generation doch bereits der gewisse jiddische »Tam« – mit Ausnahme von Max Epstein und Sammy Musiker, die als einzige von der alten Garde der Osteuropäer als ebenbürtig angesehen wurden.

»Wie ein Jazznik«: Generationswechsel

Sowohl der um 1919 geborene Sid Beckerman, der noch heute Club Dates in und um New York spielt, als auch der ein Jahr jüngere Howie Leess – beide bereits in New York geboren – lernten ihr Handwerk in ihrer Jugend bei Sids Vater Shloimke. Howie ließ sich von 1929–1932 von Shloimke unterrichten – doch keinesfalls, um sich von ihm in Jewish Music ausbilden zu lassen, sondern um sich eine solide Grundlage auf dem Saxophon und der Klarinette anzueignen: »Zu Shloimke ging ich wegen seines musikalischen Könnens, nicht weil er ein Klezmer war«, sagt Leess. Die Kenntnis des Klezmer-Stils wurde vorausgesetzt. Sid profitierte vom stilistischen Unterricht bei seinem »Pop«: »Spiel es nicht so, du klingst wie ein Jazznik. Laß mich es dir zeigen, wie es klingen soll«, korrigierte Shloimke seinen Sprößling, zeichnete die Melodien für ihn auf und zeigte ihm, wie er diese auszuschmücken hatte.

Als Sid Beckerman kurz vor Ausbruch des Zweiten Weltkrieges seine Musikerlaufbahn begann, bestand das Standardrepertoire der jüdischen Bands aus Tangos, Rumbas, russischen und Wiener Walzern, Frejlechsn und Bulgars, ungarischen Csárdások, Polkas, Polka Mazurkas, polnischen Obereks und amerikanischen Foxtrotts. Der musikalische Generationskonflikt führte oft– jedenfalls für Außenstehende – zu amüsanten Auseinandersetzungen: Während die Braut auf ihrem Fest die neuesten Tänze vorführen will, besteht der Vater auf »epes a bisl jiddische Musik«, ein bißchen jiddische Musik, denn schließlich ist ja er derjenige, der die kostspielige Hochzeit ausrichtet. Oft kann die Braut erst durch lautes Schreien verhindern, daß die Musikanten letztendlich den Wünschen des Vaters nachgeben, oder ältere Hochzeitsgäste geben den Spielern mit Drohgebärden zu verstehen, daß ein jiddisches Tänzchen nach all den Twosteps und Foxtrotts nun wohl angebracht wäre.

Um weiterhin im harten Musikgeschäft bestehen zu können, engagierten die Immigrantenspieler Musiker der nach-

Abb. 26 Brandwein-Familien-Kapelje, ca. Ende der 1930er Jahre. Von links: Lou Levinn, Trompete; Mookie Brandwein, Schlagzeug; Abe Brandwein, Saxophon; Chester Brandwynne, Piano; Naftule Brandwein, Klarinette; Beresh Katz, Saxophon. Archiv Dorothea Goldys-Bass.

folgenden Generation – darunter auch die Söhne und Neffen der europäischen Klezmorim –, deren musikalisches Universum von Synkopen und den Rhythmen des Ragtime, Jazz und Blues, des Tin Pan Alley und, später, des Swing bestimmt wurde. So holte Naftule Brandwein seinen Sohn, den Saxophonisten Abe Brandwein, sowie seine Neffen, die Pianisten Chester Brandwynne und Nat Brandwyne (Abb. 26), und Zeydl Musiker ließ sich von seinen Kindern Sammy, Ray und der leider zu früh verstorbenen Beverly Musiker beim Spielen des amerikanischen Repertoires unterstützen. Auch in Amerika bestimmten ausschließlich Männer das Klezmer-Geschäft, und Beverly Musiker (1911–1941) war eine der ersten Frauen, die diese Geschlechtsbarriere überwand. Musikerinnen wie die Pianistinnen Sylvia Schwartz, Tochter von Abe, und Lara Cherniavsky, Ehefrau von Joseph, blieben Ausnahmeerscheinungen. Max Epstein kritisiert die musikalische Schwäche der Hochzeitsorchester der Einwanderergeneration; vor allem die Brandwein-Familienkapelle habe nur zwei gut ausgebildete Musiker aufzuweisen gehabt: Naftules Neffen Chester und Nat, die aber bereits Epsteins Generation angehörten. Die Bands seien erst mit dem Einstieg dieser Generation besser geworden: »Es war gute jüdische Musik, aber moderner. Die Leute mochten das.«

Viele der in Amerika geborenen Klezmer-Musiker eroberten sich auch die »Society«-Branche, so wurden die Engagements auf den Festen der wohlhabenden Oberschicht genannt. »Society Jobs« mit Swing-Musik waren eine Unterabteilung des Club Date-Geschäfts. Ältere Club Date-Musiker wie Howie Leess hatten in der Vorkriegszeit bei zweitrangigen weißen Big Bands wie Jerry Wald, die als Kopien der Orchester von Benny Goodman und Artie Shaw entstanden waren, gespielt und beherrschten das gesamte Repertoire inklusive Harmoniestimmen auswendig. Aus Kostengründen engagierten die Society-Bandleader eben diese erfahrenen Musiker: Da sie die Fähigkeit hatten, Swing nach Gehör zu spielen, klang es, als ob sie aus einem geschriebenen Arrangement spielen würden – das nannte man »faking«. Nat Brandwyne, Sohn des Trompeters Azriel Brandwein, ist ein gutes Beispiel für ein Mitglied einer Klezmer-Familie, das in die Unterhaltungssparte ging; mit seinem berühmten Orchester spielte er im »Starlight Room« des »Waldorf« für die New Yorker High Society wie auch für die »Glücksritter« und Touristen von Las Vegas. Musiker wie Nat und sein Bruder Chester trugen den Klang des weißen Swing in die Klezmer-Ensembles hinein.

Umgekehrt griffen die »amerikanischen«, also amerikanisch-jüdischen Kapellmeister gern auf in Amerika geborene Musiker wie Willie Epstein zurück, wenn sie es »ein bißchen Jüdisch« haben wollten. Manche von diesen jüngeren Musiker lernten ihr Handwerk aber nicht mehr bei den Einwanderern, sondern schon von den »Yankees«, den im Lande ge-

266

Abb. 27 Epstein Brothers bei einer Hochzeit, 1950er Jahre. Archiv Rita Ottens und Joel Rubin.

borenen Musikern. Im Gegensatz zu Max, Chi und Willie Epstein, aus deren Krechtsn und Knejtschn noch die musikalische Handschrift ihrer Lehrmeister Brandwein, Tarras und Beckerman herauszuhören ist, spielte das »Baby« der Familie, der Schlagzeuger Julius, erst im Alter von siebzehn seine ersten Gigs in Klezmer-Bands. Er wurde von seinem älteren Bruder Maxie gefördert, der damals schon ein etablierter Star und Bandleader war (Abb. 27). Seitdem wurde Julius häufig für Klezmer-Jobs herangezogen, bevorzugte aber zeit seines Lebens die Dixieland- und Big-Band-Musik und trat mit Bands wie der »Tigertown Five« des Klarinettisten Stan Rubin auf.

Yiddish Melodies in Swing: *Experimente in Klezmer-Jazz-Fusion*

Sammy Musiker gehörte nicht nur zu den hoffnungsvollsten Klezmer-Klarinettisten der in Amerika geborenen Generation, sondern machte sich vor allem einen Namen als Starsolist in der »Gene Krupa Big Band«. In den späten vierziger Jahren verschrieb sich Musiker der Aufgabe, die alten Klezmer-Melodien mit zeitgemäßen Arrangements und mit modernen chromatischen Melodien und anspruchsvolleren Harmonien aufzufrischen. Er engagierte seinen Schwiegervater, den sogenannten »jüdischen Benny Goodman« Dave Tarras, und schrieb Saxophon- und Blechbläser-Stimmen, die jedoch eher zu Krupa oder Tommy Dorsey gepaßt hätten.

Das Experimentieren mit Jazz-Elementen in der Klezmer-Musik war schon aufgrund der Nähe beider Bevölkerungsgruppen und Kulturen keineswegs neu. Max Epstein pflegte in den frühen dreißiger Jahren im Jazz-Mekka Harlem, um die Jahrhundertwende noch ein jüdisches Wohngebiet mit Catering Halls und Synagogen, die Auftritte des Jazz-Orchesters von Fletcher Henderson zu besuchen. Dort soll – so die Legende – Sammy Kahn, der Texter der englischen Fassung von »Baj mir bistu schejn«, gehört haben, wie in einem Nachtclub eben dieses Lied von schwarzen Entertainern auf Jiddisch gesungen wurde.

Schon vier Jahre vor den ersten Bessie Smith-Einspielungen ihres Vaudeville-Blues, im Jahre 1919, nahm das Orchester von Lieutenant Joseph Frankel seinen »Yiddishe Blues« auf. Diese und die Einspielungen der Klezmer-Ragtime-Nummer »Jakie Jazz 'em Up« sowie des Novelty-Foxtrott »Cohen's

Visit to the Sesquisentenial« des »Harry Kandel's Jazz Orchestra« aus dem Jahre 1926 sind Belege für die Faszination der Einwanderer jener Jahre von den Rhythmen ihrer neuen Heimat und begründen gleichzeitig die vielgeschmähte »weiße« Auffassung vom Jazz. Trotz ihres Blues- oder Jazz-Anspruches – ohnehin eher im Titel der Stücke und der Orchester zu finden als in der Musik selbst – beschränken sich die auf populären Klezmer- und jiddischen Melodien basierenden und unbeholfen synkopierten Aufnahmen auf einzeln notierte »Hot«-Soli. Es ist wichtig zu verstehen, daß diese Aufnahmen keineswegs die Klezmer-Musik repräsentierten, wie sie auf den Hochzeiten und Bällen erklang, sondern Versuche waren, mit einem Mix aus den zu jener Zeit dominierenden neuen Ausdrucksweisen Amerikas und der zusehends stagnierenden Klezmer-Musik ein neues bzw. jüngeres Publikum zu gewinnen. Den damals sichtbar werdenden Generationswechsel belegt eine weitere Aufnahme Harry Kandels: Gleichzeitig mit der für die jungen Publikumsschichten bestimmten »Jazzplatte« spielte er – für die ältere Generation – unter dem Namen »Kandel's Orchestra« einige traditionelle Bulgars wie »Di Frejlechs Nacht in Gan-Ejdn« (Die fröhliche Nacht im Paradies) ein.

Sammy Musikers Experimente – vor allem die Aufnahmen mit Dave Tarras beim »Savoy«-Label im Jahre 1946 –, Jazz und Klezmer zusammenzubringen und mit einem neuen Stil die Richtung der Klezmer-Musik zu ändern, gelangten über diese Anfangsstufe niemals hinaus, weil ihnen der Zuspruch des Publikums fehlte. Im Gegensatz zum fruchtbaren Verhältnis zwischen den Musikkulturen der Juden und der benachbarten Nichtjuden in Osteuropa sind Jazz und Klezmer essentiell inkompatibel. Während die rumänische Doina als ein natürlicher säkularer Ersatz für die Improvisationen des Badchn fungieren konnte, zeigen die Sammy Musiker-Aufnahmen, daß die gedämpften Saxophon-Stimmen sich nicht mit der tiefen und intensiven Emotionalität des Klezmer-Meisters Tarras vereinen ließen. Wie das Spiel von Tarras deutlich macht, waren die Klezmorim keine Improvisatoren im Sinne der Jazz-Musik. So konnte es auch zu keiner Fusion der beiden Musikstile kommen: Es entstand weder eine neue Form oder Weiterentwicklung der Klezmer-Musik noch gute Swing-Musik. Wie die Frankel- und Kandel-Aufnahmen sind auch die »Jazz«-Einspielungen von Musiker und Tarras eher als historische Kuriositäten und Fundgrube für Musiker und Musikhistoriker zu betrachten. Außerdem wirkte Musikers »Experiment« schon damals als ein Anachronismus, denn der Swing-Stil, mit dem er die Klezmer-Musik zu vereinen suchte, war bereits veraltet: 1945 hatte der Saxophonist Charlie Parker mit dem jungen Miles Davis seine revolutionären Bebop-Harmonien (ebenfalls bei »Savoy«) eingespielt – Sammy Musikers Vorbilder Lester Young, Ben Webster oder gar Benny Goodman bestimmten schon lange nicht mehr den Ton. Und umgekehrt war auch den Swing-Klezmer-Experimenten von Benny Goodman und seinem Trompeter Ziggy Elman aus den Jahren 1938–1939 ein ähnliches Schicksal beschieden: Trotz der immensen Popularität einiger Titel wie »Baj mir bistu schejn« und »Kiss and the Angels Sing« blieb im Endeffekt der Einfluß der Klezmer-Musik auf die amerikanische Popularmusik minimal. Musiker wie Goodman, Elman und der Klarinettist Artie Shaw waren zwar Juden, wurden von den New Yorker Klezmorim aber niemals als jüdische Musiker, sondern als Jazzmusiker betrachtet, und die vermeintliche Klezmer-Einleitung der »Rhapsody in Blue« des Kantorensohns George Gershwin, das berühmte Klarinetten-Glissando, entpuppt sich zu guter Letzt auch als musikalischer Mythos.

Das Geschäft mit der Sehnsucht: Kitsch und Komik

Nach dem Zweiten Weltkrieg wurden nur noch gelegentlich Alben mit Klezmer-Musik eingespielt, so die Platten »Freilachs For Weddings, Bar Mitzvahs and Other Celebrations« vom »Murray Lehrer Orchestra« (Abb. 28) mit Dave Tarras

Abb. 28 Plattencover des »Murray Lehrer Orchestra« mit Dave Tarras und Lou Levinn, ca. 1959. Archiv Rita Ottens und Joel Rubin.

und Lou Levinn oder, in den späten fünfziger Jahren, »Mazeltov. Wedding Songs of our People – for my Beloved featuring the Dukes of Freilachland«, mit Max Epstein und seinen Brüdern. Obwohl die temperamentvollen Bulgars und Frejlechs noch in den Herzen der ältesten Generation der jiddischsprachigen Einwanderer weiterlebten, sind diese nostalgischen Aufnahmen bereits Beispiele einer untergehenden Musikkultur. Das Geschäft mit der Sehnsucht dieser Menschen zeigt sich gelegentlich auch von seiner (unfreiwillig) komischen Seite: »Für die ältere Generation ist der altmodische Walzer der vertrauteste und beliebteste Schritt. Wenn diese heimtückischen [sic!] Melodien im Dreivierteltakt gespielt werden, schwinden die Jahre dahin«, so der zähe Cover-Text der Lehrer-Platte mit dem entlarvenden Sprachfehler. Als typischer freudianischer Fehlgriff erweist sich die Verwechslung des folgerichtigen »infectious«, ansteckend, mit dem Eigenschaftswort »insidious«, heimtückisch – vielleicht der grimmige zeitkritische Kommentar eines frustrierten Texters? Hier wird der Walzer, der nie zu den beliebtesten Tänzen der Juden aus Osteuropa gehört hatte, bezeichnenderweise bereits zu einem jüdischen Tanz, während die jüdischen Frejlechsn, Schern oder Bulgars gänzlich in den Hintergrund treten.

Gerade die Lehrer-Arrangements badeten in Klängen von Cocktail-Piano und aufdringlichen Akkordeon- und Saxophonstimmen. Fast unheimlich erscheinen die Bilder von demonstrativ fröhlich tanzenden, gänzlich amerikanisierten »Happy People«, die einem bereits ab Ende der fünziger Jahre von den Plattenhüllen dieser letzten traditionellen Klezmer-Aufnahmen entgegenlachten – nur knapp ein Jahrzehnt nach der Shoah. Die Platten reflektieren die Ästhetik jener Zeit und können aus heutiger Sicht oft nur als Kitsch beschrieben werden, obwohl das Spiel von Tarras, Sammy Musiker und Max Epstein immer noch beachtlich war.

Das damalige Repertoire der Hochzeitskapellen bestand aus wenig »Klezmer«, dafür gab es um so mehr nostalgische Medleys aus dem Jiddischen Theater, außerdem chassidische Stücke und Volkslieder sowie israelische Melodien wie »Tzena Tzena« und »Hawa Nagila«. Großer Beliebtheit erfreuten sich auch Polkas und russische Walzer, Csárdás und nicht selten Swing- und Latin-Nummern sowie Jascha Heifetz' »Hora Staccatto« aus dem Repertoire des virtuosen rumänischen Roma-Geigers Grigoraş Dinicu. Später kamen Suiten aus dem Broadway-Musical »Fiddler on the Roof« (»Anatevka«, 1964) hinzu. Diese Musik wurde von der Nachkriegsgeneration meist abfällig als »Bar-Mitswe Music« bezeichnet, muffige und eintönige Melodien, gespielt von gelangweilten Musikern in altmodischen Jacketts und Siegelringen, zu denen die jüdische Jugend von Eltern und Großeltern auf zahlreichen Bar-Mitswes zwangsverpflichtet wurde.

»Hawa Nagila«: Auswirkungen der israelischen Staatsgründung auf die Klezmer-Musik

Hauptsächlich verantwortlich für den Niedergang des Klezmer-Repertoires in Amerika waren die Gründung des Staates Israel im Jahre 1948 und die damit verbundene Identifikation der amerikanisch-jüdischen Gemeinschaft mit der neuen Heimstatt der Juden. Die dort entstehende hebräisch-israelische Kultur galt nun in Amerika als einzig gültiger Ausdruck säkularen Judentums. Trotz ihrer bedeutenden Rolle in Europa wurde der Klezmer-Musik schon seit den frühen Einwanderungsjahren seitens des organisierten amerikanischen Judentums kein Interesse entgegengebracht: Die offiziellen jüdischen Organisationen wie Synagogen oder Gemeinden versagten diesem aus ihrer Sicht unzeitgemäßen Erbstück orientalischer Antiquiertheit inmitten des fortschrittlichen American Way of Life Unterstützung und Anerkennung, um die schlafenden Geister der Vergangenheit nicht zu wecken. Mit der israelischen Staatsgründung wurde dann der Weg zu einer organischen und zeitgemäßen Fortführung der jahrhundertealten Klezmer-Tradition endgültig abgeschnitten. Ähnlich wie die jungen Afro-Amerikaner im Norden von Amerika, die sich in den fünfziger Jahren demonstrativ dem »Downhome Blues« der Südstaaten als überkommenem Relikt von Sklaverei und Baumwollfeldern verweigerten, wollten die jungen, zionistisch orientierten amerikanischen Juden keine jiddische Musik mehr hören, weil diese lamentierenden Klänge mit Schwäche, kultureller Rückständigkeit und den Gaskammern der Nazis assoziiert wurden.

Die populäre israelische Tanzmusik, verkörpert in Hora-Melodien wie »Hawa Nagila« und »Niggun Bialik« hatte in

273

den späten vierziger Jahren »the Bulgars« endgültig verdrängt. »Ich spielte schon vor der Staatsgründung israelische Musik«, schildert Max Epstein die damalige Entwickung, »aber nachdem der Staat Israel kam, hörte die neue Generation statt der alten Klezmer-Musik nur noch israelische Musik«. Klezmorim wie Dave Tarras und seine jüngeren amerikanischen Kollegen machten sich die neuen israelischen Melodien rasch zu eigen, um im Konkurrenzkampf des jüdischen Musikgeschäftes weiterhin bestehen zu können. Zwar spielten sie auch die neu erlernten Horas noch im osteuropäischen Klezmer-Stil, aber den nachfolgenden Generationen – unterdessen eine weitere Generation entfernt von den Quellen – waren die modalen Muster, die rhythmischen Unebenheiten und die Verzierungskunst der älteren Musik immer weniger geläufig. Typisch für die amerikanisch-jüdische Hochzeitsmusik der Nachkriegszeit wurden daher die Bulgars und Horas mit ihrem »flachen« Stil mit deutlich weniger Ornamentik und Improvisation. Dadurch daß Musiker wie Tarras und Epstein – und im weiteren Sinne auch noch Marty Levitt als der letzte Musiker aus diesem Umfeld – fortfuhren, sowohl klezmerische und chassidische als auch israelische Musik im alten Klezmer-Stil zu spielen, erklären sich die heutigen Begriffsunklarheiten zwischen den drei Genres. Und um das Ganze noch zu komplizieren: Auch ein großer Teil des frühen israelischen Repertoires bestand aus osteuropäischen und chassidischen Anteilen, wie die Melodie »Hawa Nagila«, die angeblich von den Sadigurer Chassidim aus der Bukowina stammt und 1915 in Jerusalem von dem Musikologen Idelsohn aufgezeichnet und popularisiert wurde.

»Di Musik klingt asoj schejn!«:
Der Exodus der chassidischen Überlebenden der Shoah

Die Versuchungen einer pluralistischen Gesellschaft, wo Ideen wie Waren und Waren als Ideen auf den Marktplätzen verhökert wurden, hatten seit jeher die Mißbilligung der orthodoxen und chassidischen Juden gefunden und viele Juden von der Auswanderung abgehalten. Düstere Prophezeiungen wurden denjenigen mit auf den Weg gegeben, die dennoch die lange Reise über den Ozean wagten. Die Konservativsten unter ihnen sahen voraus, daß der Traum von der Freiheit in der Neuen Welt sich als ein Alptraum für die aus ihren traditionellen Zusammenhängen gelöste jüdische Bevölkerung erweisen könnte. In Amerika würde die offene Gesellschaft das vollbringen, was sogar die liberale Politik des Zaren Alexander II. nicht vermocht hatte: die Juden von ihrem Judentum zu entfremden und in eine Rotte von Gojim, Nichtjuden, zu verwandeln. So hatte die Abwesenheit einer religiösen Elite unter den Emigranten wesentlich zur Assimilation der jüdischen Einwanderer beigetragen, und bis zum »Exodus der Übriggebliebenen« nach der Shoah bestanden nur einige wenige kleine chassidischen Gemeinden, wie die »Tschortkower Schul« in New Yorks Attorney Street, wo die Männer »Schtrajmlech« trugen, die runden pelzgefaßten Schabbat- und Feiertagshüte, und »mit Enthusiasmus beteten, ganz so wie im Gebetshaus des Rebben in der alten Heimat« (»Tageblat«, August 1912). Die einflußreichen Rebbes blieben mit ihrer Gefolgschaft in Europa, und jegliche chassidische Präsenz in der sich entwickelnden nichtreligiösen amerikanisch-jiddischen Unterhaltungskultur beschränkte sich auf sie als Objekte von Parodie oder Nostalgie. In den Jahren 1945–1952 gelangten noch einmal 137 450 jüdische Einwanderer in die Vereinigten Staaten, allesamt Überlebende der Shoah. Unter den knapp 100 000, die sich in New York ansiedelten, befanden sich Anhänger verschiedener chassidischer Gruppierungen, die sich vorzugsweise in den drei Stadtteilen Williams-

burg, Crown Heights und Borough Park von Brooklyn niederließen.

In Ermangelung ausgebildeter Musiker unter den Brooklyner Chassidim engagierten die Neueinwanderer ortsansäs-
sige Klezmorim für ihre Feste und »Farbrengens«, die Zusammenkünfte der Rebben und ihrer Anhänger. »Lange, lange Jahre waren die einzigen, die auf den chassidischen Hochzeiten aufspielten, alte Klezmer«, berichtet Peter Sokolow.
Auf diese Weise gehörten Spieler wie Dave Tarras, Lou Levinn,
Sammy Kutcher, Maxie und Chi Epstein und Irving Graetz
bald zum Inventar der chassidischen Szene, und auch die
»jüngeren« Spieler wie Howie Leess und Danny Rubinstein
stiegen in das chassidische Musikgeschäft ein. Wie nach den
Kreuzzügen und den Chmielnicki-Massakern vollzieht sich
auch nach der Shoah eine tiefe innere Wandlung in der jüdischen Musik, die in der Haltung der Rebben deutlich wird:
Sie, »die grünen Blätter am verdorrten Baum«, schlagen das
Tor zur großen, stinkenden Welt zu und kehren »zurück in
das Ghetto, löschen, zertreten alle unreinen Spuren« – so hat
der Dichter Jacob Glatshteyn 1938 diesen Prozeß der Rückwendung zum »buckligen jüdischen Leben und ewigen Oktober« (der Zeit der Hohen Feiertage, z. B. des Versöhnungstages) in Worte gefaßt. Die Abkehr von »Wagners heidnischer
Musik zu Nign und Gesumm« betraf jedoch auch die Musik
der Nachkriegs-Musikanten und ihre bereits fest in der »unreinen« Welt verwurzelten Bandleader wie Max Goldberg,
immerhin Bandleader der ersten Stunde: Sie erhielten von
den Chassidim keine Aufträge mehr. An ihre Stelle traten
nun fromme Männer wie Joe King (Akkordeon und Piano)
und der Klarinettist und Saxophonist Rudy Tepel sowie die in
Amerika geborenen chassidischen Brüder Mayer (Saxophon)
und Leyzer (Klarinette) Klitnick, die beide als miserable Spieler galten. Während sich Tepel seine Bulgars und Frejlechs in
den frühen vierziger Jahren noch von Naftules Neffen Eddie
und Murray Brandwein angeeignet hatte, fehlte King der
Kontakt zum Klezmer-Milieu gänzlich. »Nachdem wir alle
Jahre lang die alte Klezmer-Musik gespielt hatten, stürzten

wir uns ins chassidische Geschäft«, erzählt Rudy Tepel. Alle arbeiteten zuerst bei Joe King, sogar Tepel selber, der jahrelang der populärste Bandleader bei den Chassidim war.

»Ein neuer Nign«: Klezmer und chassidische Musik

Wegen der Ähnlichkeit chassidischer Musik mit Klezmer – einige der Melodien waren sogar die gleichen – bereitete es den vielseitigen Musikern keine Schwierigkeit, sich auf die Tanz-Nigunim ihrer neuen ultraorthodoxen Kundschaft umzustellen. Die Nigunim besaßen im allgemeinen einfachere Strukturen und weniger Noten als die Bulgars und Frejlechsn und verlangten deshalb mehr »lift« (Spannung) und eine schnellere Spielweise als die Klezmer-Melodien. Insbesondere die Nigunim der Frommsten der Frommen, der einflußreichen Satmarer Chassidim aus Transsylvanien, wiesen den Einfluß ungarischer Volksmelodien auf und waren nicht wie die sonstigen chassidischen Nigunim von der Klezmer-Musik aus der Ukraine, Weißrußland oder Bessarabien geprägt. In Osteuropa noch Bestandteil des Klezmer-Repertoires, gerieten viele Melodien der Chassidim in Amerika in den ersten Jahrzehnten der Einwanderung in Vergessenheit. Die Musiker – bis auf Dave Tarras – kamen nun zum erstenmal mit den Nigunim in Berührung und lernten sie für ihre neuen Engagements direkt von den Rebbes und Talmudschülern nach Gehör. »Wenn wir zu einer ›Affair‹ kamen, sagten sie, ›hey Rudy, hier ist ein neuer Nign‹, und sangen ihn. Wir zeichneten ihn dann auf. Und jeden Tag brachten sie uns mehr davon«, berichtet Tepel. Die Musiker spielten dann gleich an Ort und Stelle instrumentale Versionen der neuen Melodien. Obwohl die Klezmer-Musiker die Bulgars viel höher schätzten als die chassidische Musik, die meistens von musikalisch unausgebildeten Talmudschülern geschrieben wurde, spielten sie gerne für die Chassidim, deren fromme Lebensweise mit vielen Hochzeiten und Geburten ihnen langfristig einen zuverlässigen Lebensunterhalt garantierten:

Abb. 29   Chizik Epstein bei einer chassidischen Hochzeit, New York, 1960er Jahre. Foto: Harry Trainer. Archiv Rita Ottens und Joel Rubin.

Die Chassidim hielten ihre Hochzeiten jeden Abend außer freitags und samstags, die »amerikanischen« Jobs hingegen fanden meist nur am Wochenende statt. »Ich war so gefragt, daß ich sieben Jobs an einem einzigen Dienstag buchen konnte«, erzählt Tepel, dessen resolute Frau Louise die Bands buchte.

Auch der Klarinettist und Saxophonist Chizik Epstein avancierte zu einem der Top-Musiker in der chassidischen Szene (Abb. 29). Als er und seine Brüder zu der jährlichen Zeremonie anläßlich der im Jahre 1944 erfolgten Befreiung des Satmarer Rebben Joel Teitelbaum (1888–1979) aus dem Konzentrationslager Bergen-Belsen – in dem berüchtigten »Blut für Ware«-Austausch mit den Nazis – in den späten Sechzigern spielten, soll dieser ausgerufen haben: »Di Musik klingt azoj schejn!«, die Musik klingt so schön! Fortan war das »Epstein Brothers Orchestra« die populärste Band in Williamsburg, und die Musikanten spielten zu Festen wie der Hochzeit der Tochter des Bobower Rebben an der Lower East Side, einem Massenereignis, für das ganze Straßenzüge abgeriegelt wurden.

Die Alben des beliebten Rudy Tepel-Orchesters und der Epstein Brothers – die neben Auftritten bei den Frommen weiterhin auch für nichtreligiöses Publikum jeder Art spielten – mit chassidischer Musik wurden in den Sechzigern und Anfang der Siebziger in den orthodoxen Gemeinden populär. Der in Harlem aufgewachsene Tepel, den bei seinen Auftritten stets ein Schwarm neugieriger »Jeschiwe«-Schüler umgab, Lernende der Talmudhochschulen, spielte seine Musik 1962 bereits für ein Label ein, das sich die Bewahrung der jüdischen Musik zur Aufgabe gemacht hatte – mehr als ein Jahrzehnt vor dem Klezmer-Revival. Die geschäftstüchtigen Epsteins dagegen produzierten ihre chassidischen Alben selbst und verliehen ihnen einen rabbinischen Stempel, um sie für ihre Käufer koscher zu machen: Die Danksagungen auf dem Plattencover richten sich an den Sekretär des Satmarer Rebben und den »Liturgischen Berater«, der als Absolvent der Jeschiwe der Bobower Chassidim ausgewiesen wird.

Der »Ortho-Pop« seit den sechziger Jahren

Schon in den frühen sechziger Jahren hatte sich aber eine orthodox-jüdische »Pop-Musik« herausgebildet, die von amerikanischen Jeschiwe-Schülern – vorwiegend aus nichtchassidischen Kreisen – komponiert und in religiösen Sommerlagern gespielt und gesungen wurde. Diese Musik enthielt sowohl Elemente alter chassidischer Nigunim als auch aus der amerikanischen Rock-, Pop- und Volksmusik und trug dazu bei, daß die ehemaligen Klezmer-Musiker wie Tepel und die Epsteins nun auch als chassidische Bandleader ins geschäftliche

Abseits gedrängt wurden. Ein Vorbild des neuen Stils war der in Berlin geborene »singende Rabbi« Shlomo Carlebach (1926–1994), dem die Komposition von etwa fünftausend Melodien zugeschrieben wird. Viele seiner Nigunim gehören mittlerweile zum Standardrepertoire orthodoxer Hochzeiten in aller Welt.

Die vor 1930 Geborenen werden aber bis heute immer noch gern als Bandmitglieder engagiert, um der Musik mehr »Authentizität« zu verleihen. Der Klarinettist und Saxophonist Ray Musiker (geb. 1926), der als Teenager für die ersten Flüchtlinge des Nazi-Einmarsches in Polen – chassidische Anhänger des Modzhitzer Rebben aus der polnischen Provinz Lublin – chassidisches Repertoire aus Osteuropa spielte, stieg 1982 wieder in das orthodoxe Geschäft ein. Während der vier Jahrzehnte, seit Ray Musiker in den ersten von orthodoxen Juden gemanagten Catering Halls spielte und als Musiklehrer an einer High School arbeitete, hatte sich jedoch das Repertoire grundlegend gewandelt und bestand jetzt vor allem aus jüngeren orthodoxen und israelischen Standards, so daß er das Repertoire von Grund auf neu erlernen mußte. Beginnend mit den siebziger Jahren veränderte sich auch das Instrumentarium der chassidischen Hochzeitskapellen: Die Nachfolger der einst strahlenden Klarinettenkönige und ihrer Klezmer-Kapellen sind heute orthodoxe Bands mit hämmerndem Schlagzeug, kreischender E-Gitarre, Synthesizer und röhrenden Saxophonen – vor allem schnell und laut.

Von der Weichsel bis zum Hudson: Polnische Tangos bei den Shoah-Überlebenden

»Sie tanzten, wir spielten es. Wir wußten, was sie wollten«, so beschreibt Max Goldberg die Musikwünsche seines neuen Publikums von Versprengten und Gezeichneten, die nichtorthodoxen Überlebenden der Shoah, die für ihre Feste die geliebten Tangos wünschten. Viele dieser zwischen den Kriegen in Polen bei Juden und Nichtjuden immens populären Versionen des melancholischen Gesanges vom Rio de la Plata wurden übrigens von jüdischen Unterhaltungsmusikern wie Jerzy Petersburski und Louis Armstrong-Anhänger Henryk Gold aus der Warschauer Klezmer-Familie Melodista geschrieben. Solche Musiker wiesen meistens eine klassische Ausbildung auf und begleiteten in den Kinos die Stummfilme. Als der Tonfilm ab 1928 den Stummfilm ersetzte, formierten die nun arbeitslosen Musiker Tanzkapellen, die in den vornehmsten Clubs, Nachtlokalen und Revue-Theatern von Warschau auftraten. Immens beeinflußt von den frühen Jazz-Schellackplatten, vor allem von Louis Armstrong, fügten die Musiker ihrem ursprünglichen Salonorchester-Repertoire von Walzern und Ouvertüren auch Jazznummern und Tangos hinzu. Obwohl natürlich keine Klezmer-Musik, bildete diese Musik auch einen wesentlichen Teil des allgemeinen Repertoires der jüdischen Hochzeitsmusikanten im Polen zwischen den beiden Weltkriegen und wurde von ihnen auch in polnischen Tanzhäusern und, in der Sommerzeit, im Warschauer Bezirk Saska Kempa für polnische Juden und Nichtjuden gespielt.

Der Tango-König Marty Levitt

Der Kindertraum von Marty Levitt (Abb. 30) war es gewesen, »in einer der Festhallen mit meiner eigenen Band zu stehen. Als kleiner Junge ging ich herum und hörte mir alle diese Klarinettisten an und beurteilte ihr Spiel und sagte mir, eines Tages bin ich selbst da oben«. Von seinem Vater lernte Marty als Kind, wo man die Töne aushalten soll, wo man einen Ton ein bißchen zu tief beginnt und ihn nach oben zur richtigen Tonhöhe biegt, und wie man dem Jold in die Augen schaut, um von ihm, dem Nicht-Klezmer, ein gutes Trinkgeld zu bekommen. »Mein Vater brachte mir bei, der perfekte Klezmer zu sein. Die Klarinette in die Luft halten, weil es effektiver ist beim Aushalten der hohen Töne. Dadurch bekommst du

Abb. 30 Marty Levitt, ohne Datum.
Archiv Marty Levitt

mehr Applaus«, erklärt er. »Ich mußte jede Woche einen neuen Bulgar lernen, sonst bekam ich nichts zu essen.« Aber es war zu spät: »Also, nachdem ich um die 2000 Bulgars kannte, wollte keiner sie mehr hören«, erinnert sich Levitt melancholisch über seinem Glas Gin Tonic. Als der noch minderjährige Marty Ende der Vierziger seine Musiker-Laufbahn antrat, gab es nur »noch einige Leute in ihren Sechzigern, die diese Musik immer noch mochten«.

Ab 1950 spielte er viele Jahre hintereinander für die »Uschatner Ladies Auxiliary«, die Damengruppe der Landsmannschaft aus dem ungarischen Schtetl Uszod. »Und als die Leute begannen wegzusterben, fingen sie an, die Band zu reduzieren. Es waren dann vier Pieces (Instrumente), drei Pieces. Und dann ein Jahr ruft die Präsidentin mich an und sagt, ›bitte, schick uns einen Mann, einen Akkordeonisten. Nur ich und die Sekretärin sind noch am Leben‹, und ich wollte anfangen zu weinen. Ich erinnere mich, zu einem gewissen Zeitpunkt erzählten sie mir, ›wir sind zu alt zu tanzen, aber spiel trotzdem. Wir wollen bloß die Musik hören‹.«

Aufgrund dieser Entwicklung wurde Levitt, der neben Englisch und Jiddisch auch Polnisch und Russisch beherrscht, schließlich zum begehrten »Tango-King«. »Ich kannte einen Teil des Repertoires der nichtreligiösen Überlebenden, weil es Teil des Klezmer-Repertoires war. Solche Melodien wie »Sertze« (Herz), »Otschitschornia« und »Pas d'Espagne«. Als ich diese Lieder zu spielen begann, bemerkte ich die Reaktion des Publikums. Also lernte ich das polnische Repertoire, das in den Dreißigern Mode war: Ich rede nicht von den Polkas, die kannte ich ja sowieso, sondern ich meine Tangos,

Liebeslieder und Walzer. Sie hatten Aufnahmen, die ich dann mit nach Hause nahm und kopierte.« Levitt orchestrierte den Tango »List« (Brief) für seine Band, und seine Frau, die Sängerin Harriet Kane, lernte den Text in der Sprache der Überlebenden. Das Geschäft der beiden bei den Hochzeiten und Bar-Mitswes, den jährlichen Banketten und Gedenkveranstaltungen dieser unter sich bleibenden Gruppen von »Auschwitz-Absolventen« boomte von Anfang der fünfziger bis zu Beginn der siebziger Jahre – als die Kinder der Überlebenden sich selbst verheirateten. Bis dahin spielte Levitt mit verschiedenen Besetzungen für die Leute aller gesellschaftlichen Schichten aus den Großstädten Polens auf ihren glanzvollen Festen im Waldorf und im Statler.

»Söhne von Träumern«

Schon lange bevor die rasenden Läufe und hämmernden Rhythmen des Jazz das Land des Fortschritts ergriffen wie eine Flutwelle, spielte so mancher Fiedler seine jubilierenden »Dobridschens«, »Wolechlech« und all die melancholischen »moralischen Nigunim«, die eine jüdische Hochzeit zu einem erhebenden Erlebnis zu machen pflegten, nur noch selten zu einem solchen Anlaß. Er, dessen geigerische Zwiesprache mit den Mächten des Schicksals einst das ganze Schtetl auf die Beine brachte, mußte hier, in den engen, lichtlosen Straßenschluchten rechts und links vom East Broadway erleben, wie sein Zauber wirkungslos wurde, weil niemand mehr an ihn glaubte. »Gönne Dir keinen Augenblick der Ruhe«, so hatte es einst bei der Ankunft in Ellis Island geheißen, und wirklich, Amerika leistete sich keine Zeit für solche Trivialitäten! Hier regierte das Geld, es allein bestimmte die Zukunft der Braut und des Bräutigams; die Töne, die aus den Fingern des Klezmers flossen, hatten in dieser Welt ihre Macht verloren und vermochten das Schicksal der beiden Neuvermählten nicht mehr in die göttlichen Bahnen zu lenken. Und kann sich überhaupt jemand seinen Schmerz vorstellen, als ihm jener junge Mann nach einer – wie er fand – seelenvoll gespielten »Tsum-Tisch«-Improvisation wichtigtuerisch erklärte, er habe kürzlich Mischa Elman gehört und, was ihn anginge, so wäre es sicher kein großer Verlust, wenn alle diese Dorf-Fiedler ihre Instrumente zu Feuerholz zerhacken würden. Was wußte dieser strohköpfige Jold – auch er ein »Sohn von Träumern« aus dem Zaren-Ghetto – denn von der Kunst der Klezmorim, aus deren Reihen schließlich auch der große Elman stammte! Es blieb den Kindern und Enkeln dieses bebrillten jungen Mannes, dieses archetypischen jüdischen Einwandererkindes mit Berufswunsch Arzt, Anwalt oder Analytiker, vorbehalten, diese magischen Weisen auf verstaubten schwarzen Scheiben im abgelegten Wohlstandsgerümpel wiederzuentdecken – und mit ihnen die Vergangenheit von Generationen. Auch Marty Levitt schmuggelte bei den Festen noch gern eine kleine rumänische Doina oder beim Hora-Medley gelegentlich einen Bulgar ein – nur zu seinem eigenen Vergnügen und um seine »Jiches«, seine Klezmer-Abstammung, noch einmal unter Beweis zu stellen –, aber »die Klezmer-Musik war schon vergangen, das Publikum war nicht mehr da«, so Levitt. Die geringe Zahl der nach dem Zweiten Weltkrieg eingewanderten Überlebenden der Shoah vermochte diese Musikkultur nicht am Leben zu halten. In den siebziger Jahren – als in der sonnigen kalifornischen Universitätsstadt Berkeley und in New York einige rebellische Twens schon die alten Klezmer-Weisen von den Schellacks zu kopieren versuchten und sich bereits die Köpfe heiß redeten über die Zukunft der jiddischen Kultur – warfen Sid Beckerman und Howie Leess die handgeschriebenen Notenbücher ihres Lehrers Shloimke Beckerman weg, selbst für sie besaßen die alten Klezmer-Melodien nun keine Bedeutung mehr.

Die Klezmer-Musik seit 1975

»Jemand vielleicht aus Bessarabien?«
Beim ersten Berliner Konzert der Epstein Brothers

Your hands will clap, your feet will tap – to the music of the Epstein Brothers!« So begrüßte ein launiger Willie Epstein das Publikum im ausverkauften Otto-Braun-Saal 1992 beim ersten europäischen Konzert der Epstein Brothers in Berlin. Aber schon bei den ersten Takten schlug die festliche und spannungsgeladene Atmosphäre in spürbare Ratlosigkeit um: Die drei munteren alten Herren in den Lackschuhen und schwarzen Smokings verblüfften zwar gleichermaßen durch ihr stilistisch so ungewohntes Spiel wie durch ihren unbefangenen Conférencier-Charme einer vergangenen Zeit, aber solche Tanz- und Stimmungskapellen kannte man doch eher aus den fünfziger Jahren: Glitzerjacketts, Altherrenwitze, Komplimente an die Damen und Ohrwürmer zum Mitschunkeln – hier dagegen hatte man jüdische Musik erwartet, diese mal flüsternden, mal langgezogenen, gackernden und zirpenden Töne der Klezmer-Klarinette, begleitet von jüdischer Gestik. War denn dies hier wirklich Klezmer?

Seit den siebziger Jahren leben Max, Willie und Julie in Bungalow-Kolonien im sonnigen Rentnerparadies Südflorida, und immer noch kämpfen sie mit Komikern in großkarierten Jacketts gegen klackende Mikrophone und verstimmte Klaviere und bringen rüstige Ruheständler in girlandengeschmückten Gemeindesälen, Altersheimen und Synagogen zwischen Boca Raton und Sunrise mit Frejlechs, Polkas und Walzern in Stimmung. Daheim in Florida löst Willies Frage »Wer von Euch erinnert sich an Alexander Olshanetsky?« sogleich ehrfürchtige »Aahs« und »Oohs« oder gleich spontanes Summen von dessen Ohrwürmern »Ich hob dich tsu fil

Abb. 31 Max Epstein, Berkeley/Kalifornien, 1995. Foto: Rita Ottens.

lib« oder »Hopkele« aus. Und über die Hälfte der Arme –
nicht selten mit einer Auschwitz-Nummer gezeichnet –
schnellen in die Höhe, wenn der grauhaarige Charmeur wissen will »Wie viele unter Euch kommen aus Brooklyn?« Auch
beim Berliner Konzert wollen die alten Club-Date-Hasen
ihrem Publikum ihre Heimatorte herauskitzeln und so das
Programm der Band für den Abend bestimmen: »Wer von
Euch kommt aus der Ukraine?« Keine Hand hebt sich aus der
Masse von Sechshundert. »Vielleicht aber jemand aus Bessarabien?« Oben auf der Bühne gerät das palmenumsäumte,
sonnige Stückchen Welt der Epstein Brothers sichtbar durch-
einander; zwar hat man ihnen erklärt, daß es nur noch wenig
Juden gibt in Deutschland, aber die Wucht einer solchen Realität sprengt wohl ihre Vorstellungskraft. Und nach einer Pause, die nur ein wenig zu lang gerät, spielen Maxie, Willie, Julie
und Pete Sokolow drei Stunden lang die Hits der Immigran-

ten aus Bessarabien, der Ukraine und Rumänien via Brooklyn und der Bronx – kraftvolle, melodiöse Unterhaltungsmusik aus mehreren Dekaden amerikanisch-jüdischer Geschichte, Moishe Oyshers nostalgisches »Keschenewer Schtikele« und Abe Schwartz' spöttisches »Di grine Kusine« folgen Schlag auf Schlag. Doch die Berliner Konzertbesucher sehen zu den temperamentvollen Tänzen und Schlagern der Epstein Brothers keine Bilder von Onkel Chajms Hochzeit in Berschad, vom ersten Rendezvous in »Ratner's Deli« oder vom Landsmanschaftn-Ball der »Minsker Young Friends Benevolent Association« in der »Clinton Hall« an der Lower East Side, sie vermögen nicht mitzusingen, mitzuweinen, mitzulachen wie die jüdischen Rentner in Boca Raton oder Sunrise, aber sie sind gerührt und sichtlich bewegt. Als schließlich der greise Max Epstein sein »Jiddisch Lidele« ins Mikrophon singt, erkennt das Publikum einige Worte im jiddischen Text und ist dankbar. Es belohnt den Sänger und seine Begleiter mit nicht enden wollendem Beifall.

»Anatevka«: Die Erfindung einer kollektiven, mythischen Vergangenheit

Schon in der frühen Immigranten-Ära wurde die Musik der Klezmorim als altmodisch europäisch angesehen – hatte nicht Irving Berlin bereits mit »Yiddle on Your Fiddle, Play Some Ragtime« (1910) auf Amerikanisierung gedrängt? Das Musical »Fiddler on the Roof« Mitte der sechziger Jahre machte diese Forderung nicht nur wahr, es wies weit über sie hinaus und wandelte den Klezmer in eine Metapher um, ein Symbol, isoliert von der Handlung des Stücks, dessen Hauptfigur nun ein harmloser folklorisierter Schtetl-Jude war – und nicht mehr das, was sich der Satiriker Scholem Alejchem unter dem Protagonisten Tewje in seinen beißend sozialkritischen Erzählungen vorgestellt hatte. Mit dem mystischen Schtetl Anatevka konstruierten sich die amerikanischen Juden eine geschönte, verbraucherfreundliche Vergangenheit, eine, die die tiefen Verletzungen durch den amerikanischen Antisemitismus, das Trauma der Shoah und das Bewußtsein von einem endgültig zerstörten jiddischen Osteuropa überdeckte. Die bunte Musical-Vergangenheit übertönte das von der heranwachsenden Nachkriegsgeneration als widersprüchlich erfahrene Verhalten der psychisch und kulturell verunsicherten Eltern und Großeltern, mit ihren starken osteuropäischen und deutschen Akzenten und ihrer langweiligen Altherrenmusik. Während sich die kulturelle Identitätssuche und die Distanz dieser jungen Generation zum ungeliebten jiddischen Milieu weiterhin in der Vorliebe für die Musik anderer Ethnien wie den Bluegrass und Jazz und die Musik der Balkanländer ausdrückte, lösten der israelische Sechs-Tage-Krieg 1967 und die Black Power-Bewegung gleichzeitig eine wachsende Bewußtwerdung ihrer ethnischen Zugehörigkeit aus. Der Wunsch, sich als Minderheit mit eigener Geschichte innerhalb des Vielvölkerstaates Amerika zu artikulieren, entstand besonders bei jungen Juden des Mittelstandes. Als die ersten Revivalisten auf den elterlichen Dachböden und bei Sammlerpersönlichkeiten wie Martin Schwartz und Richard Spottswood alte Schellacks mit der »vergessenen« Musik aus den ersten Jahrzehnten des Jahrhunderts entdeckten und darüber in Begeisterung gerieten, konnten sie noch nicht wissen, daß die Musik jener betagten Bar-Mitswe-Bands von ihrer eigenen Identität ebensowenig zu trennen war wie die als archaisch und kraftvoll empfundenen Klänge aus Osteuropa und der Frühzeit der Einwandererära.

Der Beginn des amerikanischen Klezmer-Revivals läßt sich auf zwei Hauptereignisse festlegen: Das Erscheinen des Albums »East Side Wedding« der Gruppe »The Klezmorim« aus Berkeley/Kalifornien im Jahre 1977 sowie die Wiederentdeckung von Dave Tarras und dessen erstem Klezmer-Konzert im November 1978. »The Klezmorim« eroberten mit ihren Blechblasinstrumenten und schnellen Tempi die Musikwelt im Sturm und trafen mit ihrem Auftreten als unbekümmerte, wilde jüdische Straßenmusikanten direkt ins Herz des Zeitgeistes. Als erstes Ensemble bezeichneten sie ihre Musik mit dem Begriff »Klezmer« und vollzogen somit einen radikalen Bruch mit der jüdisch-amerikanischen Gegenwart, indem sie die Aufnahmen aus den zehner und zwanziger Jahren statt der zeitgenössischen israelischen oder neoorthodoxen Musik als Vorbild nahmen. Die enthusiastischen Musiker konnten nicht wissen, daß der Ausdruck »Klezmer«, ohne Hintergedanken übernommen, ironischerweise derselbe war, mit dem die älteren Musiker die verachteten Stümper und Dilettanten bedacht hatten. Um die gleiche Zeit begannen die New Yorker Andy Statman und Walter Zev Feldman, beide Nachkriegsjahrgänge, nicht nur die konservierten Stücke nachzuahmen, sondern sich unter der Anleitung von Dave Tarras selbst mit der Klezmer-Spielweise zu beschäftigen. Im Gegensatz zum amerikanisch-jiddischen Ansatz von »The Klezmorim« konzentrierten sich Statman und Feldman auf die eher introvertierten, europäischen Aspekte der Klezmer-Tradition. Beide Gruppen definierten bereits die Extreme, die sich wie ein roter Faden durch die Revival-Bewegung ziehen und in gewisser Weise eine Fortsetzung der alten Polarisierung der Klezmer-Welt darstellen.

Während Beregowski in den beiden Jahrzehnten vor dem zweiten Weltkrieg die letzten Artefakte der Klezmer-Kultur Osteuropas gesammelt und archiviert hatte und die Folkloristen John und Alan Lomax in das Mississippi-Delta zogen, um den Blues zu erforschen, riefen die amerikanischen Bulgars und Frejlechsn der Wedding Halls und Nachtclubs der Lower East Side keine engagierten Musikforscher und Folkloristen auf den Plan. Shloimke Beckerman ging 1957 in Rente und zog nach Kalifornien; Naftule Brandwein starb 1963. Mit Beginn des Klezmer-Revivals war nur noch ein bedeutender, in Europa geborener Klezmer-Musiker am Leben: Dave Tarras. 1975, im Jahr seines ersten Interviews durch die Folkloristin Barbara Kirshenblatt-Gimblett und die Musikethnologin Janet (Cassel) Elias, trat Tarras im Sommer noch in den Catskills auf, wo er vorwiegend amerikanische Tanzmusik spielte. Welche Bedeutung die jüdische Musik dennoch bis in die siebziger Jahre für die betagten Einwanderergäste besaß, zeigte sich, wenn Tarras die jiddischen und russischen Stücke spielte: Noch der älteste Greis strebte der sich rasch füllenden Tanzfläche zu, um seine selig lächelnde Lady zu den alten Klängen herumzuwirbeln. Im November 1978 drängten sich zum ersten Konzertauftritt von Dave Tarras über tausend Besucher in die überfüllte »Casa Galicia« an der Lower East Side, mehrere hundert mußten abgewiesen werden.

Das amerikanische Klezmer-Revival: Keine Fortführung der Klezmer-Tradition

Heute, mehr als zwanzig Jahre nach diesen Ereignissen, gibt es von Alaska bis Neuseeland und Japan, von Bremen bis Augsburg Klezmer-Revival-Bands. Das gegenwärtige Spektrum besteht aus Gruppen mit Early Music-Ausrichtung bis hin zu Formationen, deren Fusionsexperimente so unterschiedliche Musikrichtungen wie Avantgarde-Jazz, Rock, World-Beat und westliche Kunstmusik beinhalten. Bei dieser Spannbreite von Stilen kann von einem einheitlichen musikalischen Genre Klezmer nicht mehr gesprochen werden, insbesondere auch deswegen nicht, weil fast alle Gruppen ihr Repertoire durch Gesangsnummern wie jiddische Volks-, Arbeiter- und Theaterlieder erweitert haben. Vielleicht trauten sie dem Unterhaltungswert reiner Instrumentalmusik nicht und fürchteten Ermüdungserscheinungen seitens des Publikums. Da sich mittlerweile auch der kommerzielle Wert des Produkts Klezmer erhöht hat, mag heute dennoch kaum eine Gruppe mit ein paar jüdischen oder jiddischen Nummern im Programm auf das Label »Klezmer-Band« verzichten. Auch sogenannte Neue Klezmer-Musik, die auf jüdischen Festivals zwar als radikal, bei Jazz- und New Music-Festivals allerdings als konservativ und überholt empfunden wird, läßt die Problematik erkennen, die der Pianist Peter Sokolow so

Abb. 32 Dave Tarras, 1978. Foto: Jack Mitchell.

treffend ausdrückt: »Du kannst dieser Musik nicht deine Werte aufzwingen. Du mußt sie in ihrer Eigenart erkennen und diesen Wert mit deinen eigenen Erfahrungen verknüpfen.« Der »New Yorker« schrieb 1990: »Wenn man sich wirklich in der modernen Klezmer-Arena behaupten will, hilft die Beherrschung von Jazz, Minimalismus und einer Reihe von internationalen Stilen, denn der heutige Klezmer-Musiker ist kein Tölpel aus dem Schtetl, sondern ein eklektischer, vielseitiger Musiker, der ebenso in einem performance space wie auf einer jüdischen Hochzeit zuhause ist« – ein Ausspruch, der belegt, wie wenig die Besonderheiten der Klezmer-Musik und ihrer traditionellen Exponenten von den sogenannten »Innovatoren« und ihren Anhängern verstanden wird und wie tief die Ressentiments gegenüber einer Kultur sind, deren Musik man weiterzuentwickeln beansprucht.

Die Klezmer-Veteranen machen allerdings aus ihrem Unverständnis für die künstlerischen und innovativen Ansprüche der Revivalisten keinen Hehl. Alles, was die jungen Musiker spielen, »ist ein Haufen Noten, aber es hat keine Wärme, kein Gefühl«, meint Max Epstein. »Sie besorgen sich Aufnahmen, die ich vor fünfzig Jahren machte, und lernen zu spielen. Und sie nennen sich Klezmers!« empörte sich Dave Tarras, der insbesondere dem Erfolg von »The Klezmorim« verständnislos gegenüberstand. »Die hatten wirklich den Nerv, in der Carnegie Hall zu spielen … ein heiliger Ort, wo Isaac Stern und Jascha Heifetz spielen.«

Es bestehen große musikalische und sozio-kulturelle Diskrepanzen zwischen der Klezmer-Tradition Osteuropas und der Musik der Revivalisten. Sicherlich ist die dreißigjährige Unterbrechung von der Staatsgründung Israels 1948 bis Mitte der siebziger Jahre als Ursache für die Brüche und Mißverständnisse anzusehen, die sich im Niemandsland zwischen der Klezmer-Musik der Vorkriegszeit und der Revival-Musik gebildet haben. Eine wesentlich größere Bedeutung bei Betrachtungen und Vergleichen kommt allerdings der Tatsache zu, daß die an religiösen Traditionen des aschkenasischen Judentums orientierte Klezmer-Musik Osteuropas nur in Ausläufern die Neue Welt erreichte – ebenso wie ihr virtuoser, bereits an der westeuropäischen Kunstmusik orientierter Zweig, dessen zumeist etablierte und gebildete Träger nicht auswanderten.

So wurden vornehmlich diejenigen Melodien und Schlager von der Revival-Szene aufgegriffen und erneut zu Hits gemacht, die einst auf der Nahtstelle zwischen der Alten und Neuen Welt als Unterhaltungskultur der jiddischsprachigen Unterschichten der Lower East Side entstanden waren. Die frühen Revival-Bands, die auch später den kommerziellen Kurs der Bewegung bestimmten, adaptierten fast ausschließlich die säkularen Bulgars, Frejlechsn und Schern der Emigranten, und über ihre Vorliebe für Novelty-Nummern und die frechen Stücke des Jiddischen Theaters gerieten die in der religiösen Tradition verankerten europäischen Klezmer-

Quellen weiter ins Abseits. Auch Stücke wie Naftule Brandweins Einspielung »Araber Tants« – eine Adaptation einer griechischen Melodie, die aller Wahrscheinlichkeit nach nie zum jüdischen Hochzeitsrepertoire gehört hatte – sind Schlager des Revivals geworden. Die durch die Repertoirewahl und Spielweisen wegfallende »Umetikeit«, das Lamentierende, und der Verlust von Verzierungen, Improvisationen und unregelmäßigen Rhythmen, die die Klezmer-Musik des Vorkriegs-Europa einst auszeichneten, drücken eine Distanz zur Alten Welt aus, die sich vielfach durch die künstlich emotionalisierte Vortragsweise und witzig-verniedlichende Präsentation noch verstärkt. Somit ist das gegenwärtige Klezmer-Revival keineswegs als Fortführung der osteuropäischen Klezmer-Tradition anzusehen, deren Bedeutung von ihrer Verankerung im religiös-gesellschaftlichen Leben, ihrer zahlenmäßigen Verbreitung und ihrem hohen Entwicklungsstand bestimmt wurde und damit sowohl die frühe aschkenasische als auch die spätere amerikanische Immigrantenkultur überragte.

Angst und Idealisierung:
Die Übermacht der Vergangenheit

Noch jede Generation einer traditionellen oder klassischen Musik hat sich die Lehre der Meister zu eigen gemacht, um diese dann schließlich mit der eigenen unverwechselbaren Weltsicht in neuen Formen zu übertreffen, so wie etwa Charlie Parker die Soli Lester Youngs Note für Note studierte und auf dieser Grundlage des Swing eine revolutionäre musikalische Sprache entwickeln konnte: den Bebop. Dagegen weist das Revival nur zwei Muster auf: Entweder werden die historischen Aufnahmen brav nachgespielt – wobei häufig schon die technischen Anforderungen für die Spieler zu hoch sind –, oder man folgt seinen eigenen Vorstellungen und streift dabei bestenfalls die stilistischen und expressiven Errungenschaften von Idolen wie Brandwein oder Tarras. Gelegentlich ergänzen die Revival-Musiker das zu einem statischen Korpus eingeschmolzene Repertoire der immer gleichen Stücke durch neue Kompositionen, aber auch diese geraten entweder zu blassen Anachronismen und Kopien historischer Stile, oder sie sind zwar zeitgemäß, aber ohne den klezmerischen »Tam«. Wo bleiben die Virtuosen in der Klezmer-Revival-Szene, die einander zu immer höheren technischen Leistungen auf ihren Instrumenten herausfordern, sich mit eigenen Kompositionen zu immer gewagteren Ausdrucksmöglichkeiten aufschwingen, wie man es zum Beispiel in der zeitgenössischen bulgarischen »Hochzeitsmusik«-Szene um den Klarinettisten Ivo Papasov findet? Wo sind die wirklichen Innovatoren des Klezmer-Revival, die die alten klezmerspezifischen Instrumentaltechniken auf Synthesizer, E-Gitarre, Computer-Elektronik oder gar Saxophon übertragen und erneuern – perfekte Instrumente für die expressiven Anforderungen der melismatischen Klezmer-Musik? New Yorker Chassidim sind in dieser Hinsicht den Revivalisten weit voraus, bedienen sich bereits seit den achtziger Jahren dieser Instrumente – obwohl ohne entschiedene künstlerische Ansprüche. Von dem Revival-Ideal Dave Tarras – wahrlich alles andere als ein »Tölpel aus dem Schtetl« – ist bekannt, daß er bis zuletzt an der Verfeinerung und Weiterentwicklung seines Spiels und seiner Kompositionen arbeitete – allerdings fehlten ihm die entsprechenden Begleitmusiker, die seinen modalen Bewegungen zu folgen vermochten. »Er beherrschte seine Kunst und sein Handwerk so vollkommen, daß er diese wilden technischen Sachen nicht mehr nötig hatte. Er wollte in die Tiefe gehen.« (Andy Statman, Mandolinist und Klarinettist)

Hinter dem auf den ersten Blick sonderbar erscheinenden Widerspruch zwischen der Überidealisierung der Altmeister und den Barrieren, die verhindern, über deren Musik hinauszuwachsen – zwei Stränge, die das Jiddisch-Revival insgesamt kennzeichnen –, steht die Suche nach dem eigenen Ausdruck innerhalb einer letztendlich doch schon fremdgewordenen osteuropäischen Kultur und die Angst vor den allmächtigen Werten einer unzugänglichen religiös-hebräischen Kultur. Der Drang zur Erneuerung der Klezmer-Musik unter vielen der heutigen Revivalisten ist somit nichts anderes als der Versuch, ein neues amerikanisch-jüdisches Leben zu schaffen; und die Klezmer-Musik als Basis oder Hintergrund für eine neue Musik zu sehen, führt zwangsläufig in die Bereiche der jiddischen Unterhaltungskultur zurück, die schon für ihre Eltern und Großeltern eine Brücke zur Assimilation bildete. Das ständige Bedürfnis, beweisen zu müssen, daß eine jiddische Musik bzw. Kultur blühte, deute einen inneren Zweifel darüber an, so Janet Hadda, Psychoanalytikerin und Professorin für Jiddisch, und es schafft zudem ein Publikum, das hungrig ist nach kulturellem Katastrophentourismus sowie Gruppen, die dieses Bedürfnis oft naiv-unfreiwillig, oft auch nur zu willig mit musikalischem Kitsch bedienen. Es sind die Kinder und Enkel jenes archetypischen jüdischen Immigrantensohnes und Neuamerikaners, der dem Schtetl-Klezmer riet, Feuerholz aus seiner Fiedel zu machen: Tief gespalten über die widersprüchlichen Botschaften ihres kulturellen Erbes, fehlt ihnen die Verankerung in der Vergangenheit, um eine Vision für die Zukunft zu entwickeln.

Und so liegt der wohl bedeutsamste Unterschied zwischen der Klezmer-Tradition und der Revival-Bewegung in einer grundlegenden Transformation der Klezmer-Musik selber, indem die einst ritualbezogene Musik ihren ursprünglichen Sinn verloren hat und von der heutigen Sicht aus gedeutet wird. So muß »alles, was mit Jiddisch und dem osteuropäischen Judentum zu tun hat, fröhlich und/oder spaßhaft, oder gar Radaukomödie sein«, so Janet Hadda. Wird die Musik aber nur fröhlich, entgleitet sie zur schrillen Zirkus-Musik, zum Comic, und verliert mit dem Lamentierenden, Klezmerischen auch ihre jüdische Substanz. Es war diese Erhabenheit, die klagende Qualität der Musik Max Epsteins, die das Berliner Publikum – an manegenhafte Mätzchen in Verbindung mit Klezmer gewöhnt – zunächst sichtlich verwirrte.

Das Yiddish-Revival als subkulturelle
»Protestbewegung«

Im Laufe der letzten fünfundzwanzig Jahre hat sich im Klezmer-Revival selber eine Bedeutungsänderung vollzogen. Was
ursprünglich als Produkt der 68er Generation in Reaktion gegen die rechtsorientierte Israel-Politik des amerikanisch-jüdischen Establishments und eine Neukonstruktion der Vergangenheit seinen Anfang genommen hatte, wandelte sich in
den späten achtziger Jahren als »Yiddish Revival« in eine
Jugend-Counter Culture-Bewegung, die auf der Suche nach
einer neuen, säkularen amerikanisch-jüdischen Identität ist
und dabei vor allem die jüdischen Links-, Schwulen- und
Frauenbewegungen vereint. Diese Bewegungen sind jedoch
nicht proletarischen Ursprungs, sondern fest im bürgerlichen Mittelstand und der oberen Mittelschicht des amerikanischen Judentums verankert und kokettieren mit der Radi-
kalität – eine populäre Gruppe wurde sogar von ihrer deutschen Plattenfirma als »respektvoll revolutionär« vermarktet.
Es mag widersprüchlich erscheinen, wenn eine dem Wesen
nach antireligiöse Bewegung wie das Yiddish-Revival sich religiöser Versatzstücke für seine Suche bedient, die vor allem
dem ekstatischen Chassidismus mit seiner patriarchalischen
und politisch-konservativen Grundlage entnommen werden,
doch stehen seine Spiritualität und seine mystischen Rituale
als Symbol für das, was man zu finden hofft: die Essenz des Judentums. So ist aus der anfänglichen Aufbruchstimmung des
Klezmer-Revivals, getragen von Idealismus und Entdecker-
lust, letztendlich ein alternatives postmodernes Anatevka geworden und keine Revolte, die als Subkultur der jüdischen
Metropolen die künstlerischen Impulse der Zukunft bestimmte und als ethnische Selbstbehauptung neue Wege auch in
der allgemeinen Kunst aufgezeigt hätte. Im Gegenteil: Nach
über zwanzig Revival-Jahren gilt als Maßstab für ein erfolgreiches Klezmer-Konzert, wenn ein Publikum von den reichen blauhaarigen Witwen bis zu den hippen Downtown-
Juden von Manhattan mitklatscht, mitsingt und tanzt und

sich zur Feier seiner gemeinsamen Herkunft aus dem Ghetto Osteuropas vereint.

Die einstigen Ideale einer hochspezialisierten, professionellen Tradition mit ihrer spezifischen Spielweise und Aufführungspraxis wurden durch die Ideologie einer anti-elitären und anti-modernen Grassroots-Bewegung ersetzt. Nicht im traditionellen Lehrsystem oder an Musikkonservatorien, sondern durch Internet-Discussion-Groups, Web Sites und Workshops finden sich die Gruppen und Fans; im Selbstverlag von Musikern und Laienforschern publizierte Diskographien, Notenausgaben und Tonträger gehen bei den Workshops von Hand zu Hand. Aus einer urbanen Kultur wird eine imaginäre bäuerlich-heile Welt geschaffen, deren Exponenten einen wenig differenzierten, rohen Klezmer-Stil propagieren und jede technische und stilistische Raffinesse, Subtilität und Intellektualität ablehnen. Wie Heifetz oder der virtuose Jazz-Pianist Art Tatum wurde auch schon Dave Tarras wegen seines makellosen Spiels für »kalt« gehalten von einer gelangweilten Welt, die ihre abhandengekommenen Götter und Leidenschaften auf »exotische« Volksgruppen wie Schwarze, Zigeuner und Juden und deren Musik projiziert. So wird der Klezmer mit einer Sphäre der Leidenschaftlichkeit und Übersinnlichkeit umgeben: »Rêve et Passion« heißt beispielsweise eine 1999 in Deutschland herausgegebene Klezmer-Anthologie, in der eine Suite aus »Anatevka« ebenso enthalten ist wie der sentimentale Schlager von der »Jiddischen Mame«, sowohl semantisch als auch musikalische eine komplette Antithese der Klezmer-Kultur.

So macht heute nicht das »Wir sind Juden, weil wir die religiösen Gebote einhalten und Hebräisch sprechen«, sondern das »Wir sind Juden, weil wir Klezmer lieben« die moderne Identität eines großen Teils der jungen Generation amerikanischer Juden aus und kennzeichnet das Revival damit als ureigenstes amerikanisches Phänomen. Dabei fungieren die jiddische Sprache, Kultur und Musik nur als Katalysatoren des Prozesses, denn die Mehrheit der Musiker, Sänger und des Publikums ist weder in der Lage, einen jiddischen Roman zu lesen noch stilistische Unterschiede zwischen den einzelnen Klezmer-Spielern herauszuhören! Es sind keine Meister mehr da, die diese Musik vermitteln, und kein Publikum, das sich an den subtilen Wendungen und epenhaften Soli der Musiker entzücken kann. In den Workshops und Veranstaltungen lernt bereits eine weitere Generation von Revivalisten oder gar von Schülern der Revivalisten. Die »Neo-Traditionalisten« unter den Revivalisten propagieren einen neuerfundenen Einheitsstil, der sich nunmehr aus wenigen »traditionellen« Elementen zusammensetzt und den früheren Reichtum an Motiven und Verzierungen zu einer begrenzten Palette erkennbarer Klischees reduziert hat. Zu den »neuerfundenen Traditionen« gehört auch die Vereinnahmung des Akkordeons als historisches Instrument der osteuropäischen Klezmer-Tradition; tatsächlich wurde es erst in den dreißiger Jahren von den Klezmer-Kapellen verwendet. Die aus diesen Standardisierungen und Mythologisierungen entstandenen Traditionen haben die Musik bereits in ein Symbol – und damit in einen romantisierten Ersatz – für einen Judaismus verwandelt, vor dessen Geschichte, aber auch gegenwärtiger Realität die Revival-Generation gern die Augen verschließt. Die Tatsache, daß eine Variante der traditionellen Klezmer-Musik immer noch Bestandteil des religiösen Rituals im heutigen Israel ist und daß dort nicht die literarische Sprache des idealisierten Dichters Scholem Alejchem, sondern »das helle Hebräisch-Jiddisch, das Gesetz und die tiefe Bedeutung«, wie es Glatshteyn formulierte, die religiöse jiddische Alltagskultur bestimmen, bereitet nach wie vor vielen amerikanischen Revivalisten Unbehagen. Diese »Liebhaber einer Einfachheit, die schlicht nie existierte«, wie Hadda es ausdrückt, sehen die jiddische Sprache »als das Symbol einer heiligen, zufriedenen, perfekten Gesellschaft« an, »die zu irgendeinem Zeitpunkt in der vagen Vergangenheit existierte«, und vergessen nur allzugern, daß Klezmer-Musik sich in einem von Orthodoxie durchdrungenen jüdischen Osteuropa entwickelte und sogar im freien, demokratischen Amerika eng mit den Einwanderern verbunden war, die aus dieser Welt stammten.

»Musik von den Enkeln der Opfer vor den Enkeln des Herrenvolks«: Klezmer in Deutschland

Besonders in Deutschland – mit seinen restriktiven preußischen Ausländergesetzen und seinen Pogromen in den zwanziger Jahren nicht erst seit der Shoah für Angehörige des ostjüdischen Kulturkreises ein unwirtlicher Ort – ist die »Klezmer«-Musik zum exponiertesten Genre der jiddischen Kultur geworden, ja, zum Synonym für jüdische Kultur und jüdisches Leben insgesamt: Wie ein Automatismus setzt bei fast jedem der zahlreichen Berichte und Filme des deutschen Fernsehens über Holocaust und jüdische Thematik eine mittlerweile als »Klezmer« identifizierbare Musik ein und stellt sogleich eine scheinbar kausale Relation zwischen Juden und Judentum und einer antiquierten Jiddischkeit her.

Die Motive der Klezmer-Klarinette, eher Sinnbild des zerstörten Ostjudentums als geschätzter und geförderter Bestandteil europäischer Musikkultur, sind mittlerweile in vielfältiger Weise verwoben mit der bundesrepublikanischen Kultur sowie der Herausbildung nationalistischer Bestrebungen: Der Klezmer ist der Botschafter der guten alten Zeit und einer goldenen Zukunft zugleich und ersetzt die durch den Holocaust in Verruf geratenen Begriffe Volk und Vaterland durch Identität – eine Identität, die in der Vereinigung mit Juden und ihrer Musik gesucht wird. Der Klarinettist Giora Feidman – der »die Klezmer-Tradition gar nicht vertritt«, wie der Experte für chassidische Musik in Israel, Yaacov Mazor von der Hebräischen Universität Jerusalem, in der »Jerusalem Post« kommentierte, »sondern nur seine eigene pseudokabbalistische Philosophie« – tritt in Kirchen, in Weihnachtssendungen, im Bundestag, bei der deutschen »Grand Prix d'Eurovision«-Vorentscheidung und in der Wagner-Festspielstadt Bayreuth auf. Vergleicht man Feidman in seiner Rolle als Versöhner, der demonstrativ die Musik des Antisemiten Wagner im Vernichtungslager Auschwitz-Birkenau spielt, und den Klezmer-Virtuosen Josef Gusikow, so ergeben sich gewisse Parallelen, die der Klezmer-Musik eine historische

Rolle in Deutschland zuweisen: Sowohl Gusikow als auch Feidman sind den positiven mythisch-jüdischen Figuren zuzurechnen. Während Gusikow seine großen Erfolge just in den Jahren des 19. Jahrhunderts feierte, in denen vornehmlich Nichtjuden von der bürgerlichen Verbesserung der Juden eine Signalwirkung für eine gesamtgesellschaftliche Veränderung erhofften, läßt sich auch Feidmans Attraktion in einer Zeit des Umbruchs ansiedeln. Sein Erfolg wird bedingt von einem gesellschaftlichen Klima, in dem sich einerseits eine neue Haltung zur deutschen Vergangenheit herausbildet und andererseits das Ausland den Umgang mit Juden und Ausländern in Deutschland weiterhin als Gradmesser für die Vergangenheitsbewältigung Deutschlands und seine zukünftige Einbindung in die Weltpolitik ansieht.

Die Rolle der Klezmer-Musik bleibt in diesem Prozeß eine rein symbolische. Zwar lassen auch manche Äußerungen über Gusikows Kunst den Schluß zu, daß ein Schuß exotische Verklärung der Ostjuden eine Rolle gespielt haben mag, aber niemand wird bestreiten können, daß er von den bedeutendsten musikalischen Zeitgenossen an den führenden klassischen Virtuosen seiner Zeit gemessen wurde. Feidmans Musik vollzieht sich dagegen in einem Vakuum: enthistorisiert, von zeitgenössischen musikalischen Diskursen ferngehalten und tabu für jegliche kritische Auseinandersetzung. Für die jüdischen Gemeinden im heutigen Deutschland ist Klezmer ein peinlicher Topos, dennoch beugen sich ihre Funktionäre den Ansprüchen der nichtjüdischen Umwelt und produzieren immer mehr Festivals und Veranstaltungen mit immer mehr »jüdischen« Waren und Gesten, die einerseits zu weiteren Neugründungen von Klezmer-Gruppen und – daraus resultierend – zu der Annahme führen, in Deutschland bilde sich wieder neues »jüdisches« Leben. Eine Auseinandersetzung mit der eigentlichen Musik als religiösem und kulturellem Bestandteil traditionellen jüdischen Lebens wird vermieden; in dieser unaufgearbeiteten Form eignet es sich, die Vereinnahmung der jüdischen Kultur und Geschichte durch die übermächtige nichtjüdische Umwelt zu kritisieren. Die offenkundige und allgegenwärtige Entstellung und Instrumentalisierung der Klezmer-Musik wird nun zu Lasten der Musik selbst ausgelegt: In der jüdischen Presse erscheint Klezmer-Musik heute zumeist im negativen Kontext. Die Gemeinden und ihre Repräsentanten ahnen wohl instinktiv, daß sich hinter der Klezmer-Begeisterung mit ihrer musikalisch erzwungenen Homogenität des Judentums eine wenig schöne Wahrheit verbirgt: die Symbolisierung ihrer eigenen Existenz und damit wieder alte Vorurteile für neue Generationen.

Das heutige »Revival« ist aber keineswegs der erste Kontakt zwischen Deutschen und »Klezmer«-Musik: Bereits gegen Ende des 18. Jahrhunderts bildeten sich Kapellen fahrender christlicher Musikanten in niedersächsischen Orten wie Salzgitter, Lewe und Liebenburg, die sich als »Klesmorim« bezeichneten. Es wird angenommen, daß sie diese Bezeichnung wie auch den eigentlichen Beruf und die ersten Instrumente von böhmischen Musikern in Niedersachsen oder in Böhmen übernahmen. Allerdings ist nicht belegt, ob es sich bei diesen Musikern um wirkliche Klezmorim handelte. Ebenso wenig, wie über die Musik der Mitglieder der jüdischen Spielleutezunft aus Prag zu erfahren ist, vermögen auch Titel und Inhalte der Stücke in den handschriftlichen Notenbüchern der »Klesmorim« aus Salzgitter keine Hinweise auf irgendeine wie auch immer geartete Verwandschaft mit jüdischen Ursprüngen aufzuzeigen.

War es anfangs so, daß »die Musik der ehemaligen ›Untermenschen‹ von den Enkeln der Opfer vor den Enkeln des Herrenvolks« – wie die »Stuttgarter Zeitung« über das Konzert einer amerikanischen Revival-Band in den achtziger Jahren schrieb – gespielt wurde, haben sich mittlerweile unzählige nichtjüdische Klezmer-Bands gebildet, deren Musik jüdische und jiddische Festivals, Gedenkveranstaltungen, Multikulti-Feste und Kleinkunstbühnen beliefert. In Deutschland, in dessen südlichen Gebieten die jiddische Kultur vor tausend Jahren entstand, hat sich die traditionelle Musik des jahrhundertealten jüdischen Berufsmusikerstandes in eine eigene Post-Holocaust Grassroots-Bewegung verwandelt, getragen von Instrumentalisten, deren einzige Verbindung zum Judentum vielleicht darin besteht, daß ihre Groß- und Urgroßväter an der Ostfront nahe Vilnius während des Ersten Weltkrieges eine zaristische Militärkapelle mit »Puppchen, du bist mein Augenstern« gehört haben mögen – gespielt von dem damals zwanzigjährigen Dave Tarras.

Polen: »Klezmer« ohne Hochzeit und ohne Juden

Im heutigen Polen mit seinen ausgelöschten Orten der jüdischen Geographie lebt der »letzte Klezmer«, Pejsech ben Zwi Kleinman, der seit 1945 Leopold »Poldek« Kozłowski heißt, seiner Herkunft nach aber ein veritabler Brandwein ist. Der einzige lebende professionelle Musiker in Osteuropa, der noch mit den klezmerischen Musiktraditionen der Vorkriegszeit aufgewachsen ist, hatte sich schon als angehender klassischer Solist auf Wettbewerben einen Namen gemacht, als die Deutschen 1941 in Galizien einmarschierten. Seine gesamte Familie wurde ermordet, darunter sein jüngerer Bruder, der Geigenvirtuose Dolko Kleinman. In Kozlowskis Wohnort Krakau laden Schilder zur Tagesfahrt nach Auschwitz (»zurück bis 16 Uhr«) und zu »Schindlers-Liste«-Touren ein, die Touristen aus aller Welt an die Stätten des Spielberg-Films führen, und im Café Ariel an der Ulica Szeroka, dem Platz im Herzen des ehemaligen jüdischen Viertels, hört man bei koscherem Touristenmenü »Klezmer-Musik«, die den Namen nicht verdient. Vier bis fünf junge Klezmer-Bands gibt es mittlerweile in Krakau, eine davon soll ein Gedenkpicknick Berliner Motorradfahrer im Konzentrationslager Auschwitz musikalisch untermalt haben.

»Ein Begräbnis ohne Gewein' ist wie eine Hochzeit ohne Klezmer«, so hieß es einst – aber ein Klezmer ohne Hochzeit und ohne Juden? So bleibt Kozłowski lebendes Relikt einer Tradition, die schon zur Zeit ihrer Vernichtung fragmentiert war. Erst seit einigen Jahren hat er Kontakt zu den zeitgenössischen Strömungen jüdischer Musik in Israel und in den USA. Auch die ornamentreichen Tonkaskaden seines Onkels Naftule lernte er erst durch die Begegnungen mit seinen jüngeren amerikanischen Kollegen kennen. Die Kultur, der er angehörte, bestimmt bis heute posthum sein Dasein und seine Karriere: Er war musikalischer Berater für den Film »Schindlers Liste« und das Musical »Anatevka«, und gelegentlich tritt er noch auf dem großen jüdischen Festival seines derzeitigen Wohnsitzes Krakau auf, einer Stadt mit ca. 150 zumeist im Rentenalter befindlichen Juden. Heute ist er stolz auf seine Klezmer-Herkunft, aber es bedurfte der Shoah und der Vernichtung des osteuropäischen Judentums, um ihn zu dem zu machen, als der er heute angesehen wird und der er nie sein wollte, worauf er aber heute stolz ist: ein Klezmer.

Ein Marsch für den Messias: Klezmer in Israel

Die Klezmer-Musik – wie die jiddische Sprache und Kultur im allgemeinen – hat im säkularen Israel niemals Fuß fassen können. Dies leitet sich aus dem hundert Jahre alten Konflikt zwischen hebräisch-israelischer und osteuropäisch-jiddischer Kultur in der zionistischen Bewegung und später in der israelischen Gemeinschaft her. Bei der Neukonstruktion des jüdischen Selbstbildes waren es die wettergegerbten Chalutzim und Kibbutzniks mit der Waffe in der Hand und hebräischen Pionierliedern auf den Lippen und nicht die wächsernen jiddischsprachigen Kaftan-Juden mit ihren vergilbten Tora-Folianten aus den morastigen Schtetlech, die das Bild des neuen Staates und der Juden bestimmen sollten. Die »rumenische Schtiklech«, die als »rumänische Stücke« bekannte Variante der Klezmer-Musik, bleiben so auf die Hochzeiten und Feste der Chassidim und ultra-orthodoxen Gemeinden beschränkt, wo sie einen kleinen, aber wesentlichen Teil des Repertoires bilden – neben Bulgars von Tarras und Brandwein und gelegentlich sogar Schlagern aus dem jiddischen Theater und Vaudeville. So erfüllen die chassidischen Klezmorim in Israel genau dieselbe rituelle Rolle wie einst die Mitglieder der klezmerischen Dynastien in Osteuropa.

Seit den späten sechziger Jahren erlebt jedoch auch Israel ein wachsendes Interesse an der traditionellen Klezmer-Musik, sowohl innerhalb der orthodoxen, vornehmlich ultra-orthodoxen Gemeinden als auch im übrigen säkularen Bereich. Der 1938 in Tel-Aviv geborene Klarinettist Mosche »Musa« Berlin führte schon in den sechziger Jahren alte Melodien aus Osteuropa und Amerika in das orthodoxe Hochzeitsrepertoire ein, die er von kommerziellen Schellackplatten erlernt hatte. So war der Autodidakt dem amerikanischen Klezmer-Revival einige Jahre voraus. Berlin, dessen Muttersprache Hebräisch und nicht Jiddisch ist, und der aus einer polnischen chassidischen Familie stammt, ist Anhänger der orthodoxen Zionisten und als Klezmer eine Übergangsfigur zwischen Tradition und Revival in Israel. Es gab bisher kaum Kontakt zwischen amerikanischen Revivalisten und israelischen Klezmorim, und in Israel ist bis heute das Interesse an der amerikanischen Klezmer-Musik gering.

Für die chassidischen und orthodoxen Musiker in »Erets Jisroel« – dem Lande Israel, wie sie es nennen, da die meisten von ihnen den säkularen Staat gar nicht anerkennen – ist das wichtigste die »Simche«, die Freude, die sie auf eine traditionelle Feier tragen können. Dort, in den religiösen Zentren Bnei Brak bei Tel-Aviv und in Jerusalem, sind die Hauptträger dieser meist nichtprofessionellen »Klezmer«-Tradition die häufig noch jugendlichen Spieler, die »Klineter«, Klarinettisten, Schlagzeuger und Keyboarder, die tagsüber als Tora-Schreiber oder als »Melamdim«, Lehrer in den religiösen Primärschulen (»Chadorim«), dienen. Die frommen Musikanten verbreiten ihre Musik mit billig produzierten Audiokassetten, die nur für die Bewohner der ultra-orthodoxen Gemeinden bestimmt sind und dort in den Läden und an Straßenecken verkauft werden.

Nur wenige professionelle Klezmorim aus Rumänien und

anderen osteuropäischen Ländern waren nach Israel ausgewandert, und so sind die dortigen Spieler keine Nachfahren der alteingesessenen Klezmer-Dynastien. Im Gegensatz zu den osteuropäischen und amerikanischen Klezmorim zeichnen sich die chassidischen Musikanten durch einen bewahrenden Ansatz aus: Sie wollen die »originale« Version eines Nign wiedergeben, so als ob die Melodie ein heiliger Text wäre, und erheben keinen Anspruch, neue Werke oder Stile zu schaffen – ein Erbe der jüdischen Religionsauffassung und des Traumas der Shoah. Gemessen an den traditionellen europäischen und amerikanischen Klezmorim weist das Spiel der Chassidim im allgemeinen einen niedrigeren technischen Standard auf. Obwohl ein systematisches klezmerisches Lehrsystem fehlt und die Beschäftigung mit außerreligiösen Dingen – wie dem Üben auf einem Instrument – als »gojische Narischkejtn«, nichtjüdische Dummheiten, angesehen wird, konnten hochbegabte Klarinettisten wie Reb Gerschon und Reb Jechiel eine gewisse Fertigkeit erlangen. Fast alle der chassidischen Klarinettisten in Israel spielen – genau wie der vom amerikanischen Revival zur Leitfigur stilisierte Naftule Brandwein – ohne Notenkenntnisse, und ihre »Krechtsn« klingen wie »Krechtsn«, und nicht wie angestrengte Nachahmungen.

Alte Formen, neue Rituale: Klezmer-Musik als Teil religiösen Lebens

Seit über einem Jahrhundert pilgern Chassidim im Frühjahr nach Safed und zum Meron-Berg in Nordgaliläa, wo sie zu Lag Ba'Omer (im jüdischen Monat Ijar; entspricht April–Mai) und auch am Siebten Adar – dem vermeintlichen Todestag Moses' (entspricht Februar–März) – mit Musik, Singen und Tanzen feiern. Besonders an Lag Ba'Omer, dem 33. Tag des Omer und einzigen Tag während der sieben Wochen, an dem Heiraten, Musikmachen und Haareschneiden erlaubt sind, wird das chassidische Klezmer-Repertoire gespielt. Wie vor 150 Jahren in Osteuropa, ist die chassidische Welt in »Erets Jisroel« geprägt vom Widerhall unzähliger Melodien aus alter und neuer Zeit, Osteuropa und Amerika sowie ihrem orientalischen Umfeld. Hatten bereits die erfahrenen Meronpilger die Melodien der arabischen Drusen und deren Debka-Tänze von den Eseltreibern gelernt, die sie Jahr für Jahr den Berg zur Pilgerstätte hinaufführten, so lernte manch einer der frommen Musiker später die über Kurzwelle von rumänischen Radiosendern empfangene rumänische Volksmusik, vor allem die der Bukarester Lăutari. Aus den Autoradios und Geschäften dringt die »Musika Jam Tichonit Jisraelit«, die populäre Musik Israels mit ihren griechischen, arabischen und türkischen Elementen, in die Ohren selbst der Frommsten. Doch auch bei den Chassidim gibt es Subkulturen, Fans, kulturelle Grenzgänger: »Djezz«, so nennen die chassidischen Klezmer-Fans herablassend die neo-orthodoxe Popmusik der »Superstars« wie die des Sängers Mordechai Ben David oder des stimmgewandten Avraham Fried, deren Texte von der »Liebe zum Höchsten« sprechen und den einzig rechten »Tora lifestyle« preisen. In der chassidischen Welt leben noch die Melodien der alten Holocaust-Überlebenden aus Europa fort; dazu halten sich einige der Rebbes in Israel »Hofkomponisten« – keine Klezmorim, sondern in der Regel Chasonim –, deren neugeschriebene Melodien all diese unterschiedlichen Einflüsse verarbeiten und die dann von allen Anhängern gelernt werden müssen. Wie in Osteuropa bestimmt die Musik schon die Welt der Kleinsten in der Wiege und im Chejder und erklingt auf den Hochzeiten und zahlreichen religiösen Festen des jüdischen Jahres. So spielen die orthodoxen Klezmorim auch auf dem Meron-Berg ein Gemisch von alten Klezmer-Melodien und chassidischen Nigunim aus Osteuropa, Melodien arabischen, griechischen und türkischen Ursprungs sowie neueren Nigunim aus Erets Jisroel und Amerika. Ihre »rumänischen Schtiklech« stammen jedoch nicht direkt von osteuropäischen Klezmorim, sondern wurden den Musikern von pilgernden Chassidim aus Osteuropa vorgesungen. Zu den alten Meronpilgern

Abb. 33 Joel Rubin mit chassidischem Klarinettisten und dessen Sohn, Jerusalem, 1992. Foto: Rita Ottens.

gehörten fromme Mitglieder der Brandwein-Familie – allesamt keine Klezmorim – wie Sische Brandwein aus Safed, die Jahr für Jahr zur Musik der Klezmorim ekstatisch mitsangen und -tanzten. Vielleicht aus diesem Grund sind die Melodien ihres entfernten Verwandten Naftule, die sie von alten Schellackplatten aus den USA kannten, nach langer Seelenwanderung zurückgekehrt an den Ort ihrer eigentlichen Bestimmung und wieder zum Bestandteil des religiösen Meron-Repertoires geworden.

Obwohl mit Aufnahmegeräten, Videos und Handys ebenso vertraut wie die ungläubigen »Freier«, wie die israelischen Chassidim die nichtreligiösen Juden nennen, ist das klezmerische Universum der Chassidim und der ultraorthodoxen Haredim, der vor Gott »Zitternden«, wohl immer noch bevölkert von verzauberten Geigen, geheimnisvollen Klezmer-Lehrlingen mit schwarzumrandeten Augen und ihren Meistern, die mit Geistern gemeinsame Sache machen. In dieser hochgespannten geistigen Atmosphäre zwischen Mittelalter und High-Tech entsteht beständig Neues aus alten Formen, vermischen sich alte und neue Rituale: So wird bei den Hochzeiten und dem Lag Ba'Omer-Fest ein Pantomimentanz in drei »Szenen« (»T'chies ha-Mejssim«, die Auferstehung der Toten) zur Musik der chassidischen Klezmorim getanzt. Die erste »Szene« handelt von einer Auseinandersetzung zwischen zwei Männern, die in dem symbolischen Tod des einen endet, und wird begleitet von der Musik des »Barojges Tants«, des Zorntanzes. Im zweiten Teil bringt der »Mörder« die »Leiche« unter den lamentierenden Klängen einer gesangähnlichen rumänischen Doina ins Leben zurück. Der dritte Teil ist ein Jubel- und Versöhnungstanz, begleitet von einem Frejlechs. Alle drei Melodien gehörten zum osteuropäischen Klezmer-Repertoire. Dieses aus archaischen Motiven neu entstandene ergreifende Drama von Leben, Tod und Auferstehung zeigt, unter welchen Bedingungen sich, unbeachtet von dem kommerziell-ideologisch geprägten Revival, Klezmer-Musik weiterhin als integraler Bestandteil religiösen jüdischen Daseins manifestiert und weiterentwickelt. Wie Musa Berlin es ausdrückt, »gab es in Israel kein Klezmer-Revival, weil es überhaupt nicht nötig war, da das ganze Leben dort mit jüdischer Kultur und jüdischem Leben ausgefüllt ist«.

EPILOG

Innenschau und Seelendrama:
Eine Zukunft der Klezmer-Musik?

Erst heute können die jüdischen Institutionen in den USA Klezmer als positives Symbol des Judentums nicht nur akzeptieren, sondern haben gelernt, Klezmer als ideales Medium für eine amerikanisch-jüdische Identität einzusetzen. Derweil sonnen sich die alten Gebrauchsmusiker im späten Ruhm und genießen die längst fällige Anerkennung und den Applaus des Konzertpublikums, das sie zum ersten Mal wie Künstler behandelt. Heute akzeptiert der siebenundachtzigjährige Max Epstein die ehemals verpönte Bezeichnung »Klezmer«, »weil wir jetzt anerkannt werden«. Die meisten amerikanischen Revival-Bands arbeiten auf lokaler Ebene und spielen nicht nur in Clubs, sondern auch zu den verschiedensten Anlässen ihrer Gemeinden und verkaufen dort ihre selbstproduzierten Aufnahmen. Mit einem Gemisch von instrumentalen Klezmer-Stücken, jiddischen Volks- und Theaterliedern, chassidischen Nigunim, israelischen Volkstänzen, sephardischen Liedern in Ladino sowie, natürlich, amerikanischer Musik entsprechen sie den Wünschen ihres Publikums, wie es eben von jeher von Gebrauchsmusikern und Klezmorim erwartet wurde.

Die Geschichte des Klezmer-Revivals ist zunächst eine Geschichte der Mystifizierungen und zeigt sich zunehmend geprägt von nationalistisch-chauvinistischen Zügen. Das will nicht recht zusammenpassen mit der bunten, schrägen, anarchischen Musik, die insbesondere der World Music-Markt mit seinen Mischformen für breite Konsumentenschichten geschaffen hat. Historisch steht die einst städtische, professionelle Hochzeitsmusik an einem Wendepunkt, an dem ihre einstige Komplexität und Virtuosität in einen Neo-Primitivismus, auf breitester Front getragen von Amateurmusikern, umdefiniert wird. Vermittelt dabei insbesondere die chassidische Musik mit ihren wenigen Musikern amerikanischen Juden das Gefühl von Religiosität und damit Zugehörigkeit zum Judentum, so erfüllt sie in Deutschland eine grundsätzlich andere Funktion. Hier tritt diese »exotischste« Gruppierung der orthodoxen Juden über das Medium der Klezmer-Musik nur noch als Piktogramm, als luftiger »Klezmer auf dem Dach« wie im Musical »Anatevka« auf Plattencovern und Beiheften von Klezmer- und Jiddisch-Bands, auf.

Obwohl eine Anknüpfung an die alte Klezmer-Tradition proklamiert wird, spricht das Absterben des religiös-kulturellen Nährbodens, aus dem sich die Klezmer-Kultur über Jahrhunderte speiste, für die Anwendung des Begriffes »Revival«, da die Musik nicht als eine Fortsetzung der Vorkriegstradition anzusehen ist. Janet Hadda beschreibt die Haltung der Yiddish Revival-Bewegung als die »verzweifelte Verweigerung, die Wahrheit anzunehmen«, daß die jiddische Welt gestorben ist bzw. ermordet wurde. Diese Emotionalität mag als Grund dafür anzusehen sein, daß jedwede musikalische Bewertung des Klezmer-Revivals, die über die Würdigung der Klezmer-Gruppen als ein Zeichen der Lebendigkeit jiddischer Kultur hinausgeht, auf heftige Widerstände trifft. Es stimmt nachdenklich, wenn einige der erfolgreichsten Revival-Newcomer mit Alben aufwarten, deren hohe verbale Ansprüche in den Begleitheften keinesfalls von dem akustischen Ergebnis eingelöst werden, sondern die letztendlich die Musik der kalifornischen »Klezmorim« – übrigens heute von eben diesen Revival-Kreisen heftig wegen ihrer »Inauthentizität und Banalität« angegriffen – bei weitem unterschreiten. Wie sind die Mechanismen einer kulturellen Bewegung zu begreifen, deren dilettantisch nachgespielte Melodienfunde »aus Expeditionen in Osteuropa« zum größten Teil von Schellackplatten stammen und deren Propagandisten die kratzenden Versuche eines Newcomers, der kaum in der Lage ist, einen Ton zu halten, ebenso mit Lob überschütten wie die Klezmer-Versuche des klassischen Geigenvirtuosen Itzhak Perlman?

Es bleibt die Frage, ob eine hermetische, nach innen gewandte und gleichzeitig so lebensbezogene, diesseitige Musik in einer Zeit, die gerade diese existentiellen Erfahrungen wie Leben und Tod ausklammert, noch mit Bedeutung gefüllt werden kann – Morton Feldman, Komponist der amerikanischen Avantgarde und selbst aus dem osteuropäisch-jüdischen Immigranten-Milieu New Yorks stammend, äußerte einmal: »Wenn ich etwas gegen die heutige Musik habe, dann ist es einfach, daß sie nicht ernst genug ist.« Auch technisch sind die gewöhnlich ausgereiften Melodien mit ihren Mikrovariationen für heutige Musiker kaum noch zu erfassen, da sie durch die Verbreitung des Jazz und Rock an freiere Formen der Improvisationen gewöhnt sind. Folglich wird eine Weiterentwicklung der Klezmer-Musik außerhalb des religiösen Umfeldes nur aus dem Innersten der Musik heraus möglich sein und sicherlich nur denjenigen gelingen, deren Sensibilität und Intellekt sich auf das einlassen können, was Max Epstein und seine Kollegen mit »concept« bezeichnen und die heutigen chassidischen Klezmorim »Knejtsch« nennen: das Verständnis und die Beherrschung des inneren Ausdrucks der Klezmer-Musik.

Abb. 34 Max Epsteins Hände, Berkeley/Kalifornien, 1995. Foto: Rita Ottens.

Anhang

Schreibweise und Aussprache der Fremdwörter

In der Buchstabierung der Wörter aus der mit hebräischem Alphabet geschriebenen jiddischen Sprache adaptierten die Autoren eine für die deutsche Phonetik geeignete Version des phonetischen Transliterationssystems des YIVO Institute for Jewish Research in New York. Auch wenn es im Jiddischen keine großen und kleinen Buchstaben gibt, werden in diesem Buch Substantive wie im Deutschen großgeschrieben. Transkribierte Musiktitel, z. B. von Schellackplatten, wurden ebenfalls dem gleichen phonetischen System angeglichen, so beispielsweise »Bajm Rebbens Sude« statt des auf dem Label gedruckten (unsystematisch buchstabierten) »Biem Reben's Sideh«.

Die Buchstaben und Diphthonge werden wie folgt ausgesprochen:

a	=	kurzes a wie in Katze
e	=	kurzes e wie in Erde
i	=	kurzes i wie in Industrie
o	=	kurzes o wie in Objekt
u	=	kurzes u wie in Unterhaltung
aj	=	ei wie fein
ej	=	ey wie im englischen Wort grey
oj	=	eu wie in Europa
ch	=	rauhes ch wie in Nacht (auch bei hellem Vokal wie in *Schtetlech, Chejder*)
j	=	j wie in Jubel
zh	=	stimmhaftes sch wie in Journal
s	=	stimmhaftes s wie in Sendung (auch vor Konsonanten wie in *Chasn, Masltow*); am Wortanfang stimmhaft (*Semer, Singer*) oder stimmlos (*Sekundirer, Simche*)
ss	=	stimmloses s wie in Masse
sch	=	stimmloses sch wie in Schule
ts	=	z wie in Zucker
w	=	stimmhaftes w wie in Welt

Die für das Jiddische typischen vokallosen Silben und fehlenden Doppelkonsonanten werden beibehalten (z. B. in *Landsmanschaftn*). Bei manchen den deutschen Lesern bekannten Wörtern hebräischer Herkunft wie z. B. *Rebbe* wurde der Doppelkonsonant jedoch beibehalten.

Bekannte Begriffe aus der hebräischen Sprache wie z. B. die Feiertage *Pessach, Jom Kippur* und *Chanukka* werden nach der deutschen Phonetik in der modernen hebräischen Aussprache statt des eher ungewöhnlichen jiddischen *Pejsech, Jinkiper* und *Chanike* transliteriert. Eigennamen, deren Schreibweise sich bereits eingebürgert hat, wie z. B. von in Amerika lebenden Musikern osteuropäischer Herkunft, behalten ihre bisherige und bekannte Schreibweise (also Joseph Cherniavsky statt Josef Tschernjawski; Moishe Oysher statt Mojsche Ojscher). Das gilt auch für das Wort *Klezmer*, das als *Klesmer* mit stimmhaftem s auszusprechen ist.

Glossar

A gute Nacht: »Gute Nacht«; Abschiedsmelodie

Ahawa Raba (Hebr.): »große Liebe«; der Name eines Synagogen-Modus nach dem Anfang eines Gebets (ähnelt dem klezmerischen *Frejgisch*)

Alrightnik (Pl. *Alrightniks*): Aufsteiger unter den jiddischsprachigen Einwanderern Amerikas

Aschkenas (Hebr.): geographisches Gebiet der ersten konzentrierten jüdischen Gemeinden im Nordwesten Europas, insbesondere an den Ufern des Rheins

Aschkenasi (Pl. *Aschkenasim*): Jude aus dem west- oder ostaschkenasischen Kulturkreis

Badchn (Pl. *Badchonim*): professioneller Unterhalter bei osteuropäisch-jüdischen Hochzeiten; erfüllte gleichzeitig drei Rollen: Spaßmacher, Zeremonienmeister und Moralprediger

Badchones: der Vortrag des *Badchn*

Bar-Mitswe (Pl. *Bar-Mitswes*): »Sohn des Gebotes«; markiert den Übergang des dreizehnjährigen Knaben in das Erwachsenenalter und die Verpflichtung, die 613 Mitswes der jüdischen Religion zu erfüllen

Basetsn di Kale (Pl. *Basetsn di Kales*): siehe *Kale-Basetsn*

Bejgele (Pl. *Bejgelech*): jüdischer Kreistanz

Besmedresch (Pl. *Bote-Medroschim*): Studier- und Betstube

Broder-Singer (Pl. *Broder-Singers*): professionelle Sänger und Unterhalter, die ab Mitte des 19. Jahrhunderts in den Weingärten, Restaurants und Wirtshäusern des jüdischen Osteuropas aufzutreten begannen

Bulgar/Bulgarisch (Pl. *Bulgars*): jüdischer Kreistanz bessarabischen Ursprungs

Chanukka (Hebr.): das achttägige Chanukka-Fest wird zur Erinnerung an die Reinigung des Zweiten Tempels nach dem Sieg der
Makkabäer über die Seleukiden durch Judas im Jahre 164 v. u. Z.
gefeiert

Chasn (Pl. *Chasonim*): professioneller Vorbeter; Kantor

Chasones: die Gesangskunst der *Chasonim*

Chassene (Pl. *Chassenes*): Hochzeit

Chassid (Hebr.; Pl. *Chassidim*): Anhänger des *Chassidismus*

Chassidismus: orthodoxe Bewegung ab Mitte des 18. Jahrhunderts als
Reaktion gegen das als elitär und zunehmend erstarrt empfundene rabbinische Judentum

Chejder (Pl. *Chadorim*): religiöse Kleinkinderschule

Chewre (Pl. *Chewres*): Bruderschaft, vorwiegend der Wohltätigkeit
gewidmet

Chossn (Pl. *Chassanim*): Bräutigam

Chossn-Mol: ein Mahl zu Ehren des Bräutigams, das von der Braut
und ihrer Familie am Vorabend der Hochzeit veranstaltet wird

Chtsos: nächtlicher Trauergesang über die Zerstörung des Zweiten
Tempels

Chupe (Pl. *Chupes*): Traubaldachin

Chupe-Wetschere: Hochzeitsempfang

Dobridschen (Pl. *Dobridschens*): »Guten Tag«; Begrüßungsmelodie

Dobrinotsch (Pl. *Dobrinotschs*): »Gute Nacht«; Begrüßungsmelodie;
ein Fest zum Abschied an ihre Mädchenzeit, das die Braut mit
ihren weiblichen Verwandten, Freundinnen und deren Müttern
am Schabbat vor dem Hochzeitstag feiert

Dobriwetscher (Pl. *Dobriwetschers*): »Guten Abend«; Begrüßungsmelodie

Doina (Rum.): eine formelhafte, nichtmetrische instrumentale Improvisation moldawisch-bessarabischen Ursprungs

Drosche (Pl. *Drosches*): gelehrter Vortrag über ein Thema aus den
heiligen Schriften

Drosche-Geschank: die Zeremonie der Übergabe der Hochzeitsge-
schenke

El Mole Rachmim: »Gott, voll des Erbarmens«; hebräisches Gedenk-
gebet/Fürbitte für die Toten

Es togt schojn: »Es wird schon Tag«; Abschiedsmelodie

Forschpil: Fest, das die Braut am Schabbat vor der Trauungszeremonie hält (siehe Dobrinotsch); Einleitung einer *Doina*

Frejgisch: »Phrygisch«; Gust in der Klezmer-Musik

Frejlechs (Pl. *Frejlechsn*): typischer osteuropäisch-jüdischer Kreistanz

Gaon (Hebr.; Pl. *Geonim*): großer Gelehrter; ursprünglich Titel des Oberhauptes der babylonischen Talmudakademien

Gas-Nign (Pl. *Gas-Nigunim*): Straßenmelodie, zu der Braut und Bräutigam, Verwandte und Ehrengäste nach dem Hochzeitsempfang zurück in ihre Häuser geleitet werden

Gust (Pl. *Gustn*): »Geschmack«; Modus (Musik)

Haskala (Hebr.): jüdische Aufklärung

Hejm: Heimat

Hopak (Ukr.; Jidd. *Hopke*): ukrainischer Tanz

Hora (Pl. *Horas*): siehe *Zhok*; auch: israelischer Tanz im Zweivierteltakt (nicht musikalisch verwandt)

Jarmlke (Pl. *Jarmlkes*): Scheitelkäppchen des Mannes

Jeschiwe (Pl. *Jeschiwes*): Talmudhochschule

Jewsektsija (Russ.): die jüdischen Sektionen der Kommunistischen Partei der UdSSR

Jold (Pl. *Joldn;* aus dem *Klezmer-Loschn*): in Europa: ein Jude, der kein Klezmer ist; in Amerika: Trottel

Kabbala: Tradition; mystisch-spekulative Strömung im Judentum seit dem späten 12. Jahrhundert

Kale (Pl. *Kales*): Braut

Kale-Badekn: Zeremonie der Brautverschleierung

Kale-Basetsn: das rituelle »Setzen« der Braut

Kapelje (Pl. *Kapeljes*): Kapelle

Kasatschok (Ukr.; Jidd. *Kasatske*): ukrainischer Solotanz

Kehile (Pl. *Kehiles*): autonome jüdische Gemeinde

Klezmer (Pl. *Klezmorim, Klezmer, Klezmers*): Musiker

Klezmer-Loschn: Geheimsprache der Klezmorim

Klezmeraj: der Beruf des Klezmers; das Klezmer-Sein

Knejtsch (Pl. *Knejtschn*): (musikalische) Nuance

Kompanje (Pl. *Kompanjes*): Kompanie; Band

koscher: rituell rein

Krechts (Pl. *Krechtsn*): »Stöhnen«; Verzierung, die den Bruch zwischen regulärer Stimme und Falsett imitiert

kwetschn: klagen, lamentieren

Labuschinske: siehe *Klezmer-Loschn*

Lăutar (Rum.; Pl. *Lăutari*): professioneller Volksmusiker (meist Roma-Musiker) aus Rumänien und Moldawien

Lebns-Schtejger: Lebensstil

Lejts (Pl. *Lejtsim, Letsonim*): Hanswurst, Schelm, Spötter; Bezeichnung sowohl für professionellen Musiker als auch Spaßmacher in Aschkenas

Leviten (Hebr.): die professionellen Tempelmusiker in der Zeit vor der Zerstörung des Zweiten Tempels in Jerusalem
Loschn-Kojdesch: die heilige Sprache von Hebräisch und Aramäisch
Luftmentsch (Pl. *Luftmentschn*): armer Mensch ohne ersichtlichen Beruf

Majufes: Parodie eines jüdischen Tanzes seitens des polnischen Adels; nach der hebräischen Ode an den Schabbat »Ma Jafit«
Marschelik (Pl. *Marschelkes*): siehe Badchn
Maskl (Pl. *Maskilim*): Aufklärer; Anhänger der Haskala
Masltow: Glückwünsche; Begrüßungsmelodie
Medine: Land
Melamed (Pl. *Melamdim*): Lehrer in einer religiösen Kleinkinderschule
Melawe-Malke: Feier des »Abschieds der Königin Schabbat« am Schabbatende nach Sonnenuntergang
Meschojrer (Pl. *Meschojrerim*): Synagogalchorknabe bzw. *Chasn*-Lehrling, bis zum Stimmbruch in den Diensten der *Chasonim*
Misnaged (Pl. *Misnagdim*): orthodoxe Gegner des *Chassidismus*
Mitswe (Pl. *Mitswes*): eines der 613 Gebote bzw. Verbote des Talmuds
Mitswe-Tants: Hochzeitstanz zu Ehren der Braut, wobei alle nahen männlichen Verwandten und Ehrengäste mit der Braut tanzen in der vorgeschriebenen Erfüllung des Gebotes, sie glücklich zu machen
moralisch Nign: Nign, das die Funktion hat, zur meditativen oder ekstatischen Vereinigung mit Gott zu führen
Motzei Schabbat (Hebr.): der Abend nach dem Schabbat-Ende

Nign (Pl. *Nigunim*): Melodie

Omer (Hebr.): der siebenwöchige Zeitraum zwischen den Feiertagen *Pessach* und *Schawuot*

Pajkl: kleine Trommel
Pejes: Schläfenlocken
Pessach (Hebr.): Passah-Fest
Porets (Pl. *Pritsim*): die vornehmlich polnischen adligen Gutsbesitzer
Purim-Schpil (Pl. *Purim-Schpiln*): Volkstheaterstück zu Purim
Purim: Halbfeiertag, der zur Erinnerung an die Rettung der persischen Juden vor ihrer Vernichtung durch Haman gefeiert wird

Rebbe (Pl. *Rebbes, Rabejim*): geistlicher Führer einer chassidischen Dynastie; Rabbi, Meister, Lehrer

Saj Gesunt: »Sei gesund«; Abschiedsmelodie
Schawuot (Hebr.): Wochenfest; Erstlingsfest und Vergegenwärtigung der Sinai-Offenbarung, 50 Tage nach Beginn der *Omer*-Zählung gefeiert

Scher (Pl. *Schern*): jüdischer Square Dance für Anordnungen von jeweils vier Paaren

Schtetl (Pl. *Schtetlech*): um einen Markt zentrierte Kleinstadt in Osteuropa mit großem jüdischem Bevölkerungsanteil

Schtibl (Pl. *Schtiblech*): kleines chassidisches Gebetshaus bzw. -zimmer

Schul (Pl. *Schuln*): Synagoge

Seder (Pl. *Sdorim*): Festessen in den ersten zwei Nächten des Passahfestes, währenddessen die Geschichte des Exodus erzählt wird

Sekund (Pl. *Sekundes*): zweite Geige

Sekundirer (Pl. *Sekundirers*): Geiger, der die Sekund-Stimme spielt

Semer (Pl. *Smires; Semerl,* Pl. *Semerlech*): religiöses Volkslied zum Schabbat; traditionelle Hymnen zu religiös-mystischen Texten in Hebräisch und Aramäisch, die während des Schabbat in Familie und Synagoge gesungen werden

Sephardi (Hebr.; Pl. *Sephardim*): Juden, die bis zu ihrer Vertreibung 1492 auf der Iberischen Halbinsel lebten, und ihre Nachfahren

Simchat Tora (Hebr.): Feiertag, an dem gleichzeitig das Ende und der Beginn eines neuen Zyklus der Tora-Lesung begangen wird

Simche (Pl. *Simches*): Freude; fröhliche Feier

Singer (Pl. *Singers*): Sänger; professioneller Sänger in den Diensten der *Chasonim*

Sogechts: rezitative Vortragsweise in der liturgischen und Klezmer-Musik

Sukkot (Hebr.): Laubhüttenfest

Tales: Gebetsschal

Talmud (Hebr.): Bezeichnung der Mischna, der ersten autoritativen Gesetzessammlung, einschließlich des dazugehörigen Kommentars der späteren Rabbinen, vervollständigt im 5.–7. Jahrhundert

Tam: Geschmack

Tisch (Pl. *Tischn*): Schabbat-Mahl und andere Zusammenkünfte der Rebbes und ihrer Anhänger an den chassidischen Höfen

Tora (Hebr.): »Lehre«; die Fünf Bücher Moses

Tsimbl (Pl. *Tsimblen*): Zimbal; osteuropäisches Hackbrett

Tsum-Tisch: virtuose und kontemplative Solostücke, die an der Festtafel gespielt werden

umetik: traurig, trüb, einsam

Wolechl (Pl. *Wolechlech*): bezeichnet zwei verschiedene Genres, den *Zhok* im Dreiachteltakt und eine rhapsodische, nichtmetrische Improvisation ähnlich der *Doina*

Zhok (Pl. *Zhokn*): Tanzstück moldawisch-bessarabischen Ursprungs im Dreiachteltakt; auch u. a. als *Hora, rumenische Hora* oder *Wolechl* bezeichnet

Ausgewählte Klezmer-Aufnahmen

Dave Tarras: Master of the Jewish Clarinet. Music for the Traditional Jewish Wedding, hg. von W. Z. Feldman und A. Statman, New York 1979 (EFAC A8902)

Doyres (Generations). Traditional Klezmer Recordings 1979–1994, hg. von R. Ottens und J. Rubin, München 1995 (Trikont CD US-0206)

Epstein Brothers Orchestra: Kings of Freylekh Land. A Century of Yiddish-American Music, hg. von R. Ottens und J. Rubin, Mainz 1995 (Wergo CD SM 1611-2)

Hassidic Tunes of Dancing & Rejoicing, hg. von A. Hajdu und Y. Mazor, New York 1976 (Folkways/Smithsonian LP FE 4209)

Joel Rubin: Hungry Hearts. Classic Yiddish Clarinet Solos of the 1920s, hg. von R. Ottens und J. Rubin, Mainz 1998 (Wergo CD SM 1615-2)

Joel Rubin mit dem Epstein Brothers Orchestra: Zeydes un Eyniklekh (Grandfathers and Grandsons). Jewish-American Wedding Music from the Repertoire of Dave Tarras, hg. von R. Ottens und J. Rubin, Mainz 1995 (Wergo CD SM 1610-2)

Joel Rubin Jewish Music Ensemble: Beregovski's Khasene (Beregovski's Wedding). Forgotten Instrumental Treasures from the Ukraine, hg. von R. Ottens und J. Rubin, Mainz 1997 (Wergo CD SM 1614-2)

Joel Rubin und Joshua Horowitz: Bessarabian Symphony. Early Jewish Instrumental Music, hg. von R. Ottens und J. Rubin, Mainz 1994 (Wergo CD SM 1606-2)

Jüdische Lebenswelten. Highlights from the Concert Series »Traditional and Popular Jewish Music« Berlin 1992, hg. von R. Ottens und J. Rubin, Mainz 1993 (Wergo CD 1604-2)

Klezmer Music. Early Yiddish Instrumental Music. The First Recordings 1908–1927. From the collection of Dr. Martin Schwartz, hg. von M. Schwartz, El Cerrito/Kalifornien 1997 (Folklyric CD 7034)

Klezmer Tradition in the Land of Israel, hg. von Y. Mazor, Jerusalem 1999 (Jewish Music Research Centre)

Oytsres (Treasures). Klezmer Music 1908–1996, hg. von R. Ottens und J. Rubin, Mainz 1999 (Wergo CD SM 1621-2)

Shteygers (Ways). New Klezmer Music 1991–1994, hg. von R. Ottens und J. Rubin, München 1995 (Trikont CD US-0207)

Yikhes (Lineages · Stammbaum). Early Klezmer Recordings 1911–1939 from the Collection of Prof. Martin Schwartz, hg. von R. Ottens und J. Rubin, München 1991/1995 (Trikont CD US-0179)

Literatur

Anatoli, A.: Babi-Yar, Aylesbury 1970

Baumgarten, M. (Hg.): Klezmer. History and Culture. Papers from a Conference, in: Judaism, Ausgabe 185, Bd. 47/1 (1998)

Ben-Sasson, H. H.: Geschichte des Jüdischen Volkes von den Anfängen bis zur Gegenwart, München 1992

Beregowski, M.: Ewreiskaja narodnaja instrumental'naja musika (Jüdische Instrumentale Volksmusik), hg. von M. Gol'din, Moskau 1987

Bogrow, G. J.: Memoiren eines Juden, St. Petersburg 1880

Braun, J.: The Jews and Jewish Elements in Soviet Music, Tel Aviv 1978

– Mosche Beregovski. Zum Schicksal eines sowjetischen Ethnomusikologen, in: Jahrbuch für Volksliedforschung 1988

Cahan, A.: Yekl and The Imported Bridegroom and other stories of the New York Ghetto, New York 1970

– The Rise of David Levinsky, New York 1993

Dion, L.: Klezmer Music in America. Revival and Beyond, in: Jewish Folklore and Ethnology Newsletter, Bd. 8/1–2 (1986)

Dobroszycki, L. und Kirshenblatt-Gimblett, B.: Image Before My Eyes. A Photographic History of Jewish Life in Poland. 1864–1939, New York 1977

Fater, I.: Jiddische Musik in Pojln tswischn bejde Welt-Milchomes (Jüdische Musik in Polen zwischen den beiden Weltkriegen), Tel-Aviv 1970

Feingold, H. L.: A Time for Searching. Entering the Mainstream 1920–1945, Baltimore und London 1992

Feldman, W.: Bulgărească/Bulgarish/Bulgar. The Transformation of a Klezmer Dance Genre, in: Ethnomusicology, Bd. 38/1 (1994)

Fishman, D. E.: Russia's First Modern Jews. The Jews of Shklov, New York und London 1995

Frieden, K.: Classic Yiddish Fiction. Abramovitsh, Sholem Aleichem, & Peretz, Albany 1995

Friedland, L. E.: »Tantsn is Lebn«. Dancing in Eastern European Jewish Culture, in: Dance Research Journal, Bd. 17/2 und Bd. 18/1 (1985–1986)

Gitelman, Z.: A Century of Ambivalence. The Jews of Russia and the Soviet Union 1881 to the Present, New York 1988

Glanz, R.: Geschichte des Niederen Volkes in Deutschland. Eine Studie über historisches Gaunertum, Bettelwesen und Vagantentum, New York 1968

Gold, M.: Jews Without Money, New York 1930

Goldin, M.: On Musical Connections Between Jews and the Neighboring Peoples of Eastern and Western Europe, Amherst/Massachusetts 1989

Greene, V.: A Passion for Polka. Old-Time Ethnic Music in America, Berkeley, Los Angeles und Oxford 1992

Grözinger, K. E.: Musik und Gesang in der Theologie der frühen jüdischen Literatur, Tübingen 1982

Güdemann, M.: Geschichte des Erziehungswesens und der Cultur der abendländischen Juden, Amsterdam 1966

Hadda, J.: Yiddish in Today's America, in: Jewish Quarterly, Heft 170 (1998)

Harshav, B.: The Meaning of Yiddish, Berkeley, Los Angeles und Oxford 1990

Hartnack, J. W.: Grosse Geiger unserer Zeit, Zürich 1983

Heinze, A. R.: Adapting to Abundance. Jewish Immigrants, Mass Consumption, and the Search for American Identity, New York 1990

Howe, I. mit Libo, K.: World of Our Fathers. The Journey of the East European Jews to America and the Life They Found and Made, New York 1976

Idelsohn, A. Z.: Jewish Music. Its Historical Development, New York 1992

Joselit, J. W.: The Wonders of America: Reinventing Jewish Culture. 1880–1950, New York 1994

Kanfer, S.: A Summer World. The attempt to build a Jewish Eden in the Catskills, New York 1989

Kugelmass, J. und Boyarin, J. (Hg.): From a Ruined Garden. The Memorial Books of Polish Jewry, Bloomington 1998

Landau, A.: Zur russisch-jüdischen ›Klesmer‹sprache, in: Mitteilungen der Anthropologischen Gesellschaft in Wien, Bd. 43 (1913)

Levik, S.: The Levik Memoirs. An Opera Singer's Notes, London 1995

Levin, N.: The Jews in the Soviet Union Since 1917. The Paradox of Survival, New York 1988

Lifschutz, E.: Merrymakers and Jesters Among Jews (Materials for a Lexicon), in: YIVO Annual of Jewish Social Sciences, Bd. 7 (1952)

Liptzin, S.: Eliakum Zunser. Poet of His People, New York 1950

Logan, A.: The Five Generations, in: New Yorker Magazine (29. Oktober 1949)

MacLeod, B. A.: Club Date Musicians. Playing the New York Party Circuit, Urbana und Chicago 1993

Maffi, M.: Gateway to the Promised Land. Ethnic Cultures in New York's Lower East Side, New York und London 1995

Mazor, Y.: The Klezmer Tradition in the Land of Israel. Yuval Music Series 6, Jerusalem (in Vorbereitung)

Moore, D. D.: At Home in America, New York 1981

Nettl, P.: Alte jüdische Spielleute und Musiker, Prag 1923

– Die Prager Judenspielleutenzunft, in: Beiträge zur böhmischen und mährischen Musikgeschichte, Brünn 1927

Ney-Nowotny, G. und K.: Joseph Schmidt. Das Leben und Sterben eines Unvergeßlichen, Wien 1962.

Ottens, R.: Der Klezmer als ideologischer Arbeiter, in: Neue Zeitschrift für Musik, Heft 3 (1998)

– »Akh vi voyl un akh vi git, s'iz tsu zayn a yid«. The Myth of Yiddish Music and Its Political and Ideological Function in Reunited Germany, in: Proceedings of the Second International Conference on Jewish Music, London (in Vorbereitung)

– »Die wüste Stadt Berlin«. Ein Versuch zur Standortbestimmung jiddischer Musik unter den jüdischen Zuwanderern aus der ehemaligen Sowjetunion in Berlin, in: Bericht des wissenschaftlichen Kolloquiums »Begegnung mit Jüdischer Musik und Musikern des 20. Jahrhunderts«, Mainz und Tel-Aviv (in Vorbereitung)

– The Function of Yiddish Music in the Forging of German Identity after Reunification, in: Proceedings of the 12th World Congress of Jewish Studies, Jerusalem (in Vorbereitung)

Ottens, R. und Rubin, J.: Klezmer-Forschung in Osteuropa: damals und heute, in: Juden und Antisemitismus im östlichen Europa (= Multidisziplinäre Veröffentlichungen 5), Wiesbaden 1995

– Kol Rino I–III. Die Stimme des Jubels (= Didaktisches Lehrmaterial für Musiklehrer aller Stufen: Jüdische und israelische Musik), Berlin 1998

Peretz, I. L.: Die Seelenwanderung einer Melodie. Erzählungen, Stuttgart 1984

Rabinovitch, I.: Of Jewish Music, ancient and modern, Montreal 1952

Rabinowitsch, Sch. (Scholem Alejchem): Stempeniu. A Jewish Romance, in: Neugroschel, J. (Hg.), The Shtetl. A Creative Anthology of Jewish Life in Eastern Europe, New York 1982

– From the Fair. The Autobiography of Sholom Aleichem, New York 1985

Raboy, I.: Joe the Tailor, in: New Yorkish and Other American Yiddish Stories. Twenty Stories by Fifteen Authors, New York 1995

Rischin, M.: The Promised City. New York's Jews, 1870–1914, Cambridge (Massachusetts) und London 1977

Rubin, J.: »alts nemt zikh fun der doyne«. The Romanian-Jewish Doina: a Closer Stylistic Examination, in: Proceedings of the First International Conference on Jewish Music, London 1997

– »Can't You Play Anything Jewish?« Klezmer-Musik und jüdische Sozialisation im Nachkriegsamerika, in: Jüdische Literatur und Kultur in Großbritannien und den USA nach 1945, Wiesbaden 1998

– Rumenishe shtiklekh. Klezmer music among the Hasidim in contemporary Israel, in: Judaism, Heft 185, Bd. 47/1 (1998)

– Mazltov! Jewish-American Wedding Music, Mainz 1998

- Back to the Future. Jewish-American clarinet music of the 1920s in light of the klezmer revival of the late 20th century, in: Proceedings of the Second International Conference on Jewish Music, London (in Vorbereitung)
- Heyser Bulgar (The Spirited Bulgar). Compositional process in Jewish-American dance music of the 1910s and 1920s, in: Bericht des wissenschaftlichen Kolloquiums »Begegnung mit Jüdischer Musik und Musikern des 20. Jahrhunderts«, Mainz und Tel-Aviv (in Vorbereitung)

Rubin, R.: Voices of a People. The story of Yiddish folksong, Philadelphia 1979

Salmen, W.: Der Spielmann im Mittelalter, Innsbruck 1983
- »denn die Fiedel macht das Fest«. Jüdische Musikanten und Tänzer vom 13. bis 20. Jahrhundert, Innsbruck 1991

Sandrow, N.: Vagabond Stars. A World History of Yiddish Theater, New York 1986

Schlesinger, S.: Josef Gusikow und dessen Holz- und Stroh-Instrument, Wien 1836

Sendrey, A.: The Music of the Jews in the Diaspora (up to 1800), New York, South Brunswick und London 1970

Shiloah, A.: Jewish Musical Traditions, Detroit 1992

Slobin, M.: The Neo-Klezmer Movement and Euro-American Revivalism, in: Journal of American Folklore, Heft 383, Bd. 97 (1982)
- Tenement Songs. The Popular Music of the Jewish Immigrants, Urbana, Chicago und London 1982
- (Übers. und Hg.): Old Jewish Folk Music. The Collections and Writings of Moshe Beregovski, Philadelphia 1982
- Klezmer Music. An American Ethnic Genre (= 1983 Yearbook for Traditional Music), New York 1984
- A Fresh Look at Beregovski's Folk Music Research, in: Ethnomusicology, Bd. 30/2 (1986)

Sorin, G.: A Time for Building. The Third Migration 1880–1920, Baltimore und London 1992

Soyer, D.: Jewish Immigrant Associations and American Identity in New York, 1880–1939, Cambridge (Massachusetts) und London 1997

Spottswood, R.: Ethnic Music on Records: A Discography of Ethnic Recordings Produced in the United States. 1893 to 1942, Urbana 1991

Stutschewsky, J.: Ha-Klezmorim. Toldotehem, orach-hajehem, w'jesirotehem (›Klezmorim‹: Geschichte, Folklore, Kompositionen), Jerusalem 1959

Trachtenberg, J.: Jewish Magic and Superstition. A Study in Folk Religion, New York 1939

Tschechow, A.: Rothschilds Geige, in: Aus den Notizen eines Jähzornigen, Leipzig 1990

Wagner, G.: Die Musikerfamilie Ganz aus Weisenau. Ein Beitrag zur Musikgeschichte der Juden am Mittelrhein, Mainz 1974

Weissenberg, S.: Eine jüdische Hochzeit in Südrussland, in: Mitteilungen zur jüdischen Volkskunde, Bd. 15/1 (1905)

– Die ›Klesmer‹sprache, in: Mitteilungen der Anthropologischen Gesellschaft in Wien, Bd. 43 (1913)

Wengeroff, P.: Memoiren einer Großmutter, Berlin 1908 und 1910

Werner, E.: A Voice Still Heard ... The Sacred Songs of the Ashkenazic Jews, University Park/Pennsylvania 1976

Wolf, A.: Fahrende Leute bei den Juden, in: Mitteilungen zur jüdischen Volkskunde, Bd. 27/3; Bd. 28/4; Bd. 29/1; Bd. 30/2; Bd. 31/3 (1908-1909)

Wollock, J.: European Recordings of Jewish Instrumental Folk Music, 1911–1914, in: Association for Recorded Sound Collections Journal, Bd. 28/1 (1997)

Abbildungsnachweis

Beregowski, Ewrejskaja narodnaja instrumental'naja musika, hg. von M. Gol'din, Moskau 1987: Abb. 15, 18; Center for Traditional Music and Dance, New York: Abb. 21, 22, 23, 32; dtv-Archiv: Abb. 7; Fater, Jiddische Musik in Pojln tswischn bejde Welt-Milchomes, Tel-Aviv 1970: Abb. 14; Stutschewsky, Ha-Klezmorim. Toldotehem, orachhajehem, w'jesirotehem, Jerusalem 1959: Abb. 2, 4, 6, 9, 11, 17; Tracing An-sky, Jewish Collections from the State Ethnographic Museum in St. Petersburg. Zwolle, Amsterdam und St. Petersburg 1992: Abb. 10; YIVO Institute for Jewish Research, New York: Abb. 3, 5, 12, 16, 20; alle anderen Abbildungen stammen aus privaten Bildarchiven.

329

331

333

Danksagungen

Wir danken den folgenden Personen und Institutionen, ohne deren Hilfe und Unterstützung dieses Buch nicht zustande gekommen wäre: Prof. Dr. Israel Adler (Hebrew University Jerusalem), Naftali Aharoni, Prof. Dr. Simha Arom (CNRS Paris), Dena, Gideon, Joel und Rafi Attar, Michael Aylward, Sid und Mae Beckerman, Achim Bergmann (Trikont), Moshe Musa Berlin, Britt Beyer, Bibliothek der Jüdischen Gemeinde zu Berlin (Arcady Fried, Maria Iljina, Hadassa Voigt, Polina Wertun), Liane Birnberg, Irv Boses, Prof. Chaim Brandwein, Janet (Elias) Cassel, Michael Chanan, David Chernyavsky, Prof. Dr. Judith Cohen (University of Tel Aviv), Sabine Cunis, Shulamis Dion, Prof. Joseph Dorfman (Rubin Academy, University of Tel Aviv), Prof. Dr. Marsha Bryan Edelman (Gratz College, Philadelphia), Beatrice, Esther, Freda, Julie, Marion, Maxie und Willie Epstein, Dr. Barbara Monk Feldman und den inspirierenden türkischen Teppichen Morton Feldmans, Dr. Walter Feldman (University of Pennsylvania), Prof. Dr. Ken Frieden (Syracuse University), Paul Gifford, Max Goldberg, Harriet Goldstein-Daar, Thea Goldys-Bass, Prof. Dr. Eveline Goodman-Thau (Universität Halle), Yankev Gorelick, David Julian Gray, Prof. Dr. Vera Cheim-Grützner (Universität Potsdam), Roman und Elisabeth Grzeskowiak, Prof. Dr. Karl E. Grözinger (Universität Potsdam), Julia Hacker, Dr. Daniel Hoffmann, Bernd-R. Hübner (AOK Berlin), Alex Jacobowitz, Pat Kahn, Melvin Katz, Yevgeny Khasdan, Dora und Mayer Kirshenblatt, Prof. Dr. Barbara Kirshenblatt-Gimblett (New York University), Dr. Mark Kligman (Hebrew Union College New York), Alexander Knapp (SOAS, University of London), David Kohan, Leopold Kozłowski, Dr. Eveline Krause (AOK Berlin), Miriam Kressyn, Reb Judah Lankwitzer, Sandra Layman, Howie Leess, Marty Levitt, Lev Liberman, Peter Lippman, Dr. Rainer Lotz, Jakov Magid, Stefan Maksymjuk, Bernie Marinbach, Medem Bibliothèque Paris (Itzhok Niborski, Gilles Rozier), Ray, Renate und Margaret Morrison, Ray Musiker, Hankus Netsky (New England Conservatory), National Sound Archives der Jewish National and University Library, Jerusalem (Dr. Gila Flam, Ruth Freed, Yaacov Mazor, Avi Nachmias), Prof. Dr. Dov Noy (Hebrew University Jerusalem), Kalmen Opperman, Christa Osterhues, Alexander und Adele Ottens-Simontowskij, Dino Pappas, Nina Paskowitz, Paul Pincus, Dr. Ira Rabin, Ethel Raim (Center for Traditional Music and Dance, New York), Friederike Ramm, Reb Efrojm, Reb Gerschon, Derek und Pippa Reid, Seymour Rexsite, Alasdair Richardson, Lisa Rose, Rabbi Walter Rothschild, Dr. Kenneth und Rita Rubin, Abby Rubinowitz, Arthur, David, Elisabeth, Greta und Seymour Rubinstein, Danny und Seena Rubinstein, Dr. Rachel Salamander, Stephen Saxon, Avrom Schaeffer, Dr. Jutta Schmoll-Barthel (Bärenreiter Verlag), Prof. Dr. Martin Schwartz (University of California at Berkeley), Sonia Tamar Seeman (University of California at Los Angeles), Prof. Dr. Edwin Seroussi (Bar-Ilan University), Angelika Servatius (Schott Music and Media), Michael Sherbourne, Dr. Tobias Shklover, Hal Silvers, Prof. Dr. Mark Slobin (Wesleyan University), Peter und Vera Sokolow, Richard Spottswod, Dr. Steve Stanton (City University, London), Andy und Barbara Statman, Jim Stoynoff, Hugo Strötbaum, Vera Stutz-Bischetzky, Rudy und Louise Tepel, Paul Vernon, Ulf Waigel, Yona und Mervyn Warner, Axel Weggen, Sam Weiss, Tom Wendt, Bret Werb (U.S. Holocaust Memorial Museum, Washington), Klaus Wesener, Dr. Andrea Wörle (dtv), Raymond Wolff, Dr. Jeffrey Wollock, das YIVO Institute for Jewish Research, New York (Nancy Abramson, Zachary Baker, Leo Greenbaum, Chana Mlotek, Roberta Newman, Jenny Romaine, Eve Sicular) sowie Prof. Dr. Izaly Zemtsovsky (Russian Institute for the History of the Arts, St. Petersburg) sowie Christian Zwarg.